세상에서
가　　　　장
아름다워질
너　에　게

창비청소년문고 6

세상에서 가장 아름다워질 너에게

초판 1쇄 발행 2012년 7월 13일
초판 6쇄 발행 2022년 6월 15일

지은이 이운진 | 펴낸이 강일우 | 책임편집 유용민 윤자영 | 펴낸곳 (주)창비
등록 1986년 8월 5일 제85호 | 주소 413-120 경기도 파주시 회동길 184
전화 031-955-3333 | 팩스 031-955-3399(영업) 031-955-3400(편집)
홈페이지 www.changbi.com | 전자우편 ya@changbi.com

ⓒ 이운진 2012
ISBN 978-89-364-5206-3 43810

세상에서 가 장 아름다워질 너에게

이운진 지음

창비

세상에서 가장 아름다워질 너에게

공부하기 힘들지? 요즘 고민은 없니?

이런 질문을 한 번도 네게 한 적이 없구나. 너를 믿어서였지만 항상 미안한 마음이 바위만큼 무거웠단다. 어쩌면 네 마음속 엄마의 자리엔 빈 의자만 덩그러니 있는 건 아닌지 걱정스러울 만큼 말이야. 무척 섭섭했을 거야. 넌 지금 어느 때보다도 걱정이 많고 할 말도 많을 텐데. 지친 네 어깨와 살짝 어두워진 눈빛에 가슴이 철렁했단다. 그러고도 여전히 믿는다는 것 하나로 너를 지켜보기만 했구나. 믿음, 좋은 것이지만 때론 울음을 받아 주는 가슴이 필요한 것을 누구보다 잘 아는데도 그랬구나. 미안해. 그 마음으로 이 글은 시작되었어.

너만 한 나이였을 때의 나는 모범생, 착한 딸, 좋은 누나, 다정한

4

친구, 이런 기준과 기대에 나를 억지로 맞췄던 것 같아. 다른 사람들의 시선에 맞춰서 내 생각과 감정을 숨겼기 때문에 어른스럽고 철이 일찍 든 아이로 칭찬받았어. 그러나 다른 한편으로는 엄마에게 살가운 딸이 아니었고, 친구들 사이에서 인기 짱도 아니었고, 1등도 못 했고 결국 일류대는 원서도 못 내 보고 대학마저 떨어지고 말았지. 그때는 잘 몰랐어. 칭찬 속에서도 내가 왜 조금 불행하고 조금 슬프고 남들만큼 큰 소리로 웃지 않고 언제나 한쪽 가슴은 온기 없는 윗목처럼 서늘했는지.

　난 나의 진짜 모습을 보아 주고 나를 응원하고 위로해 주는 사람이 있었으면 했어. 학교 공부보다 잘할 수 있는 것이 있을 거라고, 친구를 잘 사귀지 못해도 불행해지지 않을 거라고 진심으로 말해 주는 사람 말이야. 사는 일이 무엇인지 잘 몰라서 순간순간 내게 무언가를 묻는 듯한 삶의 문제들이 답답하고 힘들었어. 그런데 아무도 내게 그런 것을 알려 주는 사람은 없었어. 성적표의 숫자만 중요할 뿐이었지. 그럴 때 부모님이나 선생님과 같은 어른이 나에게, 지금 네가 해야 할 일은 네가 가진 잠재력이 무엇인지 찾아내는 것이라고 가르쳐 주었다면, 난 더 많은 것을 꿈꾸었을지도 몰라. 그래서 나 스스로를 믿으며 덜 흔들렸을 것 같아. 내가 가진 능력이 비록 성적과는 무관해도 나를 가치 있는 사람으로 만들어 줄 수 있다는 사실을 일찍 알았더라면…… 그런 강하고 힘센 영혼이 되어야 삶을 훨씬 더 자유롭고 즐겁게 살 수 있다는 걸 그때 벌써 알았더라면……. 그래서였을 거야. 내가 지나온 아픈 과거가 네가 지나갈 내일일 수도 있다는 생각이 들어서 나는 그 언덕에 홀로 선 너를 향해 외치기로 한 거란다. 예전에 나를 향해 보내지 못했던 응원의 눈빛과 마음의 박수까지 보태어 너는 외롭지 말라고, 너이기 때문에 충분히 아름답다고.

이 글을 쓰는 동안 나는 뻔한 이야기를 하는 어른이 아니기를 바랐어. 한때 너와 같았던 나이의 내 목소리로 말하고 싶었어. 나도 너처럼 똑같이 어른들이 미웠단다, 너보다 더 나쁜 짓도 했단다, 하고. 그러면 넌 내가 풀어 놓은 인생의 몇 조각 속에서라도 마음껏 울다가 웃다가 아픔을 잊어버리기를 바랐어. 지금 네 곁에 아무도 없다고 느낀다면 내 글의 어느 한 줄이라도 네 마음을 지켜주는 목소리가 되기를.

내가 미처 다 하지 못한 말들은 시가 품고 있을 거야. 시 속에서 그 나머지 말들을 찾아 네 경험과 어우러지게 한다면 너는 지금껏 느끼지 못했던 따뜻하고 깊은 위안을 받게 될 거야. 시는 차마 만질 수 없는 슬픔이나 상처를 나 대신 앓아 주고, 비밀을 가지고 혼자서 조금씩 웃는 사람처럼 사소하지만 정답기 때문이야. 그래서 시 속에 들어가면 마음이 쉬는 날이 많아지지. 이것이 내가 시의 힘이라고 믿는 부분이야. 너도 뜻대로 되지 않을 때나 눈앞이 어지러울 때, 시가 보내는 짧은 안부를 받아 봐. 시인이나 시도 삶의 정답을 모르는 것은 마찬가지니까 어려워 않는다면 썩 좋은 친구가 될 수 있을 거야. 시와 너 사이에 조용한 물음과 되물음이 오가는 동안, 외로움도 고단함도 불안도 옅어지리라 믿어. 그러니 어둠 속이라고 피하지 마, 울지 마.

모쪼록 너는 남의 꿈이 되지 않았으면 해. 그냥 네가 가진 모습 그대로 꽃 피지 않는다면 나뭇잎만 무성하게 키워도 좋아. 그러다 어느 날, 크고 푸른 네 나뭇잎이 사람들에게 그늘을 만들어 준다면 그땐 꽃보다 더 많은 사랑을 받을 거야. 그렇게 사랑하며 살자!

2012년 여름
엄마가

차 례

2. 아름다운 학교, 자연

3. 삶의 징검돌을 건너며

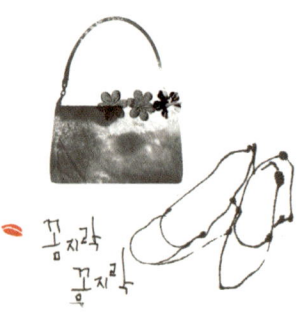

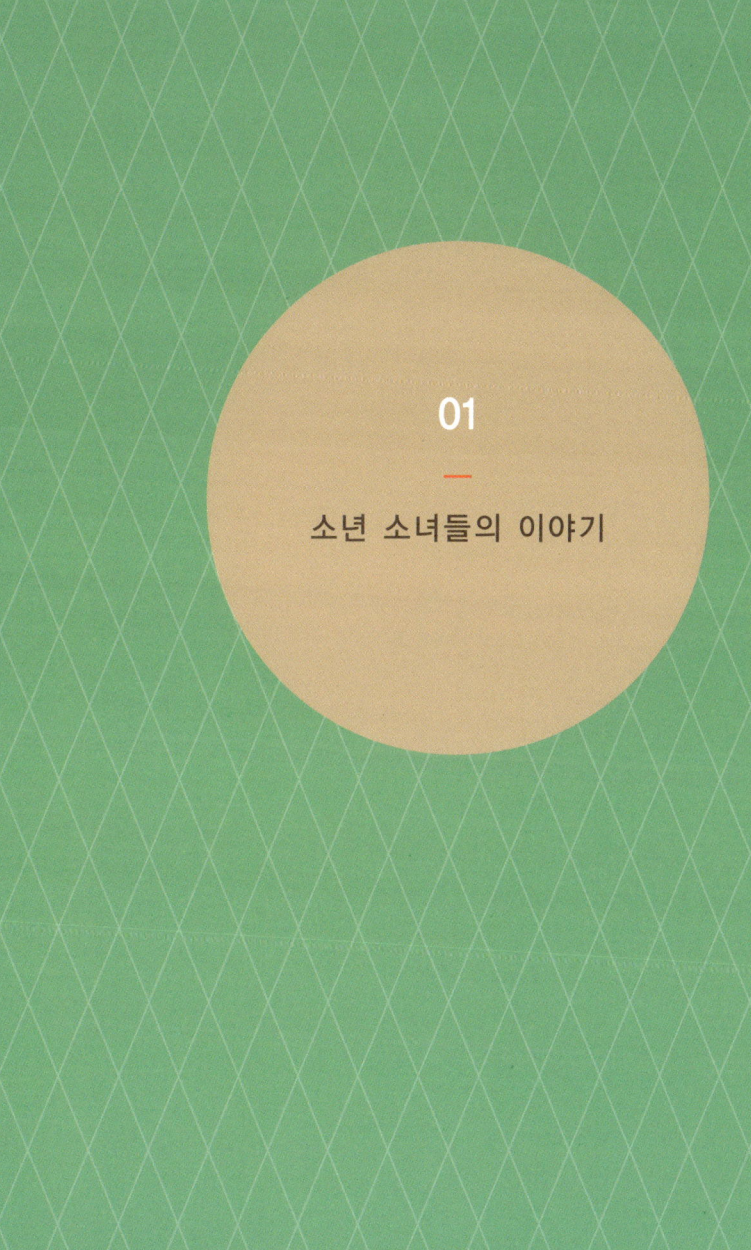

01
—
소년 소녀들의 이야기

안녕, 사춘기!

그래, 두근두근 소마소마 쏴충우돌 멜랑꼴리 깔깔깔 우이씨.
이게 사춘기이지. 궁금한 것도 많고 비밀도 많고 사랑도 하고 싶고
혼자서 멀리 여행도 가 보고 싶고 하지 말라는 것은 꼭 한번 해 보
고 싶은, 희한한 나이. 이마에는 여드름이 두어 개 돋았고, 심술로
부루퉁한 입은 친구 앞이 아니면 꾹 다물어져 있고, 언제나 열심히
해야 한다는 잔소리에는 저절로 귀가 닫히는 시절. 금지된 것은 다
아름다워 보이는 그 이상한 한때 말이야. 마치 샤갈의 그림 속에서
현실이라는 중력에 영향받지 않고 하늘을 나는 사람들처럼 어쩌
면 넌 지금 내 말과 눈이 닿지 않는 곳에 있는지도 모르겠어. 그래
서 사춘기인 너와 얘기하고 싶을 땐 특별한 주파수를 맞춰야 하나
봐. 왜 있잖아, 라디오 신호를 잡을 때처럼 지지직 지지직 소리가
나지 않는 딱 맞는 주파수가 있을 것만 같거든. 그걸 알면 너와 내
가 잡음 없이 깨끗한 소리로 서로의 마음을 들을 텐데. 에이, 짜증
나, 하는 불평까지도 말이야.

너는 지금 어느 때보다 열심히 배우고 있다는 거 알아. 친구를 배우고, 세상을 배우고, 그 어렵다는 너 자신을 하나씩 찾아 가며 배우고 있잖아. 말 못 할 고민이 수십 개쯤, 하기 싫은 일은 수백 개쯤, 듣기 싫은 잔소리는 천 개쯤 될 거야. 영어 단어장보다 야한 소설책이 만 배쯤 재밌는데 그것을 아닌 척 모른 척하기도 힘들지. 게다가 입시 경쟁은 어떻고. 잠깐 한눈을 팔면 나를 앞지르는 친구들 때문에 두렵고, 제아무리 친한 친구라도 성적만큼은 뒤처지고 싶지 않은 현실이 싫은 거 너무나 당연해. 그러니 소리라도 치고 싶겠지. 어른들을 향해, 청춘이 뭐 그리 아름답냐고, 왜 우아한 거짓말을 하느냐고 대들고 싶을 거야.

맞아, 다 맞아. 그 시기를 지나온 어른들은 그때의 혼란과 아픔을 다 잊고 젊음을 떠나보낸 아쉬움만 이야기해. 그래서 분홍빛이거나 밝은 파란빛의 느낌뿐이지. 사실 나도 그땐 너처럼 똑같이 방황하고 지독하게 아파서 힘들었는데 말이야. 그 회색빛 사춘기 얘기를 하고 싶어. 반짝이는 추억 말고 미움과 상처, 눈물과 침묵, 좌절과 고뇌 같은 것들이 있었다고 말하고 싶어. 때로는 학교와 어른들에게 반항했고, 때로는 혼자만의 방으로 숨어들어 자물쇠를 열 개쯤 채워 놓았고, 또 때로는 몰래 죄지으면서 보낸 나의 사춘기를 보여 주고 싶었어. 그것이 내가 너의 편임을 느끼게 해 줄 방법이라고 생각했어. 진심을 담아 솔직하게 사춘기를 고백한 시들을

함께 감상하며 지금 네가 느끼는 혼란이 뜨거운 성장임을 알게 해
주고 싶어.

　그러니 마음의 문을 열고 들어 봐 주겠니? 아팠던 사춘기를 기
억하는 그들의 시를, 아니 우리의 일기를 함께 읽어 보지 않겠니?

소녀들
―사춘기 5

김행숙

여자애들은 모두 즐거워 보였다. 열두 살이 되면,

　좋아하는 상점이 생길 거라고 말해 주었다. 너희는 매일 상
점에 들러서 몇 가지 물건을 쓰다듬을 거야. 그때의 기분과 손
길을 잘 기억해 두렴.

　열네 살이 되면, 그렇게 백번 만지고 몇 가지 물건을 사는
동안 열네 살이 된 여자애를 친구로 사귀겠지. 너흰 둘 다 상
점에서 물건을 훔친 경험이 있지.

　이제는 전부 시시해졌어, 그 애가 울면서 말할 거야. 쓰다듬

어 주렴. 좋은 친구는 아주 부드러워.

기억할 것들이 생기지. 열두 살이 되면,
열네 살이 되면, 나뭇잎을 떨어뜨릴 만큼 깔깔깔 웃기도 했
지만

시 얘기를 하기 전에 아픈 기억으로 남아 있는 나의 열네 살 이
야기를 먼저 들어 볼래? 내가 열네 살이던 때, 좋아하던 친구가 있
었어. 늘 유쾌하고 재밌는 이야기를 해서 반 아이들에게 인기가 많
은 친구였지. 내가 가지지 못한 활달함에 끌렸던지 나는 짧은 하굣
길만큼이라도 그 친구와 함께하고 싶었어. 교문 근처쯤에서 기다
렸다가 우연히 만난 듯이 말없이 곁에서 걸어가곤 했어. 그렇게 두
어 달이 지난 봄날 늦은 오후였어. 그 친구가 내게 선물 가게에 같
이 구경 가겠느냐고 묻더구나. 난 단짝이라도 된 것 같은 기분에
고개를 크게 끄덕였어. 친구가 나를 데리고 간 곳은 우리 집을 지
나 로터리 근처에 있던 규모가 큰 선물 가게였어. 난 그때까지 한
번도 혼자서 선물이라는 것을 사 본 일도 없었고, 물건을 마음대로
살 만한 용돈도 받지 않던 때였어. 그래서 인형이나 팬시 용품을
파는 가게에 들어가 본 적도 없었지.

그날, 친구를 따라 쭈뼛쭈뼛 들어간 그곳은 정말 천국이었어. 분홍빛을 띤 온갖 물건들을 다 모아 놓은 듯했어. 세상에 이런 곳이 있다니, 색실을 감아 놓은 예쁜 볼펜도 있고, 만지면 녹을 듯 부드러운 곰 인형도 있고, 들여다보기만 해도 공주로 만들어 줄 것 같은 보석 거울도 있었어. 나는 눈을 한곳에 두지 못하고 정신없이 두리번거렸어. 주인아줌마의 따가운 눈총을 겨우 의식하고서야 그곳을 나왔던 것 같아. 집에 와서도 그 물건들 생각뿐이었어. 아주아주 마음에 드는 필통 하나가 있었거든. 딸그락 소리가 나는 쇠 필통이 아니라 분홍색 천으로 만든 헝겊 필통이었어. 그 필통에서 볼펜을 꺼내 공부를 한다면 무조건 잘될 것 같았지. 며칠이 지나도 여전히 머릿속에서 지워지지 않는 그 필통 때문에 난 엄마에게 괜한 짜증을 부리기도 했어. 필통을 잊어야 하는 고통스러운 마음이 겨우 진정이 되어 갈 즈음이었는데, 그 친구가 다시 선물 가게를 간다고 해서 나는 또 따라나섰어. 가는 길에 무척 마음에 들었던 필통 얘기를 했고, 그 필통이 아직 있을까 궁금해서 가 보고 싶다고 했지.

그곳은 더 예쁜 천국이 되어 있었어. 내가 찍어 놓은 필통도 그 자리에서 날 기다린 듯했어. 친구에게 필통을 들어 보이고는 환하게 웃었지. 그러고는 새로 보이는 물건들을 열심히 구경했지. 여전히 돈은 없었으니 손끝에 닿는 느낌만으로 만족해야 했어. 창밖에 어스름이 내리는 것을 보고 놀라서 가게 문을 나설 때였어. 문 앞에서 주인아주머니가 가방을 열어 보라는 거야. 난 살짝 기분이 상했지만 주저 없이 탁자 위에 가방을 올려놓고 지퍼를 열었어. 그와 동시에 주인아주머니는 내 친구의 가방을 낚아챘어. 그러고는 지퍼를 열고 가방을 쏟아 버렸지. 분홍빛 칫솔과 분홍빛 손수건, 분홍빛 동전 지갑과 빗이 책 위로 와르르 떨어졌어. 그 순간에는 놀라움보다 무서움이 더 컸어. 엄마가 안다면, 선생님이 안다면, 내가 도둑질한 것처럼 소문이 난다면, 난 정말 무서웠어. 끝내 울고만 내게 아주머니는 집에 가라며 거칠게 등을 떠밀었고, 난 부끄럽고 두려워서 친구 생각은 손톱만큼도 하지 않고 어둠 속을 달려갔어.

그 뒤로 그 친구는 나를 피했고, 나는 그 친구가 두려웠어. 다행히 아무 소문도 없이 지금까지 모든 일은 조용히 묻혀 있지만, 시간이 지날수록 친구를 잃은 서운함이 조금씩 생겨났어. 내가 친구를 용서할 입장인지 아닌지는 모르겠지만, 친구를 죄인인 듯 생각하지는 말았어야 했던 것 같아.

시간이 아주 많이 지나고 이 시를 읽다가 그 친구와 내 모습이 선명하게 되살아나서 슬퍼졌단다. 그 친구, 나를 볼 때마다 얼마나 힘들었을까? 누군가 나의 비밀을 알고 있으면 그 사람 앞에선 늘 조마조마하잖아. 그 친구의 사춘기가 나 때문에 더 아팠을 거라는 생각이 왜 이제야 드는 걸까? 그래서 나는 "쓰다듬어 주렴. 좋은 친구는 아주 부드러워."라는 시인의 말 앞에서 무릎 꿇고 싶은 심정이었단다. 나는 친구를 그렇게 쓰다듬어 주지 못했으니까.

여자애들은 원래 예쁜 문구나 화장품이 있는 가게를 무척 좋아하잖아. 그곳에서 친구들과 시간 가는 줄 모르고 구경을 하고, 그 땐 아주 행복하고 즐겁잖아. 학교에서 어떤 힘든 일이 있었어도 그 순간엔 모두 잊힐 정도로 말이야. 내가 어릴 적 갖고 싶었던 분홍빛 헝겊 필통처럼 마음에 드는 물건을 보고 있으면 미소가 떠올라 굳은 얼굴을 풀어 주기도 해. 잠시라도 마음이 편안해지는 "그때의 기분과 손길"이란 바로 내가 바랐던 애정일지도 모르겠어. 엄마나 선생님께 받고 싶었던 깊은 위로 같은 것 말이야. 오늘은 어땠니, 이렇게 간단하고 짧은 말. 혹은 밥 먹는 내 머리를 말없이 쓰다듬고 지나가는 손길 같은 것. 쑥스러워 어깨를 움츠리고 고개를 숙여 버려도 마음은 벌써 흰구름처럼 가벼워져 둥둥 떠오르고 말잖아.

그런데 그 짧지만 깊은 믿음이 시 속의 소녀에게는 없는 거야. 아무리 찾아도 없어서 소녀는 두 해가 넘도록 가게를 다니고, 결국 갖고 싶은 그 '사랑'을 훔치고 말았던 거지. 그곳엔 소녀 같은 아이가 하나둘. 그들은 친구가 되고 이젠 시시한 물건 대신 서로가 마음을 위로하며 상처를 달래지. 아픈 곳이 똑같고 도둑질한 죄가 똑같으니 말도 필요 없는 친구가 돼. 어쩌면 위로보다 눈물을 받아 줄 사람이 더 간절했는지도 모르겠어. 친구가 운다면 너도 울 거야. 울면서 시린 눈물로 상처를 씻어 내게 될 거야. 그래서 "좋은 친구는 아주 부드러워." 상처를 덮어 주는 연고처럼 말이야. 그 연고 덕에 새살이 돋으면 다시 "깔깔깔" 웃게 되는 거였어.

그래, 그래야 했어. 나도 그 친구의 마음을 쓰다듬어 주어야 했어. 한순간의 잘못이었다면, 속으로는 분명 잘못을 부끄러워했을 테니, 나는 친구가 가방에 훔쳐 넣었던 분홍빛 '사랑'을 주는 사람으로 끝까지 남아야 했어. 그랬다면 나도 시 속의 두 사람처럼 그 친구와 깔깔거렸을 거야. "나뭇잎을 떨어뜨릴 만큼" 큰 소리로 우정을 자랑했을 거야. 오랫동안 서로를 피하는 슬픈 기억 같은 건 없었을 텐데.

오래전의 이야기를 고백하고 나니 창밖에서 불어오는 바람이 더 시원해진 기분이야. 네게도 이런 이야기들이 몇 개쯤은 있을 거야. 대개는 잠시 고민하다가 잊히지만 나처럼 긴 시간을 보내야 할 때도 있어. 울어야 할 때를 놓치고 슬픔을 가슴속에서 키우면 나중에는 큰 파도가 되어 몰아치기도 해. 그러니 자주자주 마음의 방을 비워 주는 게 좋을 것 같아. 몸은 마음이나 생각보다 빠르게 자라나서 벌써 어른이 된 기분이 들겠지만, 소년 소녀 들의 이야기를 많이 남기길 바라.

이런 사춘기를 건너뛰어 어른이 되거나 이 시기를 피해 갈 수 있는 사람은 아무도 없어. 돌아갈 길도 지름길도 없어. 그러나 도망가고 싶을 만큼 무섭기만 한 것은 아니야. 이 세상의 어른이라면 누구나 다 비슷한 경험과 과정을 거쳤으니까. 다만 지나온 후의 모습이 다를 뿐이야. 사춘기라는 울퉁불퉁한 길을 통과할 때, 그저 발에 걸리는 돌부리를 걷어차며 피하기만 했는지 아니면 돌멩이를 주워 그 안의 보석을 찾아보았는지에 따라 내가 달라지는 거야. 그러니 반짝반짝 보석을 찾는 눈빛으로 그 길을 걸어 나오렴. 길을 다 걷고 나온 멋진 너를 기대하며 기다리고 있을 테니.

가장 아름다운 떨림, 첫사랑

어느 날 너에게도 사랑이 찾아올 거야. 이 말만으로도 벌써 심장이 뛰지? 그게 바로 사랑의 힘이야. 마음에 울긋불긋 열꽃이 돋아 도무지 잠들지 못하는 밤이 생기지. 그가 좋아하는 것이라면 이유도 없이 좋아하다가도, 그가 다른 사람과 다정하면 한순간에 폭발이라도 할 듯한 마음 사이를 어지럽게 오가는 때이지. 눈을 감고 뜰 때마다 온통 그가 나타나는 불가사의한 세상을 만나는 거야. 그 사람으로 채워도 채워도 배고픈 가슴을 쓰다듬으며 그리움이 아프다는 것도 배우게 되지.

첫사랑은 '처음'이라는 최초의 순간에 대한 감격과 흥분 때문에, 그리고 더욱이 순수했던 시절이기 때문에 끝끝내 가슴에서 지우지 못하는 걸 거야. 첫울음, 첫걸음, 첫 입학, 첫 소풍, 첫 시험, 첫 키스가 모두 그렇듯이 '첫'이라는 말은 나를 금방 설렘의 순간으로 데려다 주고 말잖아. 첫사랑이 인생의 어느 굽이에서 나를 호명하든 대답할 수 있는 것도 다 이런 이유일 거야. 그러니 그런 첫사랑이 찾아왔을 때, 너도 칠레의 시인 파블로 네루다처럼 '스무 편의 사랑의 시와 한 편의 절망의 노래'를 부르는 건 당연한 것이지. 사랑은 모두를 시인으로 만들기도 하니까.

아무려나 나의 유별난 첫사랑 이야기를 또 안 할 수 없겠지? 그 것을 사랑이라 부르는 건 억지라고 할지도 모르겠지만, 그래도 내 겐 떨림을 처음으로 알게 한 사건이니 사랑이라고 하고 싶어.

나는 길버트 블라이스를 사랑했어. 지금노 그 이름을 다시 밀힐 때면 심장 한쪽으로 피가 쏠리는 기분이 들어. 잘생기고 똑똑하고 재치 있고, 한 여자만을 사랑했던 순정파 남자를 어찌 사랑하지 않을 수 있었겠니. 그가 대학을 가고 청년이 되는 모습을 보며 나의 미래를 꿈꾸었고, 그가 청혼을 하던 장면 속에 나를 그려 놓고 수없이 되뇌던 그것이 사랑이 아니라면 무엇이었겠니.

중학생 시절 내내 내가 사랑했던 그 사람은 바로 『빨간 머리 앤』의 길버트였어. "내게도 한 가지 꿈이 있어."로 시작하는 길버트의 청혼 장면을 정말 좋아했어. 숲 속 정원의 낡은 벤치에 나란히 앉아 가을 구름을 보던 길버트가 건넨 고백의 말들. 앤의 표현처럼 그 순간 에덴동산을 떠올리게 되는 기분이 무엇일지 나중에 진짜 사랑하는 사람이 생긴다면 그도 길버트처럼 품위 있는 태도로 고백해 주기를 꿈꾸었지. 그 두근거림은 상상만으로도 낭만적이었거든. 내겐 도저히 이룰 수 없는 첫사랑이었지만 무척 다정하고 자신감 있던 그 순간의 길버트가 참 좋았어. 책 속의 주인공을 사랑해서 이별 없는 첫사랑을 한 것이 행인지 불행인지는 몰라도 내 짝사랑은 혼자서 오래 계속되었지. 책을 펼치면 언제나 그곳에 있던 길버트를 찾지 않게 된 건 아마도 성년이 되고 진짜 사랑을 하게 되면서부터야. 이제야 이야기지만, 그때 남학생을 만날 기회가 있었다면 소설 속의 주인공을 그토록 좋아하지 않았을지도 모르겠어. 여학교 시절이었고, 이성과 눈빛도 못 나누던 이상한 때였거든.

이처럼 누군가가 특별해지는 순간이 오면 생은 눈부시게 환해진단다. 수많은 거리의 사람들 중, 오직 그만이 내 눈을 채운다는 말이 진짜로 믿기는 때가 바로 그 순간이거든. 흔히 사랑의 포로가 된다고 하는데, 그런 열정이 너를 일으키면 주저하지 말았으면 해. 물론 첫사랑은 한 사람의 가슴앓이로 지나가는 경우도 많고, 이루어지지 않는 경우가 대부분이라서 이별을 경험할 수밖에 없어. 때문에 첫사랑을 청춘의 통과 의례라고도 해. 그 말은 사랑을 하고 이별을 하고 아파한 후에 다시 제자리로 돌아올 땐 이전과 똑같은 상태가 아니라 새로운 상태, 더욱 성숙한 모습이 된다는 의미야. 노랫말도 있잖아. 아픈 만큼 성숙해지고. 사랑 때문에 이별을 하고 마음으로 아픈 피를 흘리더라도, 사랑이 너를 상처 입히진 않는다는 걸 기억했으면 좋겠어. 사랑이 아픈 건 사랑하는 마음 때문이

아니라 상대를 소유하고 싶은 욕망 때문이라는 것도. 하지만 오늘
은 사랑의 느낌만을 얘기할까 해. 그것도 첫사랑, 정말 가슴이 이
상해지는, 세상에서 가장 아름다운 떨림 말이야.

무궁화꽃이 피었습니다

진은영

무궁화꽃이 피었습니……다
한……발 무궁화꽃이 피었습……니다
두우 발 무궁화꽃이 피었습니이다
다가와…… 무궁화꽃이 피었습니다
무궁화꽃이 피었…… 언뜻 스친
그대

    저쪽 담벼락에 붙어서 눈을 감은 술래의 목소리가 들리는 듯하
지 않니? '무궁화 꽃이 피었습니다!' 재빨리 말하는 술래의 목소
리가 발목을 붙잡곤 해. 겨우 반 발짝 움직이다 만 몸이 기우뚱거

릴까 봐 두 다리에 잔뜩 힘을 준 채 숨을 참고 있어야 하잖아. 또다시 술래는 뒤돌아 눈을 감고 외치고 우리는 몰래 한 발짝 술래 가까이 다가가는 거지. 하나 둘 셋 넷 다섯 여섯……. 그렇게 무궁화 꽃이 수십 송이 피고 나면 술래가 손에 닿을 듯 가까워져 있어. 술래도 나도 숨소리를 숨길 수 없는 이때부턴 정말 떨리는 순간이야. 다음번에 술래를 치고 달아날까? 아니야, 이젠 나가지 않고 좀 기다려 볼래. 그래도 이만큼만 갈까 말까, 손을 올렸다 내렸다, 등만 보이는 술래의 속마음을 읽으려 망설이고 주저하다가, 에잇!

이 깨끗한 추억 한 장으로 사랑을 이야기하게 되어 기뻐. 너도 교실 복도를 지나며 창문 너머로 보이는 그 애의 뒷모습만 보고도 마음 설렌 적이 있을 거야. 눈 맞추고 얘기한 적 없지만 텔레파시 같은 게 있어서 내 맘을 알아주었으면 한 적도 있을 거야. 그렇다면 이 시 속에 들어가서 술래가 한번 되어 줄래?

시 속의 나는 지금 사랑에 빠졌고, 그대와의 사랑에서 술래가 되어 있어. 아직 고백은 못 한 듯하지? 다가오는 발걸음만 한 발, 두 발 세고 있을 뿐 제대로 쳐다보지도 못하잖아. 물론 술래여서 그렇기도 하지만, 술래가 바라보면 그대는 꼼짝할 수 없으니까 스스로 술래를 자청한 듯도 싶어. 그래, 두 눈 꼭 감고 벽에 붙어 서 있을 테니 제발 가까이 다가와 줘. 네가 아주 가까워져서 나를 치고 달아나려 할 때, 내 손이 옷소매를 붙잡을 수 있을 만큼 가까이 더 가까이. 그래서 "무궁화꽃이 피었습니다."라는 시 속의 말은 '사랑합니다, 사랑합니다.'라는 속삭임처럼 들리나 봐. 아마도 술래는 아주 작은 소리로 무궁화꽃을 셌을 것도 같아.

얼마나 기다렸을까? 그대는 아주 천천히 내가 보지 않는 동안에만 다가오고, 나는 등 뒤의 인기척만을 느끼며 기다리고. 그런데도 그 긴 기다림 끝에 만난 그대는 와락, 나를 안아 주는 그대가 아니라 "언뜻 스친" 그대가 되고. 이쯤에서 그대는 술래를 치고 제자리로 뛰어간 듯싶지? 내 사랑을 모르거나 받아 주지 않은 채 멀어져 버렸어. 두 사람의 놀이가 계속되었는지 어떤지 우리는 모르지만, 여전히 자리를 떠나지 못하는 술래의 모습이 그려져. 첫사랑이 머물렀던 그 자리를 오래도록 지킬 것만 같아.

어차피 사랑을 할 때는 둘 중 하나가 술래야. 오늘도 무궁화꽃을 세면서 '다가와, 다가와.' 기도하는 술래. 그런 술래라도 오래오래 할 수 있기를 바라는 마음이 바로 사랑이라고 말하면 네가 알까? 그리고 때론 생의 끝까지 술래가 되어 기다리는 사람이 있다는 것도.

첫사랑

서정춘

가난뱅이 딸집 순금이 있었다
가난뱅이 말집 춘봉이 있었다

순금이 이빨로 깨트려 준 눈깔사탕
춘봉이 받아먹고 자지러지게 좋았다

여기, 간신히 늙어 버린 춘봉이 입 안에
순금이 이름 아직 고여 있다

이 시에선 무겁게 쌓인 시간이 느껴져. 가난한 두 집의 청춘 남
녀가 서로 좋아하다가 헤어졌나 봐. 무슨 이유로 사랑을 이루지 못
했는지는 모르겠으나 이 시는 그로부터 아주 오랜 시간이 흐른 후
의 이야기인 것 같지? "간신히 늙어 버린 춘봉이"라는 표현이 무
척이나 쓸쓸하구나. 순금이 깨트려 준 사탕 맛처럼 백발이 되어

도 소녀의 이름은 입 안에 남아 있다는 고백이 그들의 사랑을 더욱 애틋하게 느끼게 해. 그래서 아마도 간신히, 간신히 늙었겠지. 그 아름답던 기억들을 놓지 못해서, 소녀의 이름을 다시는 다정하게 부를 수 없는 세월이어서, 춘봉이 마음의 한쪽 방은 평생 동안 비어 있었겠지. 처음 만들어진 그 방엔 누구도 대신해서 들어갈 수 없어서 빈방인 채로 추억만 담겨 있겠지. 첫사랑은 이처럼 입에 물고 뱉지도 삼키지도 못하는 이름인가 봐. 이름만으로노 금세 가슴이 쿵쾅거리게 되는 그런 것.

이 시들을 읽고 나서는 이런 생각이 들었어. 누구는 스스로 술래가 되어 잡길 원하고, 누구는 사탕처럼 입에 물고 사알살 굴리는 마음. 나 아닌 다른 사람을 더 많이 생각하고, 나 아닌 다른 사람의 이름을 더 오래 간직해서 그가 살던 마음속의 집으로 끝없이 편지를 보내는 일. 이것이 정말 사랑이구나 하고. 첫사랑, 그것은 내가 단 한 번 눈앞의 것에 연연하지 않고 마음의 미동만을 믿었던 근사한 추억이야.

이별 과목 공부하기

이별은 반드시 온단다. 사랑을 시작했다면, 삶을 시작했다면 우리는 반드시 헤어질 수밖에 없어. 그 헤어짐의 순간이 언제인지가 문제일 뿐이지 대체로 한두 번 혹은 여러 번 사랑하는 이와 이별하고 결국엔 세상과 이별해야 하잖아. 어릴 적 잠자리를 지켜 주었던 토끼 인형이 곁을 떠나는 것처럼 때로는 자연스럽게 때로는 아프게 홀로 서야 할 순간들을 맞이한단다. 장난감이나 애완동물뿐만 아니라 친구나 선생님, 부모와 형제, 사랑이나 청춘, 꿈 같은 것까지 모든 것은 결국 사라지거나 퇴색되고 말아. 마침내 궁극적인 이별인 죽음이 와야 이 삶은 마무리되니까 말이야.

이 세상이 하나의 학교라면, 상실과 이별은 그 학교의 주요 과목이라고 표현한 글을 읽은 적이 있어. 국어나 영어, 수학처럼 가장 열심히 공부해야 하는 것이 바로 이별 과목이라는 거지. 세상이 가르치는 교과목은 수없이 많을 거야. 사랑이 있을 테고, 성공도 있을 것이고, 희망과 우정, 행복처럼 긍정적이고 유쾌한 수업도 있겠지만, 그 짝을 이루는 반대 과목도 반드시 있는 법이란다. 희망과 행복이 있으면 절망과 불행이 곁에 있을 것이고, 성공을 보았다면 실패와 좌절도 함께 넘겼을 것이고, 사랑이 왔으니 이별도 따라와야겠지. 그 수많은 과목들을 몸으로 하나씩 배우고 경험하는 과정이 인생인 셈이지. 그중에서 특히 이별과 상실이라는 과목을 잘 배운다면 삶이 흔들릴 때 중심을 잃지 않을 수 있어.

이별을 경험하면서야 우리는 사랑하는 이들, 또는 곁에 있지만 무심했던 사람들의 손길을 자각하지. 상실의 슬픔은 존재에 대한 새로운 자각을 일으키고 이것은 더 많은 사람들을 향한 사랑을 만들어 내기도 해. 이런 이유로 상실과 이별은 우리의 가슴에 난 구멍이면서 또한 사람들에 대한 사랑을 담아 둘 수 있는 구멍이 되기도 하는가 봐.

아직은 이 말이 다 이해되지는 않을 거야. 마흔을 넘긴 내게도 이별의 슬픔은 무엇보다 힘든 일이니까 말이야. 특히 두근두근하던 첫사랑과 이별해야 하는 첫 번째 시련이 왔다면 그건 절대로 쉽게 넘어가지지 않아. 정말로 한 번도 겪어 보지 못한 두려운 순간이지. 그때 눈앞의 세상은 계절을 잃고, 떨리던 심장의 맥박은 무거워지고, 수백 번 잊어도 다시 되살아나는 이름 하나 때문에 나머지 모든 이름을 잊기도 하지. 아마도 누군가의 얼굴을 하늘에 그려 보는 때가 있다면 바로 이 순간이 아닌가 싶어. 눈물이 가슴속으로 흘러 그 사람이 있던 자리를 다 파내고 커다란 구멍이 생겨날 때까지 오래오래 아파야 하니 어찌 괜찮을 수 있겠니? 그 구멍에 새살이 돋을 때까지 또 아플 텐데, 그것이 이별인데, 어떻게 그것이 한순간일 수 있겠니?

그러나 이토록 중요한 공부인데도 참고서도 없고 스승도 없는 과목이라면 어떻게 배워야 할까? 누가 가르치고 누구에게 질문하고 어떤 방법으로 익혀야 할까? 지혜롭고 훌륭한 이별은 무엇일까? 이런 의문과 질문이 생겼다면 너는 이제 이별 과목의 수업을 받을 준비가 된 거란다. 나 또한 아직 평정심을 잃지 않고 이별 느낌을 말할 수 있는 고수는 아니지만 우리 서로 어깨를 기대어 의지하며 시를 읽어 보자. 이별의 상처와 슬픔은 도대체 얼마나 긴지, 그리고 이별한 마음은 얼마나 큰 소리를 내며 우는지……

선운사에서

최영미

꽃이
피는 건 힘들어도

지는 건 잠깐이더군
골고루 쳐다볼 틈 없이
님 한 번 생각할 틈 없이
아주 잠깐이더군

그대가 처음
내 속에 피어날 때처럼
잊는 것 또한 그렇게
순간이면 좋겠네

멀리서 웃는 그대여
산 넘어가는 그대여

꽃이
지는 건 쉬워도
잊는 건 한참이더군
영영 한참이더군

선운사라는 절이 있어. 동백꽃이 유명한 절이야. 아마도 시인은 슬픔을 달래기 위해 먼 곳까지 달려갔던가 봐. 기어이 사랑하고 싶었으나 엇갈려 버린 사람, 등을 보이고 눈앞에서 사라진 사람을 마음에서 지우는 일은 쉽지 않았겠지. 때마침 그곳에서는 꽃이 지고 있었네. 꽃송어리가 통째로 뚝 떨어지는 붉은 동백이 바닥에 낭자한 것을 보았으니 얼마나 가슴이 시렸을까. 내 사랑도 저렇게 떨어져 버렸구나, 이렇게도 살아지긴 할 것인가 물어보고 있었겠지. 답도 없는 질문을 나에게 하며 꽃이 지는 일처럼 "생각할 틈 없이" 그대가 잊힌다면 차라리 좋을 텐데, 바라고 있었겠지.

그러나 이별의 기억은 돌에 새긴 그림처럼 쉽게 지워지지 않지. 마치 선사 시대의 암각화처럼 내 마음의 벽에 남아 긴 세월을 함께할지도 몰라. 슬픔이 사라진 후에도 기억은 쉽게 사라지지 않아. 그걸 알기에 시인은 꽃이 지는 건 쉬워도 잊는 건 한참이라고 하는 거야. 이별이라는 사건은 꽃이 지는 일처럼 한순간 지나가고 말지만, 이별 이후에 마음이 겪어야 할 시간은 영영 한참이라고, 그견뎌 냄의 참혹함을 걱정하고 아파하는 거야. 이별은 가슴에 난 구멍이라고 했던 말을 이제 조금 이해하겠니? 피부가 살짝 찢어진 정도의 상처가 아니라 구멍이 뻥 뚫릴 정도의 아픔이라고 한 것을 말이야. 또한 그 상처 난 구멍이 아무리 작아도 시간이라는 약밖에 없기 때문에 쉽게 막을 수 없다는 것도.

누구든 사랑을 할 땐 끝까지 함께하길 원하지. 영원이라는 말이 정말 가능한지 모르지만 한 번쯤 그 말이 나의 편이기를 바라고 말이야. 그러나 인생에 끝이 있듯 사랑도 마찬가지야. 너도 어쩔 수 없이 헤어짐을 경험하게 될 거야. 그땐 많이 아플 거야. 그런 너를 보는 나도 아프겠지. 그래서 미리 너에게 이별 이야기를 길게 해 주는 거야. 이별이 온다면 사랑했던 것만큼 아파하라고 말이야. 구멍 속에 찌꺼기가 남아 썩게 하지 말고, 사랑하고 떠난 사람을 미워하지 말고, '괜찮지 않습니다!'라고 말하면서 씩씩하게 앓고 후련하게 일어나길 바라는 마음으로. 그 후엔 무엇도 영원히 머물 수 없다는 것을 알게 되었으면 해. 흘러가는 것이, 흐르도록 해 주는 것이 삶을 자유롭게 해 준다는 것도 말이야. 그러니 그냥 울어도 돼. 이별이 오면 강물처럼 울고 강물처럼 흘려보내. 울음소리를 감추고 싶을 땐 여기 시인처럼 바지락을 치대면 되니까.

이별이 오면

문태준

이별이 오면 누구든 나에게 바지락 씻는 소리를 후련하게 들려주었으면

바짓단을 걷어 올리고 엉덩이를 들썩들썩하면서

바지락과 바지락을 맞비벼 치대듯이 우악스럽게 바지락 씻
는 소리를 들려주었으면

그러면 나는 눈을 질끈 감고 입을 틀어막고 구석구석 안 아
픈 데가 없겠지

가장 아픈 데가 깔깔하고 깔깔한 그 바지락 씻는 소리를 마
지막까지 듣겠지

오늘은 누가 나에게 이별이 되고 나는 또 개흙눈이 되어서

바지락을 씻어 보면 알아. 조개를 씻는 일은 부드러운 채소 잎
을 씻는 일과는 다르다는 것을. 조개껍데기 주름 사이사이에 낀 찌
꺼기를 없애려면 굵은소금을 뿌려서 조개껍데기끼리 비비고 박박
문질러야 한다는 것을. 상상해 보렴. 그때 얼마나 시끄러운 소리가
날지 말이야. 그런데 시인은 이별이 오면 누구든 그 소리를 들려
달라고 하는구나. 바짓단을 걷고 엉덩이를 들썩이며 바지락을 치
대라는 것을 보니 있는 힘껏, 최대한 큰 소리가 나도록 해 달라고
부탁하는 것 같아.

이별을 하고 한바탕 크게 울려고 작정을 했나 봐. 그러나 우는
걸 들키기는 싫어서 바지락 껍질 부서지고 부대끼는 소리에 울음

소리가 묻히도록 아주 크게 조개껍질을 비벼 달래. 남자라서 그 랬을까? 그러고도 시인은 "눈을 질끈 감고 입을 틀어막고" 울 거 래. 지켜보는 사람은 이 모습에 더 마음이 아파. 그렇잖아? 두 다리 를 쭉 뻗고 퍼질러 앉아 목 놓아 우는 모습보다 큰 손으로 입을 막 고 눈을 감은 채 어깨만 들썩이는 모습이 더 안쓰럽잖아. 왜냐하 면, 아주 깊은 것들은 더 고요한 법이거든. 바닷속처럼 깊은 슬픔 이라면 나라도 그렇게 울었을 거야. 그 후엔 진흙 뻘을 다 담은 "개 흙눈"이 되겠다는구나. 그만큼 울겠다는 것인지, 그리되어 떠나간 사람을 보지 않겠다는 것인지는 잘 모르겠으나, 이 시인에게는 이 별이 많지 않으면 좋겠단 생각을 했어.

　네가 실제로 겪어 보기 전에 시로나마 이별과 눈물의 맛이 어떤 것인지 보여 줄 수 있어 참 다행이야. 물론 이 정도의 눈물 예방 주 사를 맞았다고 진짜 이별하는 순간까지 '쿨'할 수는 없겠지. 다만 내가 바라는 건, 네 사랑을 보내야 할 때가 오면 그땐 바지락 씻는 소리라도 떠올려서 조금이라도 덜 아팠으면 하는 거지. 그 소리만 큼 크게 울면서 마음의 주름에 낀 슬픔을 씻어 낸다면, 이별은 또 괜찮은 일이 되어 눈물로부터 혼자 일어날 수 있다는 것도 믿길 바라는 거지.

에로틱한 비밀의 시절

나의 사춘기는 브래지어에서 시작되었어. 언니가 없는 나는 브래지어를 보는 일이 흔치 않았어. 엄마의 브래지어는 꽃무늬도 레이스도 하나 없는 살구색이거나 빛바랜 흰색이었고, 빨랫줄에 기운 없이 걸려 있는 모습마저도 보기 어려웠어. 할아버지 할머니와 함께 살던 시절이었으니 젊은 엄마는 속옷을 햇볕에 말리는 일에도 용기가 필요했던가 봐.

간혹 좁은 골목길을 사이에 둔 앞집 마당에서 바람에 한들거리며 마르고 있는 분홍빛이나 하늘빛의 고 어여쁜 브래지어를 볼 때면 나는 꼼짝달싹도 못 하고 담장 너머를 바라다보곤 했어. 그러고는 내 가슴에 얹어 보는 상상을 했지. 겨우 밤톨만 한 젖멍울이 생겼을 뿐인데도 예쁜 브래지어를 하면 금방 봉긋하고 탐스러운 가슴이 될 듯한 착각에 얼마나 행복해했던지. 가족들이 아무도 없던 어느 봄날엔 정말 커다란 목련 꽃잎 두 장을 따다가 가슴에 대어 보기도 했어. 아주 흰빛은 아니고 달콤한 상앗빛이던 목련 꽃잎은 가슴에서 그대로 녹아 버릴 듯 부드러웠어. 꽃잎으로도 다 가려지는 가슴처럼 그때 나는 꽃잎 한 장만으로도 충분했을 작은 부끄러움만 가졌던가 어떤가.

그런데 참 희한한 것은 정확히 언제부터 내가 브래지어를 했는지는 기억이 안 난다는 거야. 목련 꽃잎을 따서 브래지어를 만들던 그날의 떨림은 아직도 선명한데 정작 그토록 꿈꾸던 하얀 브래지어를 옷장 서랍에서 처음 꺼낸 그날은 언제였는지, 누가 그것을 사 주었는지 내 머릿속에서는 찾아낼 수가 없어. 아마도 꽃잎 브래지어를 만들던 날부터 두어 해 더 세월을 넘긴 뒤라서 그런가 봐.

야위고 키만 컸던 나는 다른 발육이 느려서 어딘가 선머슴 같던 내 모습이 싫었어. 게다가 초경까지 없어서 친구들의 변화를 지켜만 보는 것이 조금 두렵기도 했지. 나만 혼자 어린아이로 남아 있는 것 같은 불안을 떨쳐 버리기가 쉽지 않았어. 「소나기」의 사랑보다 「로미오와 줄리엣」의 사랑에 더 몸이 옴찔거리는 나이에 나는 하얀 브래지어와 하얀 생리대가 없는 시절을 보낸 거야.

그때 브래지어는 내게 마법의 옷 그 자체였던 것 같아. 그것만 입으면 금방 아이에서 숙녀로 변신할 것만 같은 옷. 어떤 봄꽃보다 예쁜 레이스가 달린 옷. 오로지 나만이 열고 닫는 문이 있는 옷. 누구하고도 같이 입지 않는 나만의 그 옷을 기다리던 시절이 바로 나의 사춘기였던 거야. 그리고 목련 꽃잎 브래지어는 나의 가장 에

로틱한 비밀로 남게 되었지.

누구든 먼지를 걷어 내고 추억의 창고를 뒤져 보면, 이런 비밀이
한두 개씩은 있을 거야. 사춘기에는 엄마에겐 말하고 싶지 않은 일
이 많았던 것도 같아. 나도 그땐 엄마 몰래 비밀스러운 의식을 많
이 가졌어. 친구와 첫사랑 이야기를 종이에 적어서 이루어지게 해
달라고 불태우기도 하고, 고모의 하이힐을 신고 슈퍼까지 다녀오
기도 하고. 그뿐이 아니야. 달밤에 칼을 입에 물고 거울 앞에 서면
운명의 연인을 볼 수 있다는 말에 용기를 내 보기도 했지. 과도를
입에 물고 눈을 감고 열까지 센 다음 눈을 뜨면 거울 속에 그 사람
의 모습이 나타난다고 했어. 하지만 난 여덟까지 세고 나서 매번
얼굴을 돌려 버리고 말았어. 아마 두려웠던 것 같아. 내가 좋아하
는 사람의 얼굴이 나타나지 않을 확률이 거의 백 퍼센트인 걸 예
감했거나 귀신을 볼까 봐 겁이 났거나.

그러나 마침내 칼을 입에 물고 열을 다 세고도 아무 두려움 없
이 눈을 뜰 수 있는 때가 와. 거울 속엔 다름 아닌 내가 있다는 사
실과 그 의미를 깨닫게 되는 때가 오는 거지. 그땐 이미 사춘기를
통과한 거야. 꿈의 색채가 단조로워지면서 현실의 무게를 느끼기
시작하지. 목련 꽃잎 브래지어의 부드러움 대신 가슴을 옥죄는 브
래지어의 갑갑함에 묶이고 말아. 그때가 오기 전에 바람에 살랑거
리며 마르고 있는 너의 하얀 브래지어 구경을 좀 더 해 볼까?

목련꽃 브라자

복효근

목련꽃 목련꽃
예쁘단대도
시방
우리 선혜 앞가슴에 벙그는
목련 송이만 할까
고 가시내
내 볼까 봐 기겁을 해도
빨랫줄에 널린 니 브라자 보면
내 다 알지
목련꽃 두 송이처럼이나
눈부신
하냥 눈부신
저……

저 아빠 시인처럼 나도 너의 핑크빛 브래지어를 보면 자꾸 웃음이 나. 그것을 받아 들던 네 얼굴에서 발그레하게 번지던 부끄러움이 떠오르거든. 서랍 속에 깊이 넣어 두고 혼자서 몰래 꺼내 보는 너를 모른 체하기는 또 얼마나 힘들던지. 너도 선혜처럼 누가 "볼까 봐 기접을" 하지만 빨랫줄에 널린 네 브래지어를 볼 때마다 난 그 속에 숨겨진 너만의 비밀이 궁금해져. 물론 나는 묻지 않을 거고 넌 말해 주지 않겠지만 말이야.

이 시를 쓴 시인은 아빠의 입장이니 나보다 그게 더 신비롭고 예쁘게 보였을 테지. 궁금한 것에 대해 직접 물어보지 못하지만 빨랫줄에 널린 옷을 보며 다 짐작하고 웃는 아빠를 상상하기란 어려운 일이 아니야. 목련꽃이 아무리 예쁘단대도 흥, 하고 콧방귀를 뀌는 시인의 모습은 네 아빠의 모습이기도 할 거야. 시 속의 풍경이 너무 생생해서 마치 우리 집 일인 듯 느껴져. 신기하지?

그래, 난 이런 것이 바로 시나 문학의 힘이라고 생각해. 좋은 시, 좋은 문학 작품이나 예술 작품은 내게 이야기를 해. 직접 그곳에 있지 않아도, 내 앞에 있는 사람이 아니어도 지금, 여기, 그에게서 듣는 것처럼 실감이 나. 네 아빠도 너의 작은 브래지어를 보며 속으로는 이만큼 큰 게 뿌듯할 테지만, 네 앞에선 절대 말하지 않겠지. 하지만 그 속마음을 오늘 시를 읽고 알게 되었잖아. 그것도 아주 따뜻하고 생생하게 말이야. 아마 네 마음속에는 아빠에 대한 추억이 새롭게 하나 생겼을 거야. 그리고 먼 훗날에는 이 추억 때문에 잠시 걸음을 멈추고 마음이 젖는 날도 올 거야. 짧은 시 한 편이 얼마나 긴 시간을 너와 함께하며 가슴을 데워 줄지 지금은 알 수 없어. 그래도 괜찮아, 영혼의 두근거림은 그렇게 쉽게 멈추지 않거든.

그러니 젖꽃판이 아직 연분홍 꽃잎 색깔일 너는, "눈부신 하냥 눈부신" 너의 시절을 마음껏 축복하렴. 이것이 바로 네가 세상에서 제일 예쁘다는 네 아빠의 바람이니까.

첫 꽃이 필 때

갓 중학생이 된 그해의 봄은 친구의 갑자스러운 울음으로 시작되었어. 울기 시작한 친구는 담임 선생님이 물어도 친구들이 달려들어 흔들어도 꼼짝 않고 책상에 엎드려 있었어. 체육 시간에도 나가지 않고 도시락도 열지 않고 몇 시간을 그렇게 있었던가 봐. 그날의 마지막 수업을 하기 위해 가정 선생님이 들어오지 않았다면 친구는 집에도 가지 않았을 거야. 자그마하고 상냥했던 선생님은 친구 곁으로 다가와서 귓속말로 작게 물어보셨어. "꽃이 폈니?"라고. 그러자 몇 시간을 죽은 듯이 있던 친구가 얼굴을 들고는 선생님과 눈을 맞추는 거야. 선생님은 다시 물어보셨어. "처음이야?" 친구는 더 작은 몸짓으로 대답을 했어.

난 무슨 암호와도 같은 그 말들을 알아듣지 못해서 무척 궁금해했지. 도대체 꽃이 폈느냐고 묻다니. 눈을 돌려 창밖을 보면 교화(校花)였던 목련이 운동장을 덮을 만큼 활짝 핀 걸 보지 못할 리도 없고, 지금이 봄인데 무슨 엉뚱한 질문이란 말인가. 그것도 하루

종일 울던 친구에게. 그런데 더 신기한 것은 그 질문에 고개를 들고 눈을 맞추는 친구라니. 또 처음은 뭐란 말인가. 꽃이 처음 피었다는 것이 무엇을 상징하는지 몰라서 나는 혼자 애태웠어. 우리 모두를 조용히 시켜 놓고 선생님은 친구를 감싸 안고 밖으로 나가셨지. 한참 후에 얼굴이 밝아진 친구와 함께 들어온 선생님은 칠판에 무작정 '사춘기'라고 쓰셨어. 책과 공책은 덮어 놓고 오늘은 재밌는 얘기를 해 주겠다고 하시며.

그날 선생님은 마치 언니처럼 앞으로 우리 몸에 일어날 일들을 설명해 주셨어. 믿기 어려운 얘기겠지만 난 그날 처음으로 그 모든 사실들을 배웠어. 언니가 없었고 그 시절엔 초등학교에서 성교육을 하지 않았으며, 엄마는 한 번도 몸의 변화에 대해 알려 주지 않았거든. 나는 또래들보다 2차 성징이 늦게 나타난 탓에 몸의 변화에 무관심하기도 했지만 아무것도 모르고 있었다는 사실이 좀 부끄럽기도 했지. 가슴이 홧홧하게 달아오르는 것을 느꼈어. 팬티에 붉은 꽃이 피는 일이 초경이라는 것을 그때서야 알았고 선생님은 내 몸도 열심히 꽃 피울 준비를 하고 있으니 건강한 생각을 해야 한다고 하셨어. 꽃이 핀 나무처럼 몸에도 꽃이 피기 시작하면 그땐 더욱 바람이나 벌레들을 조심해야 한다고 하셨지. 의미심장하고 아름답게 비유해 준 그 말씀 때문에 두려움으로 시작했을지도 모르는 초경을 난 기대에 부풀어 기다렸던 것 같아.

하지만 나의 첫 꽃은 그로부터 삼 년의 세월이 흐른 뒤에야 피었어. 고등학교 입학을 앞두고 있던 새해의 새 달에 드디어 붉은 꽃을 만난 거야. 밤새 이부자리까지 번진 붉은 꽃물 때문에 어쩔 줄 몰라 했던 그 순간이 아직도 생생하구나. 할머니와 엄마가 조용히 이불을 말아 안고 나가며 웃던 것도 말이야.

내가 초경을 기다리던 그사이에 난 친구들의 경험담을 이미 다 들어서 아무것도 어려울 게 없었지만, 생리대를 사러 가는 것만큼은 참 부끄러웠던 것 같아. 오늘이 그날이에요, 하고 소문을 내는 것처럼 생각되기도 했고, 행여 오가는 길에 아는 남학생이라도 만난다면 그땐 정말 쥐구멍보다 작은 데라도 기어들어 가야 할 것 같았거든. 그 마음을 알았는지 할머니께서 작은 손가방을 하나 만들어 주셨어. 할머니의 낡은 한복 치마를 잘라서 속이 비치지 않게 만든 짙푸른 쑥색 가방이었지.

아직 초경을 하지 않은 네게 이런 이야기를 들려주는 이유는 너도 짐작할 거야. 초경 파티가 생일 파티처럼 자연스럽고 흔한 때이긴 하지만, 그래도 직접 첫 경험을 해야 할 너는 조금 두려울 테니까. 나도 초경을 하기 전엔 그것이 정말 어떤 기분일지 몹시 궁금했고, 많이 아플까 봐 무서웠던 기억이 있어. 그리고 진짜 월경을 하면 더 여성적인 몸매로 변하는지 알고 싶었지. 물론 이건 다 초경을 기다리던 옛날 얘기이고 지금은 좀 귀찮은 것이 사실이지만,

그렇다고 해도 월경 때가 되면 느껴지는 몸의 신비로움까지 사라지길 바라는 건 아니야. 그 신비로움을 전하고 싶은 마음으로 신화적 분위기가 물씬 나는 시 한 편을 골랐어. 초경을 하는 인어 이야기라나 봐.

초경(初經)

유미애

울렁증이 시작되자 애너벨은 벼랑으로 갔습니다
바다가 보이는 낭떠러지에 누워
출렁이는 머리칼을 아래로 드리웠습니다
물고기의 나라에서는 아무도 월경을 하지 않으므로
북쪽 동굴에 사는 마녀를 불렀습니다
길이 끝나는 마을의 사람들은
붉은 속바지를 태워 하늘을 달래고
귀 밝은 고양이 늑대는
무릎을 문지르며 기다렸습니다
비늘 밖으로 흘러나온 핏방울이 똑 똑

초록 머리칼을 타고 떨어졌습니다
파랑이 지우고 가면 또 다른 핏물이 피어나고
번쩍, 노파의 지팡이가 허공을 가른 후
잠에서 깨어난 인어 한 마리
마을을 향해 걸어갔습니다
동쪽 바다를 떼어 낸 비린내가 뒤를 따랐습니다

　드디어 애너벨의 몸에서도 꽃봉오리가 열리려고 하나 봐. 생의
첫 번째 의식이 시작되려는 떨림이 전해지자 애너벨은 멀리 바다
가 보이는 절벽에서 머리칼을 드리우고 누웠어. 물고기의 나라에
는 결코 없는 신비한 일을 위해 북쪽 동굴의 마녀가 오고, 사람들
은 "하늘을 달래고", 고양이 늑대는 "무릎을 문지르며" 기다리고
있어. 우리도 기다려야겠지. 쉿!
　마침내 애너벨의 "핏방울이 똑 똑" "머리칼을 타고 떨어"졌어.
이때에 맞춰 마녀는 애너벨을 다른 모습으로 바꾸어 놓으려 하네.
이것이 바로 중요한 부분이야. 새로운 모습을 얻기 위해 애너벨은
지금 의식을 치르는 중이거든. 지금까지 살던 물고기 나라를 떠나
다른 세상으로 가기 위해선 모습을 바꿔야 하잖아. 우리가 잘 아는
안데르센의 인어 공주처럼 애너벨도 멋진 꼬리지느러미를 버리고

미끈한 두 다리를 원했던 거야. 그래야 원하는 곳으로 마음껏 갈 테니까 말이야. 동화 속의 인어 공주는 마녀에게 아름다운 목소리를 저당 잡히고 다리를 얻었지만, 애너벨은 피를 바치고 다리를 얻고 있어.

이제 애너벨은 자신의 다리로 동쪽 바다의 비린내를 다 끌고 마을을 향해 걸어가네. 아름다운 여인이 되어서. 멋진 남자를 만나 사랑도 하고, 세상 구석구석 여행도 하고, 또 무얼 하게 될까? 이다음의 이야기가 궁금하지만 그건 각자의 몫이겠지? 어떤 모습으로 어떤 삶을 만들지는 우리 각자의 선택이듯이 말이야.

월경을 함으로써 인어가 여인으로 바뀐다는 시인의 상상처럼 초경이란 성장과 변화를 위한 중요한 일이야. 그래서 이 시를 읽을 때는 시어와 표현에 집착하지 말고 시가 그려 놓은 풍경과 분위기에 젖었으면 해. 마치 달이 바다를 끌어가고 밀어 보내는 듯한 울렁거림이 느껴지잖아. 내 몸의 물이 가득 차서 머리칼을 타고 흘러내리는 느낌을 상상해 봐. 동물도 무릎 꿇고 기다리는 그 신성한 제단에 내가 누워 있다고 말이야. 시가 풍기는 비릿한 피 내음을 맡으며 강물 소리를 가만히 들어 봐. 그것이 너를 소녀에서 여인으로 이끌어 갈 내면의 길이란다. 몸의 일렁임과 마음의 울렁증이 서로 부딪치며 자라는 것이지.

이에 덧붙여 뭉크의 「사춘기」라는 그림 한 장을 더 추천할게.

「절규」로 유명한 뭉크의 그림 중에서 내가 유난히 좋아하는 작품이 바로 이 「사춘기」야. 이 그림에는 감정의 밑바닥을 그대로 찍어 낸 듯한 생생한 떨림이 있어서 좋아해. 그림을 보는 순간 그 속에 있는 소녀의 자리에 내가 앉아 있는 느낌이 들었어. 특히 잊어버릴 수 없는 내 초경의 아침을 그대로 그린 듯해서 더욱 숨 막히게 바라보았어. 아니 내가 나를 보고 있는 놀라움에 그림처럼 두 손으로 나를 가리기도 했지.

발가벗은 소녀가 두 손을 앞으로 모아 몸을 살짝 가린 채 침대에 앉아 있어. 조그만 젖가슴과 야윈 팔이 소녀임을 알게 해. 놀라서 동그랗게 뜬 눈과 앙다문 입술, 가지런히 모은 다리로 두려움을 참고 있지. 초경의 아침을 맞은 소녀가 불안한 마음으로 나를 보고 있어. 소녀의 뒤에는 검고 큰 그림자가 드리워져 있는데, 화가가 사춘기로 들어서는 소녀의 혼란을 표현하고자 했던 것 같아. 너도 이 소녀를 만난다면 소녀가 가진 여러 겹의 마음을 금방 알아볼 거야. 그림 속의 소녀도 시 속의 애너벨도 모두 첫 꽃을 피우는 중이니까. 월경을 하는 일이 귀찮고 불편해도 여릿한 비린내의 마법을 기억해 봐. 그 비린내가 너를 "잠에서 깨어난 인어"로 만들어 줄 거야.

그런데 말이야, 그 마법의 시간이 언제까지나 계속되는 건 아니란다. 첫 꽃을 기다리고 있는 너와 머지않아 마지막 꽃을 피울 나

사이의 시간은 그리 길지 않더구나. 여기, 나 같은 엄마의 목소리
가 있어 한 편 더 옮겨 놓으려 해. 혹여 네가 나를 이해하고 여자의
일생을 짐작하는 데 도움이 되었으면 해서.

초경

이선영

아무도 밟지 않은 흰 눈밭 같은
너의 첫 피,만큼이나

붉고 뜨거운 나의 눈물 한 방울,

수줍고도 당돌하게 찾아온 너의 첫 여자,

그것이 마구마구 슬프고 무서운

나는 마지막을 남겨 놓고 있는 여자,

시작인 너도
끝물인 나도
같은 강물 타고 넘실거리다
어느덧 잔잔히 멎어 버리는 거야

시작할 때도 떨리도록 두렵지만
끝날 때도 떨리게 두려운
너의 첫 피,
나의 마지막 피,
이 짧은 행간에 숨어 있는
기다란 말줄임표

어때? 처음인 '너'만큼이나 떨고 있는 중년의 '나'가 보이지 않
니? 몇십 년의 마법이 끝날 것 같은 예감이 느껴지면 홀가분하고
시원한 생각보다는 세월의 쓸쓸함과 허전함이 더 크게 다가오나
봐. 내 몸에서 흐르던 긴 강물의 흐름이 어디선가 멎는다고 생각해
봐. 달의 리듬에 더 이상 출렁일 수 없는 굳은 몸이 된다고 말이야.
시작하는 것만큼 두려울 거란 짐작이 되지? 이때를 가리켜 '폐경'
이라고 하는데, 너도 들어 보았을 거야. 여자로서의 몸의 문을 닫

는 것이지. 하지만 이렇게 표현하면 지나치게 부정적인 이미지만
부각되어서 폐경을 맞은 몸이 돌덩이처럼 느껴지는 게 싫었던지
어느 시인은 '완경(完經)'이라고도 하더구나. 비로소 마법의 주문
을 풀고 완성된 삶이라는 뜻일까? 달과 바람과 햇살이 만든 신성
한 순환을 몸에 다 아로새겨 더 이상 그들의 도움 없이도 자연의
리듬에 맞추어 살 수 있다는 의미일까?

　어쨌든 지금은 너와 내가 "같은 강물 타고 넘실거리"고 있지만,
난 이제 "잔잔히 멎어 버리는" 날은 언제일까 헤아리곤 한단다. 초
경을 하던 날로부터 고작 사십 년도 안 되는 세월이더구나. 이런
생각을 하니까 꽃이 필 때마다 싸륵싸륵 몸이 아파 오는 것도 불
평 없이 견딜 수 있을 듯해. 내 인생에서 가장 뜨겁고 붉은 시절은
첫 꽃과 마지막 꽃이 피고 지는 그사이의 팽팽한 시간이라는 것.
그래서 오늘, 참 아름답구나.

엄마 팔아 친구 살 나이

다시 신학기구나. 이맘때면 어김없이 반복되는 걱정으로 너는 조금 힘들어하겠지. 학년이 높아진 만큼 늘어난 학업 스트레스도 심하겠지만, 그보다 훨씬 더 직접적이고 중요한 문제는 친구인 것 같아. 내 경험으로 비추어 보아도 새로운 학년이 시작되는 한 달은 새로 친구를 사귀어야 하는 긴장감이 만만치 않지. 특히 나처럼 내성적이거나 유쾌 발랄하지 못한 아이들은 마음에 드는 친구가 있어도 선뜻 손을 내밀지 못하니 속만 끓일 수밖에. 그러다 내가 찍은 친구가 다른 아이랑 무리를 만들고 말아 일 년 내내 억울해했던 경우도 있었어. 하루 중 대부분을 학교에서 보내는 너희에게 맘에 꼭 맞는 친구가 있느냐 없느냐는 학교생활이 좋은지 싫은지를 결정하는 가장 중요한 요인일 거야. 쉬는 시간에 잠깐 수다를 떨거나 점심시간에 같이 밥 먹을 친구가 없다면 학교는 정말 감옥 같을지도 몰라. 그런 이유로 너희들의 '머스트 해브 아이템' 하나를 꼽으라면 나는 조금도 망설이지 않고 친구라고 할 거야.

아마도 내가 지금의 너만 한 나이였을 때인가 봐. 나도 너희처럼 친구들과 자주 놀고 싶어 했던 모양이야. 근데 엄마는 친구네 집에 가는 것을 잘 허락하지 않았고 그러면 난 토라져서 구석방에 박혀 책을 읽거나 만화의 그림을 베끼며 화를 삭였지. 만화 주인공들을 그려 놓고 말풍선에 엄마 욕을 적어 놓기도 했어. 그럴 때면 밖에서 꼭 들려오던 말이 있어. 할머니가 엄마를 나무라시듯 하던 말씀인데, "저땐 엄마 팔아 친구 살 나이 아이기."라고 하시는 거야. 어린 시절엔 그냥 흘려 넘겼는데 사춘기 때의 친구란 어떤 존재인지 이보다 더 솔직하고 실감 나게 표현한 말은 없는 것 같아.

누군가가 좋아졌다거나 싫어졌다거나 선생님께 꾸중을 들었다거나 어젯밤 텔레비전에 나온 연예인이 또 성형을 했는지 하는 얘기는 친구랑 제일 잘 통하잖아. 그럴 때 친구는 엄마보다 훨씬 빨리 알아듣고 맞장구도 훨씬 잘 쳐 주고, 화나는 일이 있을 땐 나보다 더 나서서 화를 내 줘서 내 속을 다 걷어 간 듯 후련해지잖아. 무조건 내 편이 돼 주니까 날 외롭지 않게 해 주는 든든한 마음의 기둥. 맞아, 그런 게 우정이야. 마치 자기 자신과 말하듯 무엇이든 더불어 마음껏 말할 수 있는 존재가 친구이자 벗이며 동무이지. 그러니 엄마라도 팔아서 친구를 사고 싶은 것이야 당연하지 않겠니?

그런데 말이야, 그저 어울려 다닌다고 친구라고 할 수 있을까? 왕따가 되지 않기 위해 만든 무리에서 진정한 친구라는 느낌을 받을 수 있을까? 그들 안에서 너무 튀지 않고 싸우지 않고 적당히 섞여 지내는 것이 우정일까? 그리고 요즘 새로 생긴 페이스북 친구, 트위터 팔로워, 블로그 이웃들은 또 어떤 관계일까? 너도 아마 이런 생각을 한 번쯤은 해 보았을 거야.

엄마를 팔아서라도 사고 싶은 친구란 어떤 사람인지, 어지러운 세상살이에서 좋은 말벗과 글벗과 길벗이 되는 이는 누구인지, 이런 생각들을 너와 나누고 싶어서 나는 마종기 시인의 「우화의 강」을 읽어 주려 해.

우화(寓話)의 강 1
마종기

사람이 사람을 만나 서로 좋아하면
두 사람 사이에 물길이 튼다.
한쪽이 슬퍼지면 친구도 가슴이 메이고
기뻐서 출렁거리면 그 물살은 밝게 빛나서
친구의 웃음소리가 강물의 끝에서도 들린다.

처음 열린 물길은 짧고 어색해서
서로 물을 보내고 자주 섞여야겠지만
한세상 유장한 정성의 물길이 흔할 수야 없겠지.
넘치지도 마르지도 않는 수려한 강물이 흔할 수야 없겠지.

긴말 전하지 않아도 미리 물살로 알아듣고
몇 해쯤 만나지 못해도 밤삼이 어렵지 않은 강,
아무려면 큰 강이 아무 의미도 없이 흐르고 있으랴.
세상에서 사람을 만나 오래 좋아하는 것이
죽고 사는 일처럼 쉽고 가벼울 수 있으랴.

큰 강의 시작과 끝은 어차피 알 수 없는 일이지만
물길을 항상 맑게 고집하는 사람과 친하고 싶다.
내 혼이 잠잘 때 그대가 나를 지켜보아 주고
그대를 생각할 때면 언제나 싱싱한 강물이 보이는
시원하고 고운 사람을 친하고 싶다.

외로울 때, 울적할 때, 지쳐 있을 때, 편안하게 생각나는 사람이
친구일 거야. 그냥 목소리만 듣고도 '왜 그래?'라고 물어봐 주는

사람 말이야. 그때 마음속에 있는 말을 다 하지 못해도 '괜찮아?' 이 한마디면 내 속엔 어느새 시원한 강물이 흐르잖아. 그런 벗과의 우정을 표현한 시야. 참 쉽고 따뜻한 시이지.

시인 자신이 발표를 잠깐 머뭇거렸다고 할 만큼 시의 속이 선명하게 비쳐. 마치 시 속에 흐르는 물길이 금방이라도 내 발목을 적셔 줄 것처럼 가까이 있는 것 같잖아. 그래서 그냥 내가 제일 좋아하는 친구나 사람을 마음에 그리며 내 귀에만 들릴 만큼 나직나직 천천히 읽고 싶어져. 시를 읽으며 떠올린 사람과의 우정에도 감사하면서 말이야. 그러면 그 친구의 손이 내 머릿결을 만지는 듯 저릿한 느낌도 들지. 가슴이 조금 홧홧하기도 하고 몽글거리기도 하면서. 그러고 나면 나도 그들에게 "싱싱한 강물" 같은 사람이 되어야겠다는 작은 약속도 하지.

지금이야 매일매일 친구들과 같이 밥 먹고 얘기하고 공부하고 있어서 "몇 해쯤 만나지 못해도 밤잠이 어렵지 않"다는 의미를 잘 모를 거야. 그러나 사회에 나가게 되면 친구를 만나는 일이 일 년에 두어 번쯤 있는 행사가 될 수도 있어. 사는 일이 바쁘고 해야 할 일이 많아지면 친구는 마음의 제일 끝 방으로 밀려나곤 하지. 하지만 그렇게 몇 해쯤 만나지 못해도 그 끝 방에서 언제나 나를 지켜보아 주는 친구가 좋은 벗이야. 또한 "내 혼이 잠잘 때"에도 나를 지켜봐 주고 믿어 주는 사람이야말로 제일의 벗이겠지. 그러므로 "세상에서 사람을 만나 오래 좋아하는 것"은 "죽고 사는 일보다" 무거운 일이라는 시인의 말을 잘 새겨 봐. 우정을 만드는 것보다 오래 지키는 일은 더 어렵고 그래서 오래된 우정만큼 값진 것도 없다는 것을 느낄 수 있을 거야.

시를 두고 친구 얘기를 하다 보니 문득 드는 생각을 말해 주고 싶어. 사람들을 만나고 헤어지며 나이가 들고 보니 좋은 친구란 어떤 사람인지에 대한 생각도 바뀌더구나. 학창 시절이나 청춘기에는 슬픔과 아픔을 함께해 주는 사람이 좋은 친구라고 생각했는데, 이제는 오히려 기쁨을 나눌 수 있는 사람이 정말 좋은 친구라는 생각이 들어. 이상하지? 그런데 그렇더라고. 만약 내가 병이 생기거나 살던 집에서 쫓겨나야 할 만큼 가난해지거나 사랑한 이와 이별하게 될 때, 그 아픔이나 슬픔을 들어 주지 않는 친구는 거의 없어. 누구를 붙잡고 눈물을 쏟아도 내 이야기를 들은 친구라면 등을 감싸 안고 손을 잡아 주고 같이 울어 주기도 할 거야. 물론 내 친구가 그런 상황이라면 나도 똑같이 따뜻한 위로를 주겠지. 망설이지 않고 아낌없는 위로를 말이야. 한데, 오히려 내게 정말 기쁜 일이 있을 때는 함께 기쁨을 나눌 친구가 별로 없더구나. 부러움과 질투 때문에 불행을 다독여 줄 때만큼 마음을 열지 않는 경우가 많았어. 축하해, 정말 잘됐구나,라는 말 속에 가시처럼 박혀 있는 시기심이 느껴지곤 했거든. 부끄럽지만 나도 친구의 성공에 진심으로 기뻐

한 적이 별로 없는 것 같아. 너도 그렇지? 넌 반장 선거에 나가지 않았으면서도 친한 친구가 반장이 될까 봐 일부러 다른 친구를 찍었다고 했잖아. 그런 조그만 질투가 마음을 가로막는 것 같아. 그래서 생각하게 되었지. 나의 성취와 꿈을 마음껏 축하해 주는 사람이 정말 좋은 친구가 아닐까, 하고 말이야. 마치 가족들이 기뻐해 주는 것처럼. 그런 사람이라면 그 자신 또한 스스로 만족한 삶을 사는 사람일 테니까 앞으로도 계속 좋은 친구가 될 게 분명하고.

우정에 대한 얘기를 하다 보니 오래전 일이 하나 더 떠오르는구나. 그때는 한창 유안진의 『지란지교를 꿈꾸며』라는 수필집이 유행이었는데, 나는 그 긴 글을 깨알같이 적어서 친구에게 보내곤 했어. 한 줄 한 줄 정성껏 옮겼던 기억이 나. 아마 내가 마종기 시인의 이 시를 알았더라면 같이 적어서 보냈을 것 같아. 이런 친구가 되어 줘서 고맙다는 인사 대신 말이야. 네게도 이 시를 읽어 주고 싶은 친구가 있었으면, 네 친구들에게 넌 자랑하고 싶을 일이 있을 때 제일 먼저 생각나는 그런 친구가 되었으면 좋겠어. 아, 문득 내 친구들 이름이 부르고 싶어진다.

마침내 내 얼굴을 알아본 순간

오늘은 그리스 로마 신화 얘기부터 할게. 너도 나르시시즘 (narcissism)이라는 말을 들어 본 적이 있지? 자기를 사랑의 대상으로 삼아 도취되는 일, 즉 '자기애(自己愛)'라고 하는 것 말이야. 이 말의 뿌리가 저 먼 신화에 닿아 있거든.

나르키소스는 강의 신 케피소스와 강의 요정 리리오페 사이에서 태어났어. 그가 태어나자 어머니는 예언자 테이레시아스에게 아이의 운명을 물어보았지. 그랬더니 '아이가 저 자신을 알지 못한다면 천수를 누릴 것입니다.'라고 예언했다네. 이상한 점괘를 들었지만 그때는 아무도 그 말뜻을 이해하지 못했어. 시간이 지나 나르키소스는 아름다운 청년으로 자랐고 수많은 요정들과 선남선녀들이 그를 보기만 하면 사랑을 느껴 괴로워했대. 그러나 자존심 강한 그는 제 몸의 털 오라기 하나 건드리지 못하게 했지. 그러던 어느 날, 숲 속에서 사냥을 하다 지친 나르키소스는 맑은 샘을 찾았어. 그리고 물속에 비친 아름다운 얼굴 하나를 보았어. 별 같은 눈,

아폴론에 버금가는 머리채, 탐스러운 뺨, 장밋빛 홍조 가득한 얼굴을 정신없이 바라보다가 그만 물속에 비친 그림자에 반해 버렸지 뭐야. 배고픔도 졸음도 잊고 수면에 비친 제 모습에서 눈을 떼지 못했어. 그는 샘물에 손을 대고 입술을 대었어. 그러나 달아나는 얼굴을 무슨 수로 잡겠어? 그제야 그것이 자신의 모습임을 안 나르키소스는 비탄에 잠겼어. 스스로를 사랑하는 불길에 타고 있는 자기를 깨달은 거야. 그때부터 나르키소스는 조금씩 젊음과 빛을 잃었고 아름다움도 그의 몸을 떠나고 말았대.

시름시름 앓던 나르키소스는 결국 푸른 풀을 베고 눈을 감았어. 그때서야 사람들은 예언자의 말이 무슨 뜻이었는지 알게 되었지. 나르키소스가 자기의 얼굴을 알아보았으니 운명을 피할 길이 없었어. 그러나 나르키소스는 저승으로 간 뒤에도 계속해서 저승의 강에 비친 제 모습을 바라보았다고 해. 그의 죽음을 애도하러 많은 요정들이 모였을 때, 나르키소스의 시신은 사라지고 그 자리에는 꽃 한 송이만 남아 있었다는구나. 그래, 이 꽃이 바로 수선화 (narcissus)란다.

이 이야기는 너무나 유명해서 모르는 사람이 없을 것 같아. 나르키소스는 여러 시대를 이어 오며 문학과 예술 속에 가장 많이 등장한 인물 중 하나일 거야. 나는 그중에서도 카라바조라는 화가가 그린 「나르키소스」에 마음이 끌리더구나. 기회가 된다면 물속 자신을 들여다보고 있는 그의 애달픈 눈빛을 꼭 한번 찾아보길 바라. 나르키소스가 수많은 예술가들에 의해 수도 없이 되살아나는 건 인류가 스스로의 존재에 대한 근본적인 호기심을 공통적으로 갖고 있기 때문일 테지. 나르키소스처럼 지옥의 강에까지 자기 얼굴을 비춰 보일 갈망은 아니라 해도 살면서 한 번쯤은 정면으로 '나'를 바라보고 알아 가는 시간이 꼭 필요한 것 같아. 그런 시간이 너처럼 세상 앞에 홀로 설 준비를 하는 때이면 훨씬 좋을 거야. 바로 여기에 「자화상」이라는 시를 들려주려는 이유가 있단다.

자화상이란 스스로를 그린 초상화라는 것쯤은 알고 있을 거야. 그럼 보통 초상화 그릴 때를 한번 떠올려 보자. 모델이 화가 앞에서 멋진 포즈를 취하고 있는 장면이 떠오르지? 앉거나 서서 모델과 화가가 서로 마주 보게 되잖아. 그렇다면 내가 모델이 되는 자화상은 어떻게 그려야 할까? 그래, 거울을 보면서 그리거나 사진을 보면서 그릴 수밖에 없을 거야. 몇 날 며칠, 혹은 그보다 더 오랫동안 자신의 얼굴을 보고 있으면 무슨 생각이 들까? 내 눈이 이렇게 작았던가, 내 귀는 왜 이리 높게 붙어 있지, 그나마 목선은 가늘어서 다행이네, 뭐 이런 새롭고 재밌는 발견들을 하지 않을까? 그러면서도 한편으론 녹음된 내 목소리를 들을 때처럼 어색하고 쑥스러운 느낌도 들 거야. 내가 보는 얼굴과 내가 듣는 목소리와는 다르게 사람들이 나를 보고 내 음성을 듣고 있다는 생각이 들면 문득 진짜 나는 어떤 모습일까 더 깊은 곳이 궁금해지기도 하겠지? 그런 순간, 나를 바라보는 불편함과 두려움을 피하지 않고 얼굴보다 더 깊은 곳, 표정 뒤에 숨긴 것들을 보고 그려 내는 화가들이 있어. 피카소나 고흐, 에곤 실레나 프리다 칼로 같은 화가들 말이야.

난 어릴 때 피카소의 자화상을 보고 우스운 생각을 한 적이 있어. 내가 솜씨 좋은 화가라면 나와 닮은 듯 조금 더 예쁘게 나를 그렸을 텐데, 저승사자같이 자기 얼굴을 그려 놓은 걸 보니 이름만 유명하지 실제로는 솜씨가 없는 사람이구나 하고. 게다가 피카소가 그린 다른 그림들을 생각해 봐. 입체파라는 어려운 말처럼 구도나 형태가 일반적이지 않잖아. 얼굴은 새하얗고 옷은 새까맣고 눈빛에 스민 푸른색과 푸르죽죽한 배경의 그 자화상이 섬뜩하기도 했지만, 아마도 그땐 자화상이 가지는 의미를 몰라서 더 그랬던가 봐. 외면에 드러나는 내면, 이 말만 이해했어도 피카소의 청색 시대를 대표하는 자화상을 두고 솜씨를 운운하지는 않았을 거니까. 내 눈에 푸르죽죽으로 비쳤던 피카소의 푸른색이 무엇을 의미하는지를 알게 된 건 내가 삶 앞에 다소 겸손해진 다음이었어.

이야기가 살짝 길을 벗어나겠지만 피카소의 청색 시대에 대한 이야기도 들려주고 싶은데 괜찮겠지? 피카소는 스무 살부터 스물

네 살까지 사 년 동안 청색이 주를 이루는 그림을 그렸는데 이 시기를 청색 시대라고 해. 그럼 왜 갑자기 청색만을 고집했을까 궁금해지지? 어느 날 갑자기 피카소의 친구가 자살을 하자 피카소는 큰 충격을 받았대. 그 무렵 피카소는 파리에 머물고 있었는데 가난과 질병, 외로움에 시달리던 때이기도 했어. 파리라는 도시는 얼마나 화려한 느낌이니? 그런데 그 도시의 이면에서 비참함을 목격했고, 그 또한 그런 생활을 했던 거야. 희망보다 절망이 많았을 테고 그러한 마음을 대표하는 색이 청색이라고 느꼈던 거지. 맑고 푸른 하늘의 파란색이 아니라 슬픔과 우울을 가득 담은 청색 말이야. 죽은 친구와 파리의 뒷골목에 숨어 사는 거지, 알코올 중독자, 장님, 늙은 뚱쟁이들이 그가 그린 그림 속의 주인공이 되었어. 모두 짙은 청색으로 그려졌지. 그때 피카소는 옷마저도 청색만을 입고 다녔다고 해. 청색 시대라고 부르는 이유를 이제 알겠지? 그리고 피카소가 칠한 푸른색은 단순히 물감의 색채가 아니라 세상을 보던 피카소의 시선이라는 것도 말이야. 이 푸른색에 담긴 세상의 슬픔을 조금이라도 볼 수 있으려면 나 또한 삶의 슬픔을 얼마큼은 겪어야 한다는 것도 이해할 수 있을 거야.

이처럼 예술은 가끔 나의 성숙도를 가늠하게 해 준다. 예전엔 도무지 짐작 못 하던 감동과 가치를 알게 되는 경이로운 순간이 오는 거야. 그럼 그때서야, '역시, 명작은 다르군.' 혼잣말을 하게 되지. 그러나 그런 경이로움을 만나는 건 아주아주 가끔이야.

다른 사람들은 어떤지 모르겠지만 나는 화가들의 자화상을 보는 게 참 좋아. 다른 그림들보다 감동이 더 커. 그건 아마도 진실함 때문인 것 같아. 외롭고 비참하고 궁핍하고 분열된 자신의 모든 모습을 감추지 않고 드러낸 용기와 솔직함. 나아가 그런 자신을 감싸 안고 일어서려는 희망과 사랑. 바로 이런 것들이 자화상에서 느껴지기 때문이야. 다시 피카소로 돌아오면, 피카소는 자화상을 많이 그린 화가는 아니야. 특히 그는 실제와 닮은 것보다는 거울에 나타난 자신의 마음을 나타내고 싶다고 했어. 그래서 그는 이목구비의 선명한 표현보다 선과 색의 느낌에 자신의 고민과 우울과 허무를 담게 되었나 봐.

그나저나 그림 얘기가 좀 길었구나. 내가 워낙 그림도 좋아해서 말이 많아졌어. 시와 그림은 많이 닮은 형제 같거든. 이제 원래 하던 이야기로 돌아와 볼까?

나르키소스처럼, 화가들처럼 가끔은 '나'를 마주해 봐. 무엇이 보이니? 눈, 코, 입, 이마, 짙은 눈썹과 둥근 볼을 보았니? 머리카락에 살짝 가려진 귀도 있구나. 찰랑거리는 단발머리가 참 예쁘네. 웃어 볼까? 아니, 찡그린 모습은 어떻지? 울 때 눈물이 볼의 어디쯤을 지날까? 음, 그런데 이것 말고 가슴속은 어떻게 보는 걸까? 내 삶은 어떤 의미를 가지며, 왜 사람들 속에서도 외로워지는 걸까? 사랑의 먹먹함과 미움의 불꽃을 어떻게 잠재울 수 있을까? 이 많은 질문에 대한 답이 어디에 있는지 이젠 알 거야. 내가 누구인지 말할 수 있는 사람은 오직 나뿐이니까 말이야. 스스로를 지극히 바라보자. 애정을 가지고 심연을 찾아본다면 숨어 있던 내가 나타나지 않을까? 그렇다면 그림이나 시가 아니어도 나만의 자화상 하나쯤을 가지게 되지 않을까?

자화상

윤동주

산모퉁이를 돌아 논가 외딴 우물을 홀로 찾아가선 가만히 들여다봅니다.

우물 속에는 달이 밝고 구름이 흐르고 하늘이 펼치고 파아란 바람이 불고 가을이 있습니다.

그리고 한 사나이가 있습니다.
어쩐지 그 사나이가 미워져 돌아갑니다.

돌아가다 생각하니 그 사나이가 가엾어집니다. 도로 가 들여다보니 사나이는 그대로 있습니다.

다시 그 사나이가 미워져 돌아갑니다.
돌아가다 생각하니 그 사나이가 그리워집니다.

우물 속에는 달이 밝고 구름이 흐르고 하늘이 펼치고 파아란 바람이 불고 가을이 있고 추억처럼 사나이가 있습니다.

시 속의 한 사나이도 나르키소스처럼 자신을 비춰 보기 위해 우물을 찾아갔나 봐. 가슴속에 무거움이 느껴지는 사나이야. 실연을 했는지, 시험에 떨어졌는지, 병을 얻었는지, 그보다 훨씬 큰 좌절을 겪고 있는지 궁금해지네. 그 사나이가 홀로 인적이 드문 외딴 우물을 가만히 들여다보고 있어. 처음에는 물 표면에 비친 달과 구름과 하늘만 보였겠지. 구부린 등을 쓸고 가는 바람 때문에 가을도 느꼈겠지. 바람에 흔들린 물결이 가라앉자 한 사나이가 수면에 떠올랐을 테고. 하르르 흔들리는 물결을 따라 떨리고 있는 자신의 얼굴을 들여다보았겠지.

그런데 이 사나이는 나르키소스와는 다르게 자기의 모습에서 티끌을 더 많이 보았나 봐. 미워져 돌아가 버리는구나. 그렇지만 돌아가다 생각하니 자신이 가여웠던지 다시 돌아왔네. 물론 우물 속의 사나이는 그대로 있었지. 그렇게 또 한참을 머물렀을 것 같아. 이게 누구일까, 묻기도 했을 것 같아. 우물 속의 얼굴을 조금씩 바꿔 가며 얼굴 속의 또 다른 얼굴들을 만났을 것 같아. 다시 미워져 돌아가 버리지만 이번에는 가여움보다 그리움이 생겼으니 아마 생각건대 머지않은 날, 이 사나이는 우물을 또 찾아올 것 같지?

가다가 돌아오고, 가다가 돌아오는 사나이처럼 자기를 사랑하는 일은 멈추지 않는 자기와의 싸움이며, 낯선 자신을 발견해서 받아들이는 일인가 봐. 내가 아는 나와 타인이 아는 나와 아무도 모르는 나, 이 전부를 알고 하나로 볼 수 있을 때에야 진정 나를 이해할 수 있을 테니 말이야. 그러니 나를 안다는 것은 참으로 힘들고 어려운 일이야. 이럴 때 그림이나 문학은 나를 비춰 볼 수 있는 거울이 되어 줘. 예술 작품 속에 등장하는 수많은 주인공들과 나를 겹쳐 보고 떼어 보고 하면서 '나는 누구인가?'라는 질문의 답을 찾을 수 있거든. 그 과정에서 나처럼 가까스로 피카소의 푸른색을 이해하게 되는 날, 조금 성장한 나를 만나기도 하고 말이야. 너도 어느 날 문득, 거울 속의 너를 쓰다듬으려고 손을 내미는

날이 온다면, 마침내 네 자화상의 밑그림이 그려졌다는 걸 알게
될 거야.

개보다 나은 사람이 되기 위해

그 시절엔 왜 그리 연애 소문도 많고, 작은 말다툼도 많았던지. 누구랑 누가 좀 사귀면 토네이도보다 큰 회오리가 일고, 또 누가 사귀다가 헤어지면 사귈 때보다 더 큰 소동이 나고, 필기 노트안 빌려 준다고 다른 친구와 쑥덕대고, 하굣길에 먼저 갔다고 배신자가 되는 일이 일상이던 시절. 너도 친구와 아무것도 아닌 일로싸우고 어떻게 먼저 사과할까 고민했던 기억이 있지? 사과를 하고싶긴 한데 내가 먼저 하면 자존심을 구기는 것 같고 그렇다고 말않고 지내자니 심심해서 죽겠고 말이야. 매일 수십 건씩 주고받던문자 메시지도 못 보내고 매일 가던 떡볶이집도 그냥 지나 터덜터덜 집으로 돌아가는 일이 하루 이틀. 이젠 그깟 일로 왜 싸웠을까후회가 밀려오지? 그러면서도 사과를 할까 말까, 친구가 먼저 전화해 주면 그냥 모른 척할 텐데, 이런 고민을 한 적이 있다면 이 시를 한번 읽어 볼래?

윤동주 시집이 든 가방을 들고

정호승

나는 왜 아침 출근길에
구두에 질펀하게 오줌을 싸 놓은
강아지도 한 마리 용서하지 못하는가
윤동주 시집이 든 가방을 들고 구두를 신는 순간
새로 갈아 신은 양말에 축축하게
강아지의 오줌이 스며들 때
나는 왜 강아지를 향해
이 개새끼라고 소리치지 않고는 견디지 못하는가
개나 사람이나 풀잎이나
생명의 무게는 다 똑같은 것이라고
산에 개를 데려왔다고 시비를 거는 사내와
멱살잡이까지 했던 내가
왜 강아지를 향해 구두를 내던지지 않고는 견디지 못하는가
세상에서 가장 어려운 일은
사람의 마음을 얻는 일이라는데

나는 한 마리 강아지의 마음도 얻지 못하고
어떻게 사람의 마음을 얻을 수 있을까
진실로 사랑하기를 원한다면
용서하는 법을 배워야 한다고
윤동주 시인은 늘 내게 말씀하시는데
나는 밥만 많이 먹고 강아지도 용서하지 못하면서
어떻게 인생의 순례자가 될 수 있을까
강아지는 이미 의자 밑으로 들어가 보이지 않는다
오늘도 강아지가 먼저 나를 용서할까 봐 두려워라

이 시인은 글쎄 강아지와 자존심 대결을 하고 있네. 구두에 오줌을 싼 강아지에게 구두를 집어 던지고 "개새끼"라고 소리치고선 갑자기 부끄러워졌나 봐. 가방에 든 윤동주 시집이 떠올랐거든. 맑고 아름다운 시를 읽는다는 사람이, 그것도 '죽는 날까지 하늘을 우러러 한 점 부끄럼이 없기를' 노래한 윤동주의 시집을 가방에 넣은 그날이었으니. 게다가 시인은 "산에 개를 데려왔다고 시비를 거는 사내와" 싸움을 할 정도로 개를 아꼈는데 오늘은 오줌에 젖은 축축한 발로 한순간에 개를 향해 구두와 욕설을 날렸다는구나. 그러나 그 순간 바로 시인은 작은 일에도 쉽게 흥분하고 화낸 자신의 모습에 실망해서 그 마음을 이기느라 더 힘들었을 것 같아. 왜냐하면 네가 알다시피 내가 그렇잖아. 네 친구들이 파마하고 화장해서 벌점 받았다고 할 땐 교칙이 너무 엄하다고 하다가, 네가 준비물을 안 챙겨서 벌점 받았다고 하면 너에게 대번 화를 내고 마니까 말이야. 그러고 나면 나도 이 시인처럼 두려웠단다. 욕심을 들켜 버린 부끄러움과 자신에 대한 실망감 때문에.

어쨌거나 시인은 발가락 사이로 느듯한 "강아지의 오줌이 스며들" 듯이 낯이 달아오르고 있겠지. 행여 누가 보았을까 고개를 두리번거리기도 하겠지. 그렇지만 강아지를 두고 차마 미안하다는 말은 참고 있구나. 강아지가 먼저 내 구두에 오줌을 싸 놓았으니 억울한 생각이 들어서겠지. 내가 뭐 이유 없이 강아지한테 일격을 가한 건 아니잖아, 바쁜 아침에 오줌이라니, 지각도 지각이지만 아침 기분을 완전 망쳐 놓았잖아,라고 강아지를 때린 이유를 여러 가지 찾고 있을 거야. 그렇지만 그 많은 이유에도 불구하고 던진 구두를 맞고 의자 밑에 숨어들어 간 강아지는 또 조금 불쌍해 보이는 거야. 화난 기분과 미안함 사이를 오가는 마음이 보이는 듯해. 강아지를 진실로 사랑했나 하는 의심도 살짝 얹혀 있고. 말 못하는 강아지의 잘못에도 불같이 화를 내고 쫓아 버렸는데 강아지보다 큰 잘못을 저지르는 복잡한 인생들을 어찌 용서하고 보듬으며 살겠는가 하고 자조도 하네. 시인이 머뭇거리는 동안 강아지는 벌써 의자 밑으로 들어가 버렸어. 눈을 감고 의자 밑에 엎드려 잠을 청하는 강아지, 정말 강아지가 먼저 시인을 용서한 것은 아닐까?

우리는 시인처럼 자주 두 가지 잣대로 세상을 바라보곤 하지. 이것이 남에게 일어난 일이라면 말 못하는 개가 그럴 수도 있지,라고 아량으로 넘기지만 등교하던 바쁜 아침에 내 운동화에 이런 짓을 한 강아지라면 제아무리 귀염둥이라도 욕 한마디 없이 넘어가긴 어려울 거야. 성인(聖人)들은 타인에겐 너그럽고 나에겐 엄격하라고 가르치지만 우리는 반대로 자신의 잘못을 더 잘 용서하잖아. 맞아. 먼저 사과하고 먼저 용서하는 일은 그만큼 어려운 것 같아. 하물며 강아지도 먼저 용서하기 힘들어서 "강아지가 먼저 나를 용서할까" 두렵다는데, 사람 사이에선 그보다 몇 배는 힘들지. 자존심 때문일 거야. 내가 먼저 사과하면 어쩐지 지는 것 같은 느낌 때문에 말이야. 우리는 언제나 남보다 잘해야 하고 이겨야 한다고 교육받았으니까.

하지만 '자존심'이라는 말을 다시 생각해 보자. 남에게 굽히지 않고 자신의 품위를 스스로 지키는 마음이 자존심이라면, 스스로의 가치를 만드는 방법이 중요한 것 같아. 굽히지 않는 것만이 능사가 아니라 나의 품위를 지키는 일에 더 힘을 실어야겠지. 굽히지 않으려고만 하다 보면 오히려 진실을 외면하기 쉽고, 그러면 또 자신을 속여야 하기도 하니까. 그래서 때론 잘못을 시인하고 먼저 용서를 구하는 것이 오히려 자존심을 지키는 일이 되기도 해. 나를 속이지 않았으므로 나를 굽힐 필요가 없는 것, 그것이 나의 품위를 지키는 최선의 방법이라는 생각이 들어.

그러므로 진정한 자존심은 인간에 대한 폭넓은 이해에서 비롯되는 게 아닐까? 이기적이지 않고 균형 감각을 잃지 않는 건전한 이해 말이야. 그래서 시인이 강아지와 자존심 싸움을 한 것이 그토록 부끄러운 거지. 그러나 또 "진실로 사랑하"면 그 어려운 일을 할 수 있는 존재가 바로 사람이니, 너무 실망하지는 말기로 해.

어때? 친구에게 먼저 사과하고 친구의 허물을 먼저 용서해 주는 것이 자신을 존중하고 스스로 행복해지는 길이라는 걸 이제 알겠지? 네가 먼저 씩씩하게 친구 이름을 불러 준다면 그것이 웅크린 나를 씩씩하게 다시 세우는 일이야. 내일은 오랜만에 친구랑 떡볶이집에 들러 그동안 못다 한 이야기를 실컷 하겠구나.

꿈은 나의 가장 아름다운 표정이다

아주 어릴 적부터 '너는 꿈이 뭐니?'라는 질문을 많이 받았을 거야. 그때마다 너는 뭐라고 대답했니? 항상 똑같은 대답이었어? 모르긴 해도 아닐 거야. 상황에 따라 나이에 따라 그 시절의 취미나 읽은 책 같은 것들의 영향으로 꿈이 수시로 바뀌지 않았니? 유치원 다닐 때나 그보다 더 어렸을 적엔 대통령이나 과학자, 혹은 우주 비행사나 연예인이 되고 싶다고 큰 소리로 말하기도 했을 거야. 당장이라도 그 꿈을 이룰 듯 자신 있고 행복하게 말이야.

그러다가 학교에 들어가 새 학기가 되고 교실 뒷벽에 붙일 자기소개서 같은 걸 만들 때, 잠시 생각을 하지. 장래 희망을 써 넣어야 할 칸에 무슨 직업을 쓸까 하고 말이야. 그땐 아무도 대통령이나 우주 비행사 같은 건 적지 않아. 그건 이미 '현실적'이지 않다고 생각하기 때문이지. 또 지금 내 성적으로 무엇을 할 수 있을까를 먼저 고민하기 때문이기도 하고. 게다가 부모님이 원하는 직업, 사회적으로 명성을 얻을 수 있거나 돈을 많이 버는 직업까지 고려하다 보면 장래 희망란에 적을 꿈을 결정하기란 막막하고 어려운 일이 되고 말아.

그렇다면 한창 꿈꾸어야 할 청소년들의 장래 희망에는 무슨 직업이 제일 많을까? 먼저 며칠 전 텔레비전에서 본 것을 잠깐 얘기할게. 어느 퀴즈 프로그램에서 '우리나라 초등학교 학생들의 장래 희망 1위는 무엇일까요?'라는 문제가 나왔어. 공무원, 연예인, 운동 선수, 이렇게 세 개의 보기가 주어졌고 나도 잠깐 답을 생각했지. 넌 뭘 골랐니? 너무 놀라지 마. 답은 공무원이더구나. 난 연예인이 아닐까 예상했는데, 무척 놀랐어. 초등학생이라면 아직 세상의 어려움을 안다고 하기엔 어린 나이인데 그 아이들이 선택한 장래 희망은 너무나 현실적이었으니 말이야. 그래, 네 짐작대로 난 또 쓸쓸하고 슬퍼졌어. 그맘땐 무지갯빛 꿈도 모자라는 시절이잖아. 하고 싶은 일이 너무 많아서 일주일이 멀다 하고 꿈이 바뀌는 그런 때잖아. 나는 과자를 실컷 먹고 싶어 슈퍼마켓 주인이 되겠다거나, 하루 종일 공짜로 만화를 볼 수 있는 만화방 주인이 되고 싶다고 했는데 말이야. 어린아이들이 이 정도라면 경쟁의 현실 속에 있는 너희는 오죽할까 하는 생각이 또 들었어. 학년이 올라갈수록 희망하던 대학에서는 멀어지는 듯하고, 어렴풋이 꾸었던 꿈도 성적이 부족해 바꾸어야 하는 이상한 현실을 몸으로 느끼고 있을 테니까.

만약 지금 너도 성적으로 너의 미래를 설계하고 있다거나, 아직
도 꿈이 없어 허허롭다면, 꿈을 꾸는 일이 무엇인지 함께 얘기해
봤으면 좋겠어. 어릴 적 우주 비행을 하고 싶다던 큰 꿈은 왜 사라
지고 말았는지, 무엇이 너의 꿈을 잘라 가며 꿈의 모습을 자꾸 바
꾸어 놓는지, 꿈을 잃어버리면 왜 안 되는지 하는 이야기들을 말이
야. 그러니 이쯤에서 잠깐 책을 덮고 '꿈'이라는 말을 마음에 또박
또박 써 보면 좋겠어. 네가 가장 원하는 모습이 무엇이며 너를 행
복하게 하는 일이 있다면 무엇인지부터 차근차근 생각해 보았으
면 해. 즐거운 마음으로 너의 내일을 생각하는 동안 나는 시 한 편
을 옮겨 놓을게. 그럼 너의 꿈을 안고 잠시 후에 다시 만나자.

장래 희망

안오일

나는 학년 올라갈 때마다 써 넣는
장래 희망 칸에 직접 내 희망을
쓴 적이 한 번도 없다

검사,라고 엄마는 엄마의 장래 희망을
나 대신 쓴다
혹 한 번이라도 건너뛰면
부정 타 안 되기라도 하는 것처럼

이룰 수 없는 꿈처럼 돼 버린
내 장래 희망을
오늘은 써 본다
요리사,라고

　어떤 꿈들을 생각했는지 묻지 않을게. 지금 당장 나의 꿈을 분명하게 정하지 못했다 해도 괜찮아. 그저 마음이 조금 뜨거워졌길 바라. 꿈을 가지고 싶다는 생각만으로도 나는 심장의 박동을 조금 더 빠르게 할 수 있다고 생각해. 왜 있잖아, 사랑이 막 시작되려 할 때처럼 두근두근 떨리는 거 말이야. 그러나 꿈의 맥박은 사랑의 맥박과는 조금 달라서 마음을 아프게 하지 않고 더 씩씩하게 걷게 하는 마법이 있어. 내 안에서 내일에 대한 희망이 생겨날 때, 난 꼭 그런 느낌이 들곤 해. 그게 바로 꿈이 만들어 내는 힘이라고 믿지. 그러나 그 힘을 느끼려면 조건이 하나 있어. 뭐냐 하면, 그 꿈이 반드시 '나의 꿈'이어야 해. 시에서처럼 엄마의 장래 희망이거나 다른 사람의 욕심이어서는 안 돼. 꼭 내가 이루고 싶은 꿈이어야 하는 거야. 남에게 보여 줘야 하는 것이 아니니까 거창하지 않아도 부끄러워할 이유도 없어.

이 시를 읽어 주는 이유를 짐작했겠지. 엄마가 바라는 너의 미래와 네 장래 희망이 같지 않다면 고민이 될 수도 있어. 부모들은 대개 자랑하기 좋은 직업을 가지길 원하거든. 시 속의 엄마처럼 검사나 의사가 된다면 훌륭한 자식을 두었다고 부러움을 많이 받기도 하지. 그렇지만 저 아이는 요리사가 꿈인가 봐. 엄마가 원하는 검사와는 사뭇 다른 길이지? 그래서 엄마에게 용기 있게 요리사가 되고 싶다는 말을 못 했던가 봐. 해마다 엄마는 장래 희망 칸에 '검사'라고 부적을 쓰듯 꾹꾹 눌러써 버렸어. 그걸 볼 때마다 아이는 마음이 무거웠겠지만 엄마가 실망할 모습 때문에 늘 참았을 거야. 그런데 이번에는 '요리사'라고 썼대. 자신의 꿈을 적는 저 아이의 두근거림이 느껴지는 듯해. 엄마의 소원을 알면서도 내 꿈을 찾아가고 싶어 하는 마음에 응원을 보내 주고 싶어. 나중에 요리사가 된다면 제일 먼저 엄마에게 맛있는 밥상을 차려 줄 것 같지? 꿈을 이룬 행복한 요리사의 모습으로 말이야. 그 요리는 얼마나 맛있을까. 비밀 양념이나 멋진 장식이 없어도 분명 많은 사람들의 입맛을 사로잡을 거야. 왜냐하면 그 음식을 만드는 요리사가 아주 행복하니까. 이것이 또한 꿈의 두 번째 힘일 거야. 내가 바라던 꿈을 이루게 되면 다른 이들에게도 행복을 줄 수 있게 된다는 것.

그러나 주변에는 부모의 꿈을 자기 꿈인 듯 아는 친구들이 많은 것 같아. 그것이 성공이라고 배웠기 때문일 거야. 물론 부모님의 꿈과 내 꿈이 딱 맞아떨어진다면야 환상이겠지만, 꿈이라는 게 한 번 정한 이름처럼 평생 똑같지 않잖아. 그렇다면 누구든 시와 같은 상황에 놓이게 마련이야. 그럴 때, 두려워 말고 너의 꿈을 적었으면 해. 네 삶을 엄마의 장래 희망 속으로 밀어 넣지 말고.

너에게 꿈 이야기를 하다 보니 나도 어릴 적 꿈들이 떠올랐어. 꿈을 이뤘느냐고 묻고 싶지? 어른들에게는 어떤 꿈이 있었는지보다 꿈을 이루었는지가 더 궁금한 법이잖아. 솔직하게 말하면, 아니, 이루지 못했어. 내 기억 속의 가장 오래된 꿈은 간호사였어. 유치원 때였는데 나도 그렇고 동생도 그렇고 몸이 많이 아파서 병원이 큰집 같던 시절이었거든. 그 뒤로 나도 너처럼 직업을 열 가지쯤 바꿔 가며 꿈이라는 것을 꾸었어. 서너 가지는 부모님이 원하는 모습이었고, 대여섯 개쯤은 내 관심과 열정이 옮겨 가는 것에 맞춰 바뀌곤 했지. 그중에서 제일 오랫동안 내 꿈의 자리에 있었던 건 발레리나였단다. 분홍 토슈즈를 신고 무대 위를 사뿐사뿐 걸어다니는 황홀한 상상을 얼마나 많이 했는지 몰라. 그 당시 내 처지나 상황에서 발레리나가 되고 싶다는 건 정말 꿈속의 꿈 같은 것인데도 나는 그 꿈을 가장 깊이 간직했어. 이처럼 간호사부터 발레리나까지 내가 꿈꾸던 모습은 참으로 다양했지. 그런데 그 열 가지 중에 내가 한순간이라도 가져 보았던 직업은 없어. 어릴 때 장래 희망에 써 넣었던 많은 것들이 정말 한때의 희망으로만 남고 말았지. 꿈을 이루지 못했으니 그럼 내 인생은 실패한 걸까? 아니라고 생각해. 나는 또 지금 원하는 일을 하고 있고, 삶은 부분이 아니고 전체니까. 어릴 적 꿈을 이루었느냐로 성공과 실패를 정할 수 없는 거야.

마지막으로 덧붙인다면 지금 꿈이 없다면 가능한 넓게 많은 것을 생각하라고 하고 싶어. 지금 꿈이 있어도 마찬가지야. 예를 들어 영화감독이 되고 싶다는 꿈을 가졌어도 그 꿈속에 나를 몽땅 집어넣고 우물 속의 개구리가 되지는 말라는 얘기야. 네 삶에서 꿈이 자라야 해. 그런 말도 있잖아. 땅을 깊게 파려면 넓게 파야 한다고. 넓은 시야를 가지고 새로운 것들을 많이 찾다 보면 어느 지점에서 알게 될 거야. 아, 이곳에서 깊이 파야겠구나 하고. 그러면 그것이 너의 새로운 꿈이 되고 너의 직업이 되기도 하는 거지. 또 꿈을 억지로 처음부터 구체적으로 정할 필요도 없어. 영화감독이라고 못 박는 것이 나쁘진 않지만 친구들에게 좋은 영화를 소개해 주고 싶다는 작은 바람으로 실천해 나가는 것도 괜찮은 방법이 아닐까 싶어. 그렇게 조금씩 재미와 즐거움이 있는 일들을 늘려 가면 잠재돼 있던 내 모습을 더 많이 찾을 수도 있고 말이야. 어때? 아까 시를 읽고 금방 꿈이 무언지 말 못 했다면 이렇게 성취하기 쉬운 소망부터 시작해 보는 게.

그래, 한결 편안해 보여. 앞으로 네 삶에 꿈을 가로막는 가시가 돋아나고 가시 박힌 상처가 아플 때에도 꿈꾸는 일을 멈추지 마. 벌겋게 부어오른 마음을 가라앉혀 주고 삶에 아름다운 표정을 만들어 주는 건 언제나 꿈이니까 말이야. 인제나 어디서나 무엇이든 네 꿈을 응원할게.

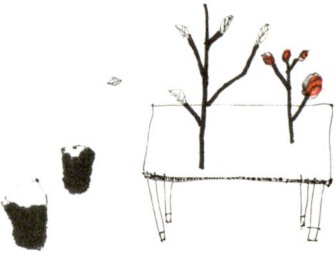

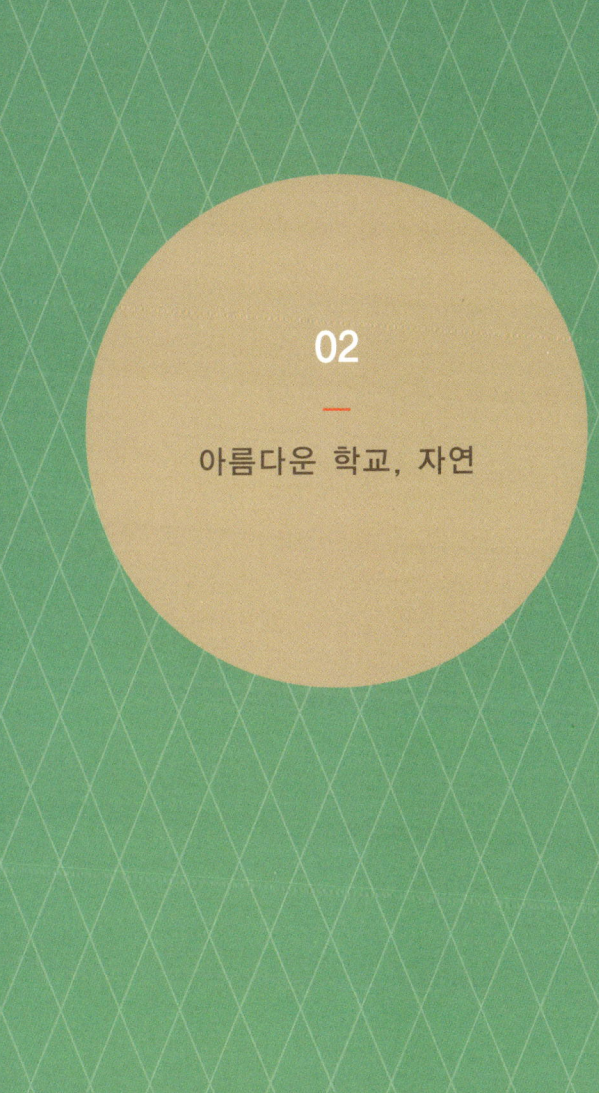

02
—
아름다운 학교, 자연

꽃들에게로 가자

나는 식물도감 보는 일을 좋아해. 자라는 곳은 모르고 이름만 알던 나무, 자주 보았지만 이름을 몰랐던 나무, 나무 밑에서 해마다 피었다 사라지는 꽃들, 내가 밟아 버린 길가의 작은 풀들. 이 모두를 다 담고 있는 커다란 숲 같은 책이 정말 좋아. 그러나 뭐니 뭐니 해도 길 가다 문득 길가에 쪼그리고 앉아 토끼풀을 보는 게 제일 좋아. 잎겨드랑이에서 길게 꽃대가 나와 하얗게 핀 토끼풀꽃이 올망졸망 모여 있는 것을 보면 나는 영락없이 주저앉아 버리고 말아. 양탄자를 깔아 놓은 듯이 핀 토끼풀꽃 위에 머리를 박고 네 잎 클로버를 찾는 거야. 어릴 땐 괭이밥과 토끼풀을 구분하지 못해서 모두 토끼풀인 줄 알았지만 말이야.

그들이 갖고 있는 이야기는 또 얼마나 재미있는지. 토끼풀은 크기도 작고 이름도 연약하게 들리지만 나폴레옹과 관련된 일화는 너무나도 유명하잖아. 어느 날 나폴레옹은 전쟁터에서 우연히 잎이 네 장 달린 클로버를 발견했대. 이를 신기하게 여긴 나폴레옹이 좀 더 자세히 보려고 허리를 숙였는데 그 순간 총알이 머리 위로 날아갔다는구나. 클로버를 보려고 허리를 숙인 덕분에 목숨을 건진 것이지. 한숨 돌린 나폴레옹은 자신의 행운을 네 잎 클로버 덕으로 돌렸고, 이때부터 네 잎 클로버는 행운의 상징이 되었다고 해. 어릴 땐 나도 여러 번 행운을 발견하는 기회를 얻었어. 그럴 때면 두꺼운 사전에 넣어서 잘 말려 두었다가 친구의 생일에 코팅을 해서 책갈피로 만들어 주곤 했지. 그런데 요즘은 왜 네 잎 클로버가 통 안 보이는 걸까? 이 녀석들을 못 찾을 만큼 내 눈이 흐려졌나?

괭이밥은 또 얼마나 재밌는 이름이라고. 고양이가 소화가 잘 되지 않을 때 뜯어 먹는 풀이라고 해서 괭이밥이라 한다잖아. 고양이는 좋겠어. 전용 약풀까지 있고 말이야. 그렇지만 이것이 하루아침에 눈에 익진 않더라고. 이만하면 구별하겠다 싶다가도 그다음 해가 되면 또 아리송해지거든. 근데 그뿐이 아니야. 산수유꽃인가 하면 생강나무꽃이라 하고, 열매가 없으면 밤나무와 상수리나무를 바꿔 부르기 일쑤이니, 그건 마치 누가 내 성을 바꿔 부르는 것이나 다름없겠다는 생각까지 했지. 역시 식물도감만으로는 부족한가 봐. 이런 내게 일침을 놓는 시를 만나고선 또 얼마나 놀라고 부끄러웠던지.

민들레와 개나리

서홍관

어떤 엄마가
영재 교육 그림책을 펴 놓고
아이를 가르치고 있다.
"이건 민들레!" "이건 개나리!"

의자 바로 밑에는
민들레가 피어 있는데,
저기 담장 옆에는
개나리가 피어 있는데.

아카시아 향기를 맡으며
아카시아 껌 냄새가 난다고 하는
이야기가 이렇게 시작되었던가?

꼭 내 얘기 같아. 그림책과 식물도감만으로는 자연을 배울 수 없는 노릇인데, 발밑의 민들레 대신 그림책 속의 노란 꽃만 들여다보는 꼴이었구나. 이 시는 쉽고 짧지만 거기에는 세태를 바라보는 날카로운 시선이 담겨 있어. 나나 시 속의 엄마가 한 행동이 자연에서 멀어진 생활 환경 탓이라고만 하기엔 좀 부끄러워. 민들레나 개나리는 멀리 찾아 나서야 하는 식물이 아니잖아. 봄이면 우리 주변에서 흔히 보는 꽃들이지. 그런데도 이 꽃들을 책으로 먼저 가르치는 엄마가 혹시 내가 아닐지 살짝 반성했단다. 햇살이 따사로운 봄날에 아이 손을 잡고 작은 골목길을 걸으면 되는 일이었는데……. 그러면 멀리서 바람에 실려 온 아카시아 향기도 맡고 그다음엔 라일락 향기도 맡으러 또 산책 나가고 싶어질 텐데…….

나무와 식물을 잘 알고 싶으면 사람을 사귀듯이 자주 만나야 하나 봐. 만나기만 해서는 안 되고 나무를 안아 보라고 하는 식물학자도 있더구나. 맞는 말이야. 사람도 서로 껴안아서 심장과 심장을 맞대어 보아야만 체온과 숨소리, 그 사람만의 내음을 맡을 수 있잖아. 의식하지 못해도 사실 우리 모두는 나무와 식물이 내뿜는 신선한 산소를 마시며 사는 거니까 주변을 둘러보는 일도 필요한 것 같아. 우리가 정말 알아야 하는데도 모른 채 지나치는 것들이 있지 않은지, 모르고 있으면서도 모르는 것을 부끄러워하지 않는 것은 아닌지 생각해 봤어. 수학 공식과 영어 단어를 외우는 데 바쁜 너희가 꽃 이름을 모른다고 아쉬워할 어른이 없다고 생각하니 쓸쓸함이 일더구나. 그냥 다니는 길 위에 새로 핀 꽃을 유심히 바라보기만 하면 그만인데 말이야. 그러니 우리 새봄에는 왁자한 꽃들에게로 가서 놀다 오지 않을래?

악보로 적을 수 없는 노래, 빗소리

비 오는 날 좋아하니? 잔뜩 흐렸던 하늘에서 후드득 빗방울이 떨어지기 시작할 때, 너의 걸음은 어떻게 바뀌니? 가방을 머리에 이고 한 방울이라도 덜 맞으려고 달려가겠지? 예쁘게 드라이한 머리가 부스스해질까 봐 걱정하면서 말이야. 곱슬머리인 나도 비오는 날이면 그게 제일 신경이 쓰이곤 했어. 장마 중에도 찰랑거리는 머릿결을 유지하는 친구들이 무척 부러웠지. 그런데 말이야 이제는 비 오는 날이면 훨씬 더 심각한 걱정을 하게 됐다는 것을 너도 알 거야. 기억나지? 산성비, 황사 비를 제압한 방사능 비가 오던 2011년 봄날의 풍경이 어땠는지.

그때 일본에서 원전 사고가 있었잖아. 후쿠시마 원전 폭발이라는 대재앙이 발생했고 그 때문에 방사능 비가 와서 사람들이 모두 겁을 먹었지. 휴교를 한 학교도 있었고, 어린아이들이 비옷에 우산을 쓰고 마스크까지 한 모습이 뉴스와 신문에 나오기도 했어. 비때문에 온 나라가 두려움에 떨 수 있다는 것을 상상이나 했겠니?

봄비란 온 산천에 꽃 멀미를 일으키는 마법의 손길이어야 하는데 그날의 비는 위험한 총탄과도 같았어. 슬픈 현실이지. 그리고 난 환경 오염과 원전 사고로 인해 비에 대해 어두운 생각만 갖고 있을 네가 안타까웠어. 그래서 비가 만드는 아름다움에 대해 얘기해 주려 해.

옛날 어른들은 양력 4월에 내리는 비를 특별히 '보리살비'라고 불렀다는데 들어 본 적 있니? 보리는 대개 4월 말이나 5월 초에 이삭이 패기 시작하면 그로부터 열흘간이 영양분이 제일 많이 필요한 시기라고 해. 그래서 겨울을 난 보리가 튼실하게 여물고 살이 오르도록 때맞춰 내리는 고마운 비라고 이름까지 붙여 주었던가 봐. 자연의 질서를 어기지 않는 삶의 지혜와 마음이 모두 담긴 어여쁜 이름이라는 생각을 하니 산성비, 방사능 비는 더욱 불행하게 느껴져. 들판의 보리는 보리살비를 기다리고 있을 것이고, 아직 물이 덜 오른 꽃나무들도 단비에 뿌리를 흠뻑 적실 기대에 부풀어 있을 텐데 말이야.

이런저런 복잡한 심정을 좀 눅자치게 비 얘기를 더 해야겠어. 비를 부르는 우리말이 몇 개쯤 되는지는 정확히 모르지만 내가 아는 말만도 스무 개쯤은 족히 될 듯해. 가랑비, 이슬비, 안개비, 보슬비, 여우비, 단비, 약비, 실비, 웃비, 목비, 모종비, 궂은비, 소낙비, 장대비, 작달비, 장맛비, 억수비 외에도 개부심, 그믐치, 는개, 먼지잼,

칠석물 등도 비를 이르는 말이란다. 이 중에서 네가 아는 건 몇 개쯤이니? 무조건 봄비, 가을비 하고 불렀던 게 조금 부끄럽지?

하늘에서 내리는 비를 이처럼 정교하게 나누어 놓았다는 게 신기하고 놀라워. 비가 언제 오는지, 빗줄기가 굵은지 가는지, 비가 오는 시간이 긴지 짧은지, 양은 많은지 적은지, 비가 얼마나 도움이 되는지 등등에 따라서 부르는 이름이 다 다르다니. 이름은 또 얼마나 살갑고 정다운지 비를 대하는 우리 조상들의 심성을 한눈에 알 수 있을 듯해. 이것은 농사를 중심으로 생각하는 생활 방식에서 비롯되었겠지. 자연의 도움 없이는 풍년을 기대하기 힘든 것이 농사니까 비를 기다리고 비를 반기던 마음이 이토록 많은 이름을 붙이게 했나 봐. 한자어까지 합치면 오십여 개쯤 된다니 이것만 보아도 우리 민족이 비에 얼마나 많은 의미를 부여했는지 충분히 짐작이 가지?

그나저나 방사능 비 때문에 얘기가 조금 우울해졌네. 내가 진짜 말하고 싶은 건 빗소리였는데 말이야. 그럼 다시 시로 돌아와 보자.

빗소리

안도현

저녁 먹기 직전인데 마당이 왁자지껄하다

문 열어 보니 빗줄기가 백만 대군을 이끌고 와서 진을 치고
있다

둥근 투구를 쓴 군사들의 발소리가 마치 빗소리 같다

부엌에서 밥 끓는 냄새가 툇마루로 기어올라 온다

왜 빗소리는 와서 저녁을 이리도 걸게 한 상 차렸는가

나는 빗소리가 섭섭하지 않게 마당 쪽으로 오래 귀를 열어
둔다

그리고 낮에 본 무릎 꺾인 어린 방아깨비의 안부를 궁금해
한다

시가 한 폭의 풍경화처럼 눈앞에 쫙 펼쳐져서 내가 저 집 저녁의 밥상머리에 함께 앉아 있는 듯해. 그러면서 빗소리도 또렷이 들리네. 백만 대군의 발소리 같은 비가 온다니까 아마 굵다란 빗방울이 떨어지고 있나 봐. 나뭇잎은 방울방울 망치질을 당하듯이 온몸이 흔들리고 있어. 마침 부엌에선 밥물이 끓어 넘치고. 무척 평화로운 시간이야. 그런 때에 오는 비라서 그럴까? 툇마루에 앉아서 비 구경을 하다가 안부가 궁금한 건, 친구가 아니라 "낮에 본 어린 방아깨비"야. 그것도 "무릎 꺾인" 방아깨비. 다친 다리로 비를 피할 곳은 찾았을까, 내 저녁밥은 끓고 있는데 방아깨비는 저녁상에 연한 풀잎 한 장은 올려놓았을까, 걱정하는 시인의 얼굴이 보여. 삶이 고요해지고 욕심이 적어지면 시인처럼 작고 하찮은 것들의 소식도 묻고 싶어지나 봐. 나와 함께 생을 빚어내는 이 중엔 사람뿐 아니라 나무와 벌레와 빗소리도 있다는 것을 느끼게 된다면 덜 외롭지 않을까 싶어.

그러나 도시에서만 자란 너는 이 시 속의 비가 더 믿기지 않을 것 같아. 도시에서 보는 비와는 너무 다르니까 말이야. 정말 저런 비가 오는 곳이 있기나 한지, 있다면 어딘지 가 보고 싶을 듯해. 내가 데려가 줄게. 그곳은 바로 나의 고향 집 마당이란다.

내가 어린 시절을 보낸 집은 마당이 길쭉한 기와집이었어. 한쪽으론 꽃밭이 있었고, 마중물을 넣어 물을 끌어 올리는 펌프가 있던 집이야. 맞아, 시골집이지. 넌 본 적도 없을 커다란 돌절구도 있었단다. 할머니가 아끼시던 절구였어. 붉은 고추를 찧어 물김치를 담그고, 콩을 빻아 콩죽을 쑤어 주시곤 했어. 그런 집에서 자라는 동안 나는 빗소리나 바람 내음이 다 다르다는 걸 저절로 알게 되었던가 봐. 지금도 생생하게 기억나거든.

무더운 여름날 바짝 마른 흙에 내리는 소낙비 소리를 들어 본 적 있니? 그 소리는 마치 네 동생이 몰래 나쁜 짓을 하다가 문 여는 소리에 놀라 장난감을 쓸어 담을 때처럼 바쁘게 투두둑 소리를 내며 내린단다. 굵은 빗방울 때문에 흙먼지가 뿌옇게 일면서 마루까지 훅 끼치던 흙 내음. 텁텁하고도 시큼한 냄새를 참 좋아했지. 꼭 흙에 내리는 비여야 해. 흙이 아니면 동생의 오줌발보다도 힘차게 땅을 움푹 파는 소낙비의 기세를 알 수 없거든. 또 기왓장을 두드리는 경쾌한 빗방울은 어떻고. 아래채 양철 지붕에 떨어지는 빗소리는 피아노의 제일 높은 건반을 누르는 듯했는데. 잿빛 기와지붕의 골 사이로 흘러내리는 빗물 소리도 기억나. 무엇보다 귀를 세우고 하염없이 듣던 것은 처마 끝에서 한 방울씩 떨어지던 낙숫물 소리. 그건 여름의 장대비 말고 봄가을의 가랑비가 만들어 주는 선물 같은 거였어. 악보로는 도저히 옮길 수 없는 자연의 노래였으니까.

어때? 어린 방아깨비의 안부를 궁금하게 만드는 비도 있다는 게

조금 믿기니? 그 시절엔 나도 꽃밭의 개미집이 무너질까 봐 걱정
했던 것도 같아.(아, 나도 미물을 사랑했나 봐.) 그런데 이런 빗소
리를 들어 본 지 너무 오래됐어. 지금은 들을 수 없는 그런 소리가
있었다는 사실도, 아무것도 하지 않고 그 소리만 듣고 있어도 심심
하지 않았던 그런 여유를 잃어버린 것도 속상하구나. 나는 시를 다
시 읽어 봐야겠어. 이번엔 글자들이 빗줄기가 되어 마음으로 떨어
지는 소리를 들어 볼래.

고요가 필요한 시간

여름날 이른 저녁을 먹고 나면 해는 아직도 중천을 겨우 지난 듯 더위가 수그러들지 않아서 동생들과 나는 할아버지를 따라 자전거에 오르곤 했어. 유치원에 다니던 막내 동생은 내가 태우고 큰 동생은 할아버지의 자전거에 앉아서 신이 났었지. 집에서 꽤 멀리 떨어진 논까지 다녀오는 것이 우리의 목표였어. 큰길이어도 차가 많지 않으니 동생을 태운 내 자전거가 비틀거리며 중앙선을 넘어 다녀도 걱정이 없던 시절이었어. 로터리를 돌아 강바람을 마셔 가며 다리를 건너 신작로를 한참 달렸어. 길옆으로는 네모반듯한 논뿐이었지. 그때쯤 되면 먼 산으로 붉은빛을 두어 뼘 남긴 해의 이마가 보였어. 선선한 바람은 벼의 허리를 눕히고 우리를 지나갔어. 자전거를 타며 맞는 시원한 바람은 선풍기나 에어컨 바람에 비할 바가 아니야. 순식간에 뼛속까지 서늘하게 해 주던 그 바람의 손길이 지금도 여름날 저녁이면 간절히 그리워져.

할아버지의 자전거가 멈추면 그곳이 우리 논이었어. 모두 똑같이 생긴 논 중에서 할아버지는 어떻게 우리 논을 정확하게 찾을까 궁금하곤 했어. 집처럼 문패를 달아 놓지도 않았는데, 우리 논에만 붉은 벼를 심어 놓은 것도 아닌데 말이야. 혹시 몇 번째 칸이라고 우리 몰래 세며 오신 것일까 물어보면 그냥 다 안다고만 하시던 할아버지의 머릿속 지도가 참으로 신기했어. 그곳에는 아주 작은 개울이 논 옆으로 흘렀어. 우리가 힘들게 할아버지를 쫓아간 목적도 거기 있었던 거지. 신발을 벗어 놓고 무작정 발부터 물에 담갔어. 내 방언으로 '고디'라고 부르는 다슬기들이 작은 돌에 까맣게 붙어 있었지. 이름도 알지 못하는 작은 물고기들은 발가락 사이를 겁도 없이 지나다녔어. 그사이 할아버지는 피를 뽑으시고 간혹 우리에게 메뚜기나 여치 같은 풀벌레를 잡아 주기도 하셨어. 조금씩 사라지던 빛이 마침내 개울물의 물고기마저 숨기면 우리는 바지에 물기를 대충 닦고 신발을 신었어. 조금 전보다 개구리 울음소리가 더 가까이 들리는 듯해지면 세상은 다른 모습을 우리 앞에 펼쳐 놓았거든.

자, 바로 이 순간부터 나의 의식은 시작되었어. 나는 어둑어둑해지는 너른 들판에서 어둠을 맞이하며 가만히 서 있었어. 조금 전까지 뛰어놀던 모습과는 전혀 다르게 숨죽이며 무언가를 기다리곤 했지. 나의 숨소리가 풀잎을 지나가는 바람 소리에 맞춰지는 때, 마침내 나 자신과 주변이 충분히 고요해지면 또 다른 소리들이 귓

가로 스며들었어. 눈에는 보이지 않지만 분명하게 자신의 존재를 증명하고 있는 소리들, 나는 알아듣지 못하는 그런 울음소리들이 어두워지는 들판을 채우고 있었어.

그런 경험들 때문인지 몰라도 나는 지금도 저녁이 오는 풍경을 볼 때면 말할 수 없이 행복해져. 지구 별이 낮 동안의 운행을 마치고 밤의 길목으로 접어드는 그 경계의 시간에는 작고 여린 것들이 밤하늘의 달빛과 어둠을 영접하기 위해 깨어나는 소리가 들리거든. 그러나 이것은 모두 텔레비전과 자동차 소음에 눈과 귀를 빼앗기기 전의 일이야.

내가 어렸을 적엔 텔레비전이 있는 집이 아주 적었어. 학교에서 가정 환경 조사라는 것을 해 보면 집에 텔레비전이나 냉장고, 전화가 있는 아이들은 겨우 두어 명에 불과했으니까. 너희에겐 조선 시대쯤이나 되는 먼 과거처럼 느껴질지도 모르겠지만 겨우 삼십여 년 전일 뿐이야. 텔레비전이 없으니 저녁 밥상을 물리고 나면 늘 무언가 재밌는 일을 궁리해야 했고, 그러다 보니 할아버지를 따라 논에도 다녀오고 할머니에게 옛날이야기도 듣고 동생들이랑 꽃밭에 벌레 구멍도 파고 했던 거지.

텔레비전이 보급되면서 사람들은 감각의 풍요로움을 잃어버렸다고 나는 생각해. 자연의 시간을 좇아서 밝음과 어둠의 순환을 따라가며 살아야 하는데 대낮처럼 밝혀 놓은 도시의 불빛과 한밤중에도 눈길을 붙잡는 텔레비전의 온갖 채널은 오직 시각적인 감각에만 우리를 집중시키잖아. 게다가 텔레비전은 사람들이 원하든 원하지 않든 일방적으로 내용을 전송하고 우리는 그저 받기만 하는 관계를 맺을 뿐이니, 기계에 종속당하는 삶인 셈이지. 더욱 나쁜 건 텔레비전이 보여 주는 꾸며진 상황과 삶을 진실이라 믿어 버리면서 자신의 삶에는 불만만이 남기도 한다는 거야.

생각해 보면 숨 가쁜 일상에서 우리가 잃어버리는 것들은 너무나 많아. 달빛의 그렁그렁한 외로움을 모르게 되었고 작은 꽃밭에 숨어 사는 풀벌레의 울음소리를 듣지 못하게 되었어. 밤의 고요와 침묵마저 잃어버리면서 우리는 몽상과 섬세한 감각들까지 놓치고 말았지. 이 안타까움을 한 시인이 가만히 앓고 있더구나.

풀벌레들의 작은 귀를 생각함

김기택

텔레비전을 끄자
풀벌레 소리
어둠과 함께 방 안 가득 들어온다

어둠 속에서 들으니 벌레 소리들 환하다
별빛이 묻어 더 낭랑하다
귀뚜라미나 여치 같은 큰 울음 사이에는
너무 작아 들리지 않는 소리도 있다
그 풀벌레들의 작은 귀를 생각한다
내 귀에는 들리지 않는 소리들이 드나드는
까맣고 좁은 통로들을 생각한다
그 통로의 끝에 두근거리며 매달린
여린 마음들을 생각한다
발뒤꿈치처럼 두꺼운 내 귀에 부딪쳤다가
되돌아간 소리들을 생각한다
브라운관이 뿜어낸 현란한 빛이
내 눈과 귀를 두껍게 채우는 동안
그 울음소리들은 수없이 나에게 왔다가
너무 단단한 벽에 놀라 되돌아갔을 것이다
하루살이들처럼 전등에 부딪쳤다가
바닥에 새카맣게 떨어졌을 것이다
크게 밤공기 들이쉬니
허파 속으로 그 소리들이 들어온다
허파도 별빛이 묻어 조금은 환해진다

결국 시인이 텔레비전을 꺼 버렸어. 그러자 바깥에 있던 어둠이 새로운 소리들을 데리고 들어와. 귀뚜라미나 여치보다도 더 작은 울음을 가진 풀벌레들, 그들의 조그만 귀에만 들릴 더 작은 소리들. 방 안 가득 들어온 이 소리들엔 별빛까지 묻어 낭랑하다는 시인의 말을 나는 다 알 수 있을 것 같아. 유년의 들판이 내게 주었던 선물과 같을 테니까. 사람들의 거짓말이나 비난, 텔레비전의 유혹의 소리가 아니라 자신의 몸으로 만들어 내는 정직한 울음소리 말이야. 시인이 듣고 싶었던 것도 완전한 어둠과 고요 속에서만 들을 수 있는 자연의 숨소리였음이 분명해.

그러나 지금 다시 내가 유년의 그 들판에서 어둠을 맞이한다 해도 이젠 벽처럼 단단해진 나를 통과하지 못하는 소리들이 있을 것 같아 마음부터 슬퍼져. 난 너무 "현란한" 소리에 단련되어 한없이 작고 느린 소리가 지루해져 버렸고, 가끔은 친구의 울음소리도 듣지 못하거나 못 들은 척하는데, 어떤 마음 넓은 풀벌레가 나를 찾아와서 하염없이 내 귀를 닦으며 애써 주겠니? 나는 어찌 내 귀를 막고 있는 찌꺼기들을 그 여린 손길에 맡겨 놓고 부끄러움 없이 태연할 수가 있겠니?

그렇다면 어떻게 "발뒤꿈치처럼 두꺼"워진 귀의 통로를 청소해야 할까. 우선 시인처럼 텔레비전을 끄고 창문을 열어 놓을래. 나도 모르는 사이에 스피커에서 흘러나오는 소리로 막아 놓은 귀의 "단단한 벽"을 허물고 잃어버린 섬세한 감각들을 회복하고 싶어. 여름밤 풀들의 움직임을 만들어 내는 풀벌레들의 울음의 파동을 알고 싶어. 달밤에 들숨과 날숨을 번갈아 쉬는 나무들의 소리까지도. 지금 우리에게 가장 필요한 시간은 '고요'라는 말, 너도 공감하겠지?

나무야 나무야

좋아하는 친구보다 좋아하는 나무가 더 많은 어린아이가 있었어. 말수가 적고 수줍음이 많아서 친해지고 싶은 친구가 있어도 먼저 인사를 던지지 못해 늘 혼자 있던 아이였어. 심심할 때는 눈여겨 두었던 나무를 찾아가서 그 곁에 조용히 앉아 있곤 했어. 학교에서 상장을 받았을 때는 골목길 담을 넘어 붉은 가슴을 연 석류나무에게로 갔고, 빈집을 지키던 여름날 오후에는 마당의 대추나무 푸른 열매를 세면서 놀았고, 억울한 일이 생겼을 때는 학교 뒤 커다란 버즘나무 뿌리에 걸터앉아 꼬챙이로 하염없이 땅을 파곤 했어. 나무와 함께 있노라면 기쁨도 시름도 답답함도 사라지곤 했어. 아이에게는 나무가 친구였고 피난처였어. 그 아이가 바로 나란다.

어느 땐 엄마에게 아주 많이 혼이 나서 버즘나무 위에 올라가서 숨어 있기도 했어. 큰 둥치에서 제일 먼저 양쪽으로 갈라지는 적당히 굵은 나뭇가지 사이에 누워 보았지. 약간 무섭기도 했지만 오롯이 혼자라는 생각에 편안해졌어. 나무 위에 누워서 하늘을 볼 때의 고요와 신비를 그 이후로 다시는 경험하지 못했지만 나는 여전히 잊을 수가 없어. 또 수없이 갈라져서 뻗어 나가는 나뭇가지들을 눈으로 좇는 일은 미로에서 길을 찾는 것처럼 조마조마했어. 행여 끝을 놓쳐 버리지나 않을까 하고. 그러다 나처럼 나무에서 쉬고 있는 새 한 마리를 만나면 무척 반가웠지. 너도 혹시 동생을 때려서 엄마한테 혼났니? 엄마가 너를 못 찾아서 속상하길 바라니? 새에게 물었어. 나와는 달리 하늘 쪽 가까운 가지에 앉은 새는 나를 보곤 이내 날아가 버렸지만 잠깐이라도 새와 하나 되었던 기분만은 남았지.

나뭇가지 사이로 붉은 노을 한 폭이 걸릴 때쯤 할아버지에게 붙잡혀 나무에서 내려오긴 했지만, 그리고 다시는 나무에 올라가지 않겠다고 약속을 하고서야 저녁밥을 먹었지만, 난 그날 호졸근한 몸으로 생각했지. 다음 생에는 강가의 한 그루 나무로 태어나고 싶다고. 나는 그만큼 나무가 주는 꽃향기와 서늘한 그늘과 몇 줌의 열매를 좋아했고, 나무를 찾아오는 새들까지 모두 다 좋아했어. 그날 나무 위에서 본 저녁놀은 내 유년의 가장 아름다운 풍경으로 남아 있어.

내가 이렇게 나무 이야기를 길게 하는 이유는 요즘엔 나무와의 추억을 가진 아이들이 드물어서 안타깝기 때문이야. 도시에 사는 아이들은 고작해야 가로수나 공원이나 아파트 화단에 심긴 나무를 보는 게 전부이니 사람이나 나무나 모두 불쌍한 신세인 거지. 이런 생각에 힘을 실어 주는 글을 본 적이 있어. 서울 도심의 가로수에는 나이테가 없다는 충격적인 글이었어. 나이테는 나무의 나이를 나타내는 둥근 테잖아. 우리가 나이를 먹는 것처럼 똑같이 일 년에 하나씩 생겨나지. 설마, 서울이 아무리 살기 힘든 곳이라고 해도 그렇지 정말로 나이테가 없을라고, 하는 의문이 들면서도 한편으론 아냐, 진짜 그럴지도 모르지라고 고개를 주억거렸어. 공해와 소음, 뿌리를 덮어 버린 보도블록 속에 갇혀 있으니 나무도 몸과 마음이 제대로일 리가 없지. 난 이미 심정적으로는 이 이야기를 사실로 믿고 있어. 나이테를 가지지 못하는 나무라니. 그나마 그런 나무의 이야기를 대신해 주는 이가 있어 얼마나 다행인지…….

나무의 수사학 1

손택수

꽃이 피었다,
도시가 나무에게

반어법을 가르친 것이다

이 도시의 이주민이 된 뒤부터

속마음을 곧이곧대로 드러낸다는 것이

얼마나 어리석은가를 나도 곧 깨닫게 되었지만

살아 있자, 악착같이 들뜬 뿌리라도 내리자

속마음을 감추는 대신

비트는 법을 익히게 된 서른몇 이후부터

나무는 나의 스승

그가 견딜 수 없는 건

꽃향기 따라 나비와 벌이

붕붕거린다는 것,

내성이 생긴 이파리를

벌레들이 변함없이 아삭아삭

뜯어 먹는다는 것

도로변 시끄러운 가로등 곁에서 허구한 날

신경증과 불면증에 시달리며 피어나는 꽃

참을 수 없다 나무는, 알고 보면

치욕으로 푸르다

나무와 함께 나무처럼 자란 내가 서울에 와서 보고 놀란 것 중의 하나가 고층 빌딩이나 지하철, 늘 북적대는 사람들이 아니라 나무라면 이상하게 들리니? 고향의 나무들은 아무렇게나 구부러지고 휘어도 나무의 역할을 다하는 자신감이 있었는데, 도시의 가로수들은 곧고 우뚝하지만 어딘가 슬퍼 보였어. 아마 내가 꼭 그랬던가 봐. 도시로 오기 전까지 나는 한 번도 내가 초라하다고 생각해 본 적이 없었는데 꿈에도 그리던 서울에서 나는 스스로 궁상스럽다고 느끼고 말았어. 도시와는 다른 생활 방식, 다른 생각, 다른 말씨 때문에 늘 부끄러움을 안고 살았지. 방언학 시간에 나를 일으켜 세워 경상도 억양을 들려주라던 선생님 때문에 학교 가는 게 무척이나 싫었어. 지금이라면 친구들에게 재밌게 사투리로 말해 주었을 테지만, 난 그때 연약했고 시골스러운 것이 수치스러웠거든. 부끄러워하는 내 모습을 그대로 다 보이고 싶지 않았던 거지. 그래서 입술을 깨물며 이겨 내리라 다짐하곤 했어.

이 시를 읽는 순간 가슴에 남았던 외로움과 그때의 부끄러움이 다시 떠올랐어. "꽃이 피었다, 도시가 나무에게 반어법을 가르친 것"이라는 구절을 읽으며 한참 동안 먹먹했어. 도시가 내게 준 외로움과 열등감과 상대적 빈곤감에 나도 가로수처럼 "신경증과 불면증에 시달"렸으니까. 그것으로부터 나를 구하고 보란 듯이 크고 아름답게 꽃 피우고 싶었으니까. 가로수의 심정도 그렇지 않을까 싫었던 거지.

시인의 말처럼 도시에선 '나'도 '나무'도 모두 이주민이었어. 원래 살던 곳에서부터 떠나온 존재라는 거겠지. 고향을 떠나 도시에서 속마음을 감추고 악착같이 살아야 했던 나, 자연을 떠나 도시의 경관을 장식할 목적으로 심긴 나무나 모두 똑같이 뿌리 뽑힌 가여운 존재였어. 나뿐만 아니라 이 도시의 한구석을 채우는 많은 사람들이 그럴 거야. 또 우리보다 더 멀리서 이주해 온 사람들, 우리나라에 희망을 걸고 온 외국인 노동자들의 마음도 이와 같지 않을까 하는 생각도 들어.

낙엽이 지고 난 후 가지가 몽땅 잘린 도시의 가로수들을 떠올려봐. 저것이 나무일까 싶을 만큼 처참한 그 모습. 나무가 느꼈을 모멸감을 생각해 봐. 그렇다고 속마음을 드러낼 수도 없고 스스로 도시를 떠날 수는 더더욱 없는 나무들의 심정이 어떨까 헤아려 봐. 그 마음을 참고 피워 낸 것이 꽃이라면 그것이야말로 항거의 반어법이 아니고 뭐겠니? 나도 나무처럼 항거를 했던가, 속으로 물었어. 나는 대답 대신 새로운 생각을 던져 준 글 하나를 떠올렸어. 소설가 김애란의 단편 소설 「물속 골리앗」에 고목의 생김새를 묘사한 대목이야. 고목으로 늙어 가며 나무답게 사는 일이란 무엇일까 하는 생각이 들더구나. 아마도 이젠 내가 나답게 늙고 싶어서일 거야.

"천 개의 잎사귀는 천 개의 방향을 가지고 있었다. 천 개의 방향은 한 개의 의지를 가지고 있었다. 살아남는 것. 나무답게 번식하고 나무답게 죽는 것. 어떻게 죽는 것이 나무다운 삶인지 알 수 없지만, 그런 게 종(種) 내부에 오랫동안 새겨져 왔다는 것만은 분명했다. (…) 그것은 백 년 전에도 똑같은 모습으로 서 있었을 터였다."(『자음과모음』, 2010년 여름호)

이 글을 읽고 나서 나는 아주 희한한 생각을 했어. 몇백 년 된 나무들을 살리려고 온갖 애를 쓰는 모습을 간혹 보잖아. 그것이 잘못은 아닐까, 하고 말이야. '나무답게 죽는 것'이라는 말이 커다란 나뭇가지가 되어 내 가슴을 팍 찌르는 듯했어. 오래된 나무라면 정말 나무답게 죽고 싶을지도 모르겠다는 생각이 처음으로 든 거야. 나무에게도 죽음을 선택하게 해야 하는 건 아닐까? 자연스럽게 생명을 정리하는 나무들과 그런 긴 나무의 내력을 들으며 새로 자라는 어린 나무들이 한데 어울려 있는 곳이 숲이잖아. 인간과 다름없는 생명의 탄생과 성장과 소멸, 조금씩 말라 가는 나무의 살갗이 어떤지 보는 것은 경이로운 삶을 목격하는 일일 거야. 이런 나무들이 많은 환경에서라면 우리들도 더 행복하게 살 수 있을 텐데, 잠시만이라도 여러 나이의 나무가 만든 울창한 숲을 상상하니 가슴이 후련해진다.

내가 너를 데리고 수목원을 가고 산을 찾는 것은 나무를 만나게 해 주고 싶어서야. 가로수처럼 곧기만 한 나무 말고 굽은 나무들 말이야. 제가 원하는 방향으로 몸을 비틀며 자라는 나무들에게는 자유로움과 생명력이 느껴지잖아. 특히 비 오는 숲 속, 비에 젖은 나무들을 꼭 한번 만지게 해 주고 싶어. 나무껍질에 세 들어 살고 싶다는 어느 시인의 마음이 무엇인지, 나무를 서 있는 친구라고 불렀다는 인디언의 지혜는 무엇인지 몸으로 느껴 봤으면 좋겠어. 그럼 너도 나무를 보면 다정하게 불러 줄 수 있을 거야. 나무야, 나무야.

걸으면서 철학하기

◆ 안 내 장 ◆

- **출발하기 전에 부탁하는 말**
  평화가 따라올 수 있는 속도로 천천히 걸어요.
- **이동 경로**
  걱정의 숲길 → 침묵의 들길 → 사색의 오솔길 → 철학자들의 길
- **출발 시간**
  스스로를 들여다보고 싶을 때, 삶에게 사랑을 고백하고 싶을 때,
  그리고 모든 어느 날과 어느 때
- **준비물**
  새로운 생각을 담을 수 있는 텅 빈 마음

자, 이제 출발이야. 우리는 두 다리로만 이동할 거야. 몸의 모든 협력을 받아 다리에게 의지할 거야. 내 힘으로만 앞으로 나아가고 내 판단으로만 멈출 거야. 자전거도 타지 않을 거야. 바퀴 달린 모든 것은 사절이야. 운동화 끈을 단단하게 묶었다면 아무것도 걱정

할 게 없어. 하늘 아래 첫 번째 산맥 저 히말라야도 걸어서만 넘을 수 있어. 첫걸음이 시작되면 내가 걷는 길옆의 모든 것들이 내 손을 잡아 줄 거야. 두려워하지 마. 깊이 숨을 들이마시고 고개를 들어 아주 멀리 바라봐. 지금 이 순간 가슴속에 차오르는 뜨거움을 잘 기억해. 그 힘으로 나아갈 거야.

  첫 번째 길, '걱정의 숲길'에 들어서고 있어. 이제부터 우리는 모두 각자의 길을 걷게 될 거야. 길은 하나지만 길을 나선 목적이 다 다르듯이 어떤 나무와 인사하고 어떤 꽃향기를 맡으며 어떤 풀벌레 소리를 들을지, 이것은 각자의 심장과 마음의 몫이거든.
  제일 먼저 행복을 가로막는 걱정과 불안을 내려놓아. 망쳐 버린 시험, 싸우고 온 친구 얼굴, 들통 날까 두려운 거짓말, 엄마 아빠에 대한 미움, 예쁘지 않은 얼굴 등등 너를 괴롭히는 생각들을 한 걸음에 하나씩 버려 봐. 처음에는 버리려고 꺼낸 생각들에 붙잡혀 마음이 더 무거워질 수도 있어. 도대체 남들보다 잘난 게 이렇게 없다니. 또 이런 생각도 들 거야. 이러는 게 무슨 소용이지? 내가 잠깐 이 걱정들을 버린다고 완전히 새로운 내가 되는 것도 아니고 고민들이 다시 생기지 않는 것도 아니잖아? 내가 진리를 깨쳐야 할 구도자는 더더욱 아니고 말이야. 그래, 그건 나도 마찬가지야. 할 일은 많고 시간은 없는데 이 일은 무익한 것이 아닐까, 의심하기도 해. 그래도 잠깐만이라도 내가 그랬었지, 그래서 힘들었지, 하고 나를 다독여 보자. 그러면 마음속 근심이 저 혼자 먼지처럼 날아갈 거야. 분명히 똑같은 걱정들을 다시 하고 말 테지만 걱정의 숲 끝에서 너른 들판이 이어질 때까지 조용히 걸어 나오는 거야. 무거웠던 마음에 시원한 바람이 불어와 이마의 땀을 닦아 줄 거야. 움켜쥔 주먹이 스르르 풀려 있다면 마음도 그렇지 않을까?

숲이 끝나면 흰 구름과 들판이 지평선까지 누운 긴 길이 나올 거야. '침묵의 들길'. 이곳에선 그냥 내가 참을 수 있는 가장 긴 침묵을 지키기만 하면 돼. 보이는 것도 떠오르는 것도 아무것도 내 안으로 끌어들이지 말고 천천히 움직이는 거야. 구름의 방향을 따라서 혹은 바람의 방향을 따라서 지구의 자전이 느껴질 만큼 조용히 걷는 거야. 그것이면 돼. 하지만 이맘때, 처음 길을 나설 때의 의지는 약해지고, 걱정들은 조금 사라지고 오롯이 단순한 풍경만을 바라보며 걷는 이때가 또 가장 어렵다고들 하더구나. 뙤약볕과 몸의 고통 때문에 자연은 더 이상 아름다워 보이지 않는다고 해. 그럼에도 불구하고 포기하고 싶은 마음을 끊임없이 다그치며 계속 걷게 히는 힘. 내 안의 힘을 믿고 걸음을 옮기는 동안, 마음은 정말 잔잔한 호수처럼 고요해져 있을 거야.

이제 다시 걸음이 리듬을 되찾았니? 왼쪽 다리와 오른쪽 다리가 네 몸의 심장 박동에 맞추어 움직이는 것이 느껴지니? 몸이 쉬면 마음이 바쁘고 몸이 힘을 쓰고 움직이면 마음이 쉰다잖아. 걷는 일이야말로 머리와 가슴을 쉬게 해 주는 좋은 시간인 것 같아. 나의 두 발이 마음을 가라앉히고 생각의 문을 열어 주면 그땐 어제와 다른 내 모습을 만나게 될지도 몰라.

아, 벌써 '사색의 오솔길'이구나. 이쯤에서 시 한 편을 줄게. 걸음의 박자에 시의 리듬을 맞춰 가며 조용히 읽어 봐.

길

신경림

사람들은 자기들이 길을 만든 줄 알지만
길은 순순히 사람들의 뜻을 좇지는 않는다
사람을 끌고 가다가 문득
벼랑 앞에 세워 낭패시키는가 하면
큰물에 우정 제 허리를 동강 내어
사람이 부득이 저를 버리게 만들기도 한다
사람들은 이것이 다 사람이 만든 길이
거꾸로 사람들한테 세상 사는

슬기를 가르치는 거라고 말한다

길이 사람을 밖으로 불러내어

온갖 곳 온갖 사람살이를 구경시키는 것도

세상 사는 이치를 가르치기 위해서라고 말한다

그래서 길의 뜻이 거기 있는 줄로만 알지

길이 사람을 밖에서 안으로 끌고 들어가

스스로를 깊이 들여다보게 한다는 것은 모른다

길이 밖으로가 아니라 안으로 나 있다는 것을

아는 사람에게만 길은 고분고분해서

꽃으로 제 몸을 수놓아 향기를 더하기도 하고

그늘을 드리워 사람들이 땀을 식히게도 한다

그것을 알고 나서야 사람들은 비로소

자기들이 길을 만들었다고 말하지 않는다

좀 어렵지? 원래 나의 등짐을 내려놓는 일이 가장 어렵잖아. 친구의 고민을 들어 보고 해결해 주는 것보다 내 두려움을 똑바로 쳐다보고 인정하는 것이 백배는 더 어려운 법이니까. 길을 나서는 것은 길 위에서 친구를 만들기 위해서가 아니라 바쁜 일상에서는 좀체 들여다보지 못한 자신을 만나기 위함이니 자꾸 되짚을 수밖에 없는 거야.

'엄마도 내가 미워서 그런 건 아닐 거야, 공부를 좀 더 열심히 하면 학교생활도 즐거워질까, 좀 안 예쁘면 어때? 날 좋아하는 친구는 많은걸……' 하나씩 한 사람씩 이해하고 나면 친구나 선생님, 가족들이 마음에서 사라져. 그리고 드디어 나 홀로 남게 돼. 비로소 작지만 분명하게, 내 꿈이 뭐였더라, 나는 정말 행복한가, 나는 어떤 사람인가, 하고 묻는 소리가 들려. 내가 길가의 풀잎에게 하는 소리인 듯도 하고, 바람이 나를 쓰다듬고 가며 하는 말인 듯도 해. 다시 살짝 마음이 갑갑해져. 대답하기 힘든 질문에 잠시 걸음을 멈추기도 해.

"길이 사람을 밖에서 안으로 끌고 들어가 스스로 깊이 들여다보게 한다"는 말, 조금 알겠니? 세상의 길을 걸었는데 그 길은 결국 내 안으로 이어져서 마음의 길을 걷게 된다니, 신기하고 놀랍지 않니?

처음 숲길에 두고 왔던 근심들에게 괜찮다, 다 괜찮다,라고 다독여 주고 싶어질 거야. 걸으면서 햇살과 바람과 하나 되고, 새소리와 물소리와 하나 되고, 내가 눈 맞춘 모든 것들과 하나 되었기 때문에 세상 속에 홀로 있다는 느낌은 들지 않았을 거야. 자연의 힘에 나의 아집과 고집을 녹이고 나면, 그때의 기쁨과 충만함이 무엇에든 존재를 걸고 도전해 볼 용기를 만들어 주거든. 내 앞에 놓인 어떤 역경이든 나의 운명으로 받아들이고 인정할 때, 그때 비로소 최선의 방법을 찾아낼 수 있다는 것을 꼭 배웠으면 좋겠어. 그래서 예로부터 수많은 철학자들은 길 위에서 답을 구했고, 지금도 치유와 희망을 선물받고 싶은 이들이 길 위로 나서는 거지. 더 크게 깨닫고 싶은 이들은 고행을 마다 않고 순례의 길을 떠나기도 하고 말이야.

이제 잠깐 '철학자들의 길'을 구경하며 새로운 생각의 집으로 가자. 저기 맨 앞에 그리스 최초의 철학인 탈레스가 보이네. 너무 골똘해 보이는구나. 저렇게 깊이 생각하며 걷다간 넘어질 듯싶은데, 아이쿠, 결국 예감대로구나. 혹 넘어진 채로 또 생각하고 있는 건 아니겠지? 소크라테스는 아테네 거리에서 사람들과 얘기를 하고 있구나. 무슨 대화일까? 자세히 들어 보니 소크라테스가 사람들에게 묻고 있네. '사람을 행복하게 하는 것은 무엇인가, 착하다는 것은 무엇인가, 용기란 무엇인가.' 하고. 좀 어렵구나. 그런데 소크라테스도 '아직도 그것은 모른다.'라고 대답해. 나만 모르는 게 아니어서 다행이야.

그런데 목숨 건 여행을 떠난 저 사람은 누굴까? 왜 태어났고 어찌 살아야 하며 죽음이 무엇인지 알고 싶어 말씀의 길을 가고 있는 저 사람. 사막과 광야를 건너고 고원과 산맥을 넘어 인도로 가는 혜초로구나. 훗날 『왕오천축국전』으로 남게 될 길을 뜨거운 마음으로 걷고 있구나. 저런 길을 가다니. 아무나 쉽게 결단할 수 없는 순례를 나선 이들의 간절함에 고개가 절로 숙여진다.

그런가 하면 '고독한 산책자' 루소는 오늘도 세상으로부터 받은 비난을 삭이느라 걸으면서 명상을 하고 있구나. 그런데 새로운 풀을 발견한 걸까? 식물 채집을 하느라 여념이 없네. 취미마저도 산책길에서 얻은 모양이야. 루소의 외로운 하루가 길 위에서 지나가고 있네. 어, 그런데 벌써 오후 4시가 지난 건 아니겠지? 칸트가 지나갈 시간인데. 그가 보이면 시계를 4시로 맞춰 놓자구나. 그는 정확히 4시에 나타나서 동네를 한 바퀴 돌거든.

길 위에 철학자들의 희미한 뒷모습이 많이 보이는구나. 각자 자기가 원하는 시간에 가장 편안한 모습으로 걷고 있어. 반은 생각에 물들고 반은 햇빛에 물든 표정이 편안해 보여. 걷기와 철학은 본질이 같다고 말해 주는 듯해. 수많은 철학자들이 쉼 없이 걸어가는 장관을 보렴. 우리도 그들 속에 섞여서 그들의 그림자라도 밟아가며 느릿느릿 걸어가면 마음속의 생각 하나쯤은 찾아내지 않을까? 언제든 '사는 게 뭔지 모르겠어……'라는 무거운 마음이 생기면 나도 여기 적은 시 한 편을 들고 길 위로 나서 볼 작정이야. 그런 때일수록 시가 꼭 필요하거든. 딱 떨어지는 대답을 주는 건 아니지만, 아, 그렇구나, 하고 생각을 다음 장으로 확 넘겨 주는 것이 시이기도 하니까.

이번 산책을 통해서 걷기란 삶을 돌아보고 곱씹게 하는 철학 행위라는 말이 무엇인지 조금은 알았으면 좋겠구나. 산책, 소요, 만보 등 무엇이건 간에 자주자주 걸으면서 생각하고, 생각하면서 걷다 보면 다리도 마음도 튼튼해지리라 믿어.

강변 살자

'어디서 살고 싶니? 산과 바다와 강 중에서 골라 봐.'

와우! 누군가 행복하게도 이런 기회를 준다면 나는 냉큼 보퉁이 하나를 싸서 강물을 따라나설 거야. 나무숲도 좋고 하얀 파도도 좋지만, 달이 뜨고 은하수가 흘러가고 바람이 머무는 풍경을 그대로 비쳐 주는 강이 가장 좋아. 첩첩한 산속은 어쩐지 무섭고 끝없는 수평선은 외로움을 키우는데, 둥근 굽이를 만드는 강물은 너무 시끄럽지도 너무 조용하지도 않게 이야기를 들려주거든. 물론 이것은 내 개인적인 취향이지만 강에 가면 찰람찰람 강둑을 넘나드는 물소리가 있으니까 말이야. 여름에 큰물이 질 때가 아니면 어깨동무한 아이들 같은 물너울을 언제나 볼 수 있어. 행여 작은 돌멩이라도 하나 던지면 물둘레를 치는 강물이 발목을 붙잡을 것만 같아. 해가 질 때까지 물끄러미 물길을 바라보면 어느새 마음속 걱정은 먼 바다로 흘러간 느낌이 들기도 해서 나는 사랑하는 이들과 더불어 강변에서 살고 싶어. 큰 강도 이런데 작은 시골 마을의 개울은 훨씬 더 다정하겠지? 바위와 모래, 나무뿌리와 물고기, 빗물과 계곡물이 서로 섞여 다시 하나를 이루는 곳에서 몸을 씻으며 산다면 세상의 어떤 소문에도 흔들리지 않을 거야. 그렇겠지? 근데 넌 어디서 살고 싶어? 글쎄, 아직 결정을 못 했다고? 그렇담 내가 강물을 대신해서 물의 좋은 점을 더 말해 줘야겠네.

『노자(老子)』에 '상선약수(上善若水)'라는 말이 나오는데 그 뜻은 최고의 선(善)은 물과 같다는 거야. 물은 만물을 이롭게 하면서 겨루지 않고 뭇사람이 꺼리는 낮은 곳으로 스스로 흘러가니 도(道)에 가깝다는 말인데, 강물 곁에 오래 머물다 온 날은 마음이 몹시 순해지는 것만 보아도 물의 성품이 어떤지 짐작 가잖아. 낮은 곳으로 길을 내고 막힌 곳은 둘러 가고 물살에 휩쓸린 것들은 품고 가며 흙탕물이 일면 흙을 침전시켜 맑음을 찾을 줄 아는 성품을 어디에서 또 찾아보겠니. 게다가 물은 섞이고 부딪히는 존재에 따라 그 소리가 모두 달라서 언제나 새로운 연주를 해 주잖아. 잠깐 떠올려 보아도 깊은 계곡의 물소리와 강의 물소리는 많이 달라. 큰 바위들을 만나서 쪼개지고 부서지며 흐르는 계곡의 물소리는 산짐승의 거친 숨소리 같지만, 격랑 없는 강에서 퍼지는 물소리는 자동차 소리에도 묻힐 만큼 조용하니 말이야.

어때? 아직도 영 엉덩이가 안 떨어진다고? 그럼 이번엔 시인에게 부탁해 볼밖에.

물길의 소리

강은교

그는 물소리는 물이 내는 소리가 아니라고 설명한다. 그렇군, 물소리는 물이 돌에 부딪히는 소리, 물이 바위를 넘어가는 소리, 물이 바람에 항거하는 소리, 물이 바삐 바삐 은빛 달을 앉히는 소리, 물이 은빛 별의 허리를 쓰다듬는 소리, 물이 소나무의 뿌리를 매만지는 소리…… 물이 햇살을 핥는 소리, 핥아대며 반짝이는 소리, 물이 길을 찾아가는 소리……

가만히 눈을 감고 귀에 손을 대고 있으면 들린다. 물끼리 몸을 비비는 소리가. 물끼리 가슴을 흔들며 비비는 소리가. 몸이 젖는 것도 모르고 뛰어오르는 물고기들의 비늘 비비는 소리가……

심장에서 심장으로 길을 이루어 흐르는 소리가. 물길의 소리가.

어느 날 시인은 '그'와 함께 물가에 앉아 있었나 봐. 그가 갑자기 물소리는 물이 내는 소리가 아니라고 말하자, 시인의 감각은 새롭게 열리기 시작했어. 그렇구나, 물에 몸을 비비는 모든 것들의 비명 소리가 물소리였구나. 바위나 나무뿐 아니라 달빛이나 별빛, 햇살이나 바람까지, 혹은 물고기 비늘을 비비는 소리까지, 더 작게는 물방울과 물방울끼리 몸 비비는 소리까지가 다 물길의 소리였구나. 놀랍지 않니? 단 한 번도 의심하지 않았던 물소리에 이토록 많은 것들의 비명과 섞임이 숨어 있었다는 것이. 그것을 깨닫고 졸졸거리는 시 한 편을 쓴 깊고 섬세한 시인의 눈이.

그런데 시인은 여기서 한 걸음 더 나아갔어. 심장과 심장을 비비라고 해. 심장에서 심장으로 길을 내어 내 몸의 물길을 너의 심장으로 보내라고 해. 사람도 물처럼 무언가와 부딪히고 몸 섞어 비빌 때, 울음도 생기고 웃음도 생기는 법이니까 나를 네게 붙이라고 해. 그러면 너의 체온과 상처와 그을음이 내 것과 함께 짓물러 우정 같은 것, 뜨거운 사랑 같은 것도 생기지 않겠느냐고 말이야. 사람과 사람이 서로 마음을 비빈다면 그땐 물길의 소리보다 더 깊고 더 다양한 소리들이 생겨나겠지. 아, 그래, 말과 말, 마음과 마음, 너와 내가 부딪히고 섞이는 일이 삶이었어. 삶은 물소리처럼 여러 겹을 가지고 있었어.

애초 나는 네게 강변 살자고 꾀는 게 목적이었는데, 물길의 소리를 듣다 보니 찰방거리는 내 얕은 마음을 들킨 것이 부끄러워져서 오랜만에 다시 헤르만 헤세의 작품을 펼치고 말았어. 삶이 무겁고 허무해져서 주저앉고 싶을 땐 사람보다 문학이 더 따뜻한 위로가 되곤 하거든. 상처에 아무 말 없이 연고를 발라 주는 건 늘 자연이었고 시였고 소설이었어. 아무리 침통한 슬픔이 있어도 감동의 글 한 줄을 만나면 신기하게도 그것이 극복되곤 했어. 이 놀라운 힘이야말로 문학을 하는, 문학을 읽는 중요한 이유가 되는 것 같아. 그럼 헤세의 목소리를 들어 볼까.

"이보세요, 친구, 이 강은 아주 많은 소리를 갖고 있지요, 그렇지 않나요? 이 강은 왕의 소리, 전사의 소리, 황소의 소리, 야조(夜鳥)의 소리, 임산부의 소리, 탄식하는 사람의 소리, 그리고 그 밖에도 수천 가지의 소리를 갖고 있는 게 아닌가요?"(『싯다르타』, 박병덕 옮김, 민음사 1997)

싯다르타가 뱃사공 바주데바에게 하는 이야기인데 좀 어렵게 들리지? 나도 마찬가지야. 헤세가 말하려는 깊은 의미는 잘 모르지만 강물을 따라 흐르다 보니 앞에서 본 시와 헤세의 글이 같은 말을 한다는 것을 발견했을 뿐이란다. 그저 이런 발견이라도 여러 번 쌓이면 나도 노자나 헤세, 그리고 시인처럼 눈뜨는 날도 오지 않을까, 믿어 보는 것이지. 그땐 내게도 물 밑을 흐르는 더 많은 이야기들이 들리고, 다른 이의 삶을 위로해 줄 시도 쓸 수 있기를.

이젠 너도 강물을 만나면 여러 가지 물소리를 생각할 테지? 물이 종이배를 밀고 가는 소리, 물이 조약돌을 쓰다듬는 소리도 상상할 테고. 그렇다면 시인의 말대로 가만히 눈을 감고 심장에 손을 대 봐. 네 마음을 데우는 붉은 피의 소리가 들릴 거야. 졸졸졸…….

　이만하면 강변 마을 작은 집 마당에서 저녁밥을 지어 '밥 먹자.'고 부르며 살고 싶은 나를 이해할 수 있겠지? 너도 같이 갈 거지?

까치밥의 비밀

감을 좋아하는 나는 감나무가 있는 집이 늘 부러웠어. 어느 날 할머니에게 집에 감나무를 심자고 졸랐는데, 할머니는 참말인지 거짓인지 "감나무집 딸은 못생겼다 안 하더나."며 딱 한마디로 내 입을 막아 버리셨지. 그 뒤로 감나무 타령을 하고 싶어질 때마다 할머니 말이 떠올라 꾹꾹 참고 말았어.

감나무와 못생긴 딸과의 상관관계는 지금도 풀리지 않는 수수께끼로 남아 있지만 더 어린 시절에는 감나무가 있는 집의 친구들은 모두 나의 연구 대상이었어. 정말로 조금 못생긴 친구네 집에 감나무가 있으면 나는 살짝 다행이라고 가슴을 쓸어내리기도 했어. 그때 내가 내린 결론은 감나무에 어떤 마력이 있다는 것이었지. 그렇게 크고 달고 맛있는 열매를 가꾸자면 사람의 기운을 빼앗을 수밖에 없다고 생각한 거야. 게다가 더 발칙한 나의 계획은 어른이 되어서 더 이상 얼굴이 예쁘게든 못생기게든 변하지 않을 때, 그땐 꼭 뒷마당 담벼락을 넘기는 커다란 감나무를 키우리라 다짐

한 거지. 그러면 감나무 그늘 아래에서 제멋대로 뻗은 가지 사이의 하늘과 구름을 맘껏 보리라 생각했어. 참 우습고 어리숙한 생각이지만 감나무에 대한 나의 애정이 드러나지 않니?

예로부터 감나무에 대한 칭찬이 많았다고 해. 다섯 가지 덕을 갖춘 나무라느니, 여덟 가지 좋은 점이 있다느니 했는데, 감나무를 좋아했던 이오덕 선생은 어떤 글에 감나무의 아름다운 덕을 열여섯 가지나 적어 놓았더구나. 그중에서도 특히 달큰하고 떫떠름한 감꽃을 먹으며 허기를 달래던 이야기와 사람 소리를 들어야 열매를 더 잘 여는 감나무의 천성을 적은 부분은 내 마음을 깊이 울렸어. 논의 벼는 사람 발자국 소리를 듣고 자란다는 말이 있듯이 빈집의 감나무는 감이 덜 달린다는 글을 읽으며 사람과 나무, 자연이 어떻게 어울려 사는지에 대해서도 생각하게 되었지. 선생은 사람에게 가장 가까이 있으면서도 사람의 신세를 지지 않고 사람의 지배를 받지 않는 감나무야말로 나무의 '성자(聖者)'라고까지 했단다. 그 글을 읽고 나서 어린 시절 내가 생각해 내고 두려워했던 감나무의 전설도 조금쯤은 사실이었겠구나 생각했지. 그 후로 어디서든 불쑥 감나무를 만나면 그렇게 반가울 수가 없어. 마치 내가 그 나무의 열매를 튼실하게 하는 데 한몫이라도 하는 양 조금 더 뚜벅뚜벅 소리를 내며 걷게 되는 거야.

그런데 여기 까치밥을 바라보는 시인의 깊은 눈을 만나면서 난 풀리지 않던 숙제 하나를 해결했단다. 나무 꼭대기에 새들을 위해 따지 않고 남겨 놓은 감을 까치밥이라고 하지. 누군가 이 까치밥을 매일 만들었다면 왜 그랬는지 궁금하지 않니?

까치밥

정겸

늙은 감나무 한 그루
한쪽 팔이 잘린 채 홀로 서 있다
새들에게 짓밟힌 흔적과
날카로운 부리에 찢긴 상처가
옹이 속에서 화석으로 굳어 버렸다

성근 수수 울타리 사이로 황소바람 지나갈 때
감나무는 모든 것을 다 내주었다
또 한 차례 바람이
창호 문을 마구 흔들고 지나갔다
쪼그라든 홍시 하나만은

손에 꽉 쥐고 놓지 않았다

저수지 얼음이 크르렁거리며 울고
마른 삭정이 우수수 떨어져
사랑채 함석지붕을 마구 두들기던 아침
아버지는 겸연쩍은 듯
헛기침을 두어 번 하시더니
어머니에게 밥상을 슬그머니 물리셨다

밥그릇 귀퉁이에
밥 한 숟갈 남아 있었다
어머니가 부엌문을 닫는 순간,
감나무 위에서 까치 한 마리
조용히 홍시를 쪼아 먹고 있었다

일곱 식구가 함께 밥을 먹었던 어린 시절에 할아버지와 같은 상
에서 밥을 먹은 사람은 할머니가 아니라 아버지였어. 할아버지와
아버지가 네모난 소반에 마주 앉으면 나머지 다섯 식구는 팔각형
으로 깎은 커다란 밥상에 둥그렇게 둘러앉았지. 서열로 보면 분명

할아버지와 할머니가 겸상을 해야 하는데 왜 아버지가 할아버지와 함께 밥을 먹는지 어린 눈으로는 도대체 이해되지 않는, 그러나 참으로 익숙하게 반복되던 풍경이었어.

아흔이 훌쩍 넘도록 장수하신 할아버지께는 절대 깨지 않는 원칙이 하나 있었어. 언제나 밥그릇에 두어 숟갈 밥을 남기는 거지. 허기의 정도와도 상관없고 맛난 반찬의 유무와도 상관없이 늘 한쪽 귀퉁이에 같은 양의 밥을 남긴 채 밥상을 물리셨어. 우리 남매들이 밥을 남기면 혼이 나고 끝까지 먹어야 하는 벌을 받곤 하던 시절에 할아버지의 모습은 이유를 생각하기에 앞서 영웅의 모습처럼 비쳤어. 역시 대장은 다르구나, 하는 부러움과 억울함이 뒤섞였지. 늘 조금씩 남기실 거면 그만큼 적게 달라고 하면 안 되는 것일까 궁금하기도 했고. 할아버지께 감히 물어보지 못했지만 나의 모자란 지혜로는 알 길 없는 일이었어.

그런데 그것이 할아버지의 까치밥이었던 거야. 굶는 일이 더 많았던 그분들의 젊은 시절에 할아버지가 할머니에게 베풀 수 있는 작은 사랑이 그것밖에 없었던 거지. 대가족의 밥을 다 나누어 주고 빈 솥에 묽은 누룽지를 끓여 한 그릇 마시고 말 아내에게 말없이 남겨 주는 밥 두 숟가락. 부엌으로 물린 밥상을 받아 부뚜막에 앉아 그것을 먹는 아내는 배부르진 않아도 허기지진 않았겠지. 세월이 가난을 물리쳐 주고 난 후에도 아내를 아끼는 마음에는 변함이 없어 할아버지는 꼭 까치밥을 만드신 거였어. 또 그 마음을 다 아는 아내는 이별의 그날까지 남긴 밥을 말없이 먹었던 것이고. 서로 고맙다 미안하다 얘기도 없이 말이야.

이 시를 읽으면서 그제야 나는 할아버지와 할머니의 무연한 침묵도 사랑이었음을 이해하게 되었단다. 말로만 앞세우는 사랑이 아니라 평생 동안 몸으로 보여 주신 사랑. 그 사랑이 나이가 들수록 자주 생각난단다. 두 분이 떠난 지 십수 년이 지났는데도 식탁이 아닌 둥근 밥상을 마주할 때면 할아버지의 밥그릇이 떠올라. 그 깊은 뜻을 알고 나서는 더욱 그립고 슬프게 말이야. 한 편의 시가 아니었다면 나는 끝내 두 분의 사랑의 비밀을 몰랐을 거야. 이것이야말로 까치밥처럼 따뜻한 시의 힘이고, 삶의 힘이라는 생각이 들어.

내가 볼 수 있는 가장 먼 과거, 내가 시작된 곳

얼마 전 텔레비전에서 아름다운 마을을 한 군데 보았어. 우리나라에 '별빛 보호 구역'으로 지정된 마을이 있더구나. 인디언 보호 구역이나 문화재 보호 구역, 생태계 보호 구역처럼 별빛을 보호하는 동네라니 얼마나 마음이 두근거리던지. 그리고 또 한편으로는 별빛마저 마을을 정해 보호하지 않으면 볼 수 없는 현실이 무척 슬프기도 했어. 강원도 횡성군 안흥면이라는 자막을 보며 행여 잊을까 봐 노트에 재빨리 적어 놓았지. 휴대 전화도 터지지 않는 그곳은 밤이 되면 가로등 불빛까지 모두 끄는 별밤지기들의 마을이었어. 세상에나, 별을 찾아 도시를 떠나고, 별을 보는 마음을 지키려고 저렇게 노력하는 사람들도 있구나 싶어 울컥했지.

요즘은 별을 보기가 참 힘들어. 도시의 화려한 불빛뿐만 아니라 탁한 공기도 약한 별빛을 가로막으니 말이야. 가깝게는 몇백 광년 멀게는 수천 광년을 달려온 별빛인데도 결국 통과하지 못하는 게 지구의 하늘이라니. 그 안에서 살고 있는 우리라니.

별을 잃어버린다는 건 단순히 별을 보지 못하게 된다는 뜻이 아니야. 별을 볼 때의 마음과 여유를 잃어버리는 것이고, 별처럼 멀고 큰 꿈을 잃어버리는 것이며, 아름다움을 하나 잃는 거야. "별 하나에 추억과/별 하나에 사랑과/별 하나에 쓸쓸함과/별 하나에 동경과/별 하나에 시와/별 하나에 어머니, 어머니,"라고 노래했던 윤동주의 '별 헤는 밤'도 더 이상 없는 것이지. 별이 없는 밤하늘은 상상조차 하고 싶지 않아. 검은색 물감으로 새까맣게 칠한 그런 허공이 밤하늘이라면 도대체 모든 아름다운 그림과 음악과 글은 어디서 태어날 수 있을까? 별까지 걸어가고 싶어 했던 고흐의 「별이 빛나는 밤」은 세상에 태어나지도 못했겠지?

그러나 별은 예술가의 눈이 아닌 과학자의 눈으로 볼 때 더욱 신비로운 것 같아. 교실에 있는 커다란 칠판 귀퉁이에 분필로 한 점을 콕 찍었다고 상상해 봐. 그때 칠판이 우주이고 눈에 보이지도 않는 그 점이 바로 지구라던 설명을 어디선가 읽었어. 순간 얼마나 가슴이 서늘하게 숙연해지던지. 지구가 그토록 작다는 사실도 놀랍지만, 그 점 안에 바글바글 모인 우리는 도대체 얼마나 보잘것없는 존재란 말인가. 그런데도 서로 싸우고 뺏고, 잘났니 못났니 편을 가르고 있다니. 인생이 좀 허무하기도 하고 반대로 뭐든 연민의 마음으로 사랑할 수 있을 것도 같았지. 물론 그런 마음이 그리 오래가지 않았다는 게 문제지만 말이야. 어쨌든 너무너무 긴 시간과

도저히 상상할 수 없이 작은 원자가 우주를 이루고 또 나를 이루었다는 과학적 사실을 아는 것은 지금 내 삶과 다른 존재들에 대한 애정을 키워 주긴 해. 우주적 관점에서 보자면 먼지와도 같은 생명이지만 그래도 이런 모습의 내가 되기까지 얼마나 많은 것들이 쌓였는지 생각하면 어느 시인처럼 별에게 제사를 지내는 것도 전혀 이상하지 않아. 또 우리가 별과 같다는 생각은 어딘가 문학적이고 의미 있어 보이기도 하니까 말이야.

초제(醮祭)
김영승

안드로메다 대성운
너머서
직접 온 것들,

여치나
내 사랑하는 사람이나 어머니나

여치는

몇억 광년 전부터
꽃잎으로 흩날린다

거미도 거미줄도
긴꼬리제비나비도

몇억 광년 전부터

　어려운 말이 있지도 않은데 시가 좀 어려운 듯싶어서 우주 이
야기를 먼저 해 볼까 해. 아주 오래전부터 우리 모두는 우주 속에
있었다는 것을 이해하려면 우주의 탄생이 어떠했는지 알아야 하
거든.

　어느 순간에 대폭발, 즉 빅뱅이 있었고, 그로부터 우주가 팽창하
기 시작했어. 빅뱅 이후 삼억 년 즈음, 최초의 별과 은하가 생겨났
고 수소와 헬륨이 밀집한 곳에서는 다시 무거운 별이 만들어졌대.
이 무거운 별이 참 중요한데, 태양보다 열 배 정도 무거운 이 별들
은 마지막을 대폭발로 장식한다고 해. 백만 년 정도의 짧은 수명

(별의 세계에서는 정말 짧은 시간이래.)을 다하고 초신성이 되어 죽음에 이를 때, 별은 태양이 평생(백억 년) 동안 방출할 에너지를 한꺼번에 방출하고 태양 십억 개 밝기로 빛난다는구나. 또 이런 초신성 폭발의 잔해는 십만 년에 걸쳐 백 광년 너머까지 퍼진다고 하니 도대체 나를 만든 것들은 얼마나 멀리에서부터 온 것일까, 궁금하고 아득해져.

별은 일생 동안 핵융합을 하며 탄소·산소·규소와 같은 갖가지 원소들을 만들어 별 내부에 차곡차곡 쌓아 놓는데, 초신성 폭발은 바로 별이 만든 이 원소들을 우주로 환원하는 과정이 되는 거래. 별은 물질과 생명체의 재료가 되는 원소를 만드는 공장이고, 별의 죽음은 다시 생명의 씨앗이 되는 거지. 우리가 살고 있는 태양계도 이렇게 만들어졌어. 지구 상의 모든 것과 우리 몸을 이루는 원소도 바로 별 속에서 만들어진 거야. 그런 의미에서 우리는 처음부터 우주 속에 있었고, 별의 후손이라는 거지. 이렇게 말하니까 우주의 바다를 흘러온 우리가 멋있어 보이지 않니?

별에서 온 우리들, 별과 같은 원소를 가진 우리들. 시인이 '초제(醮祭)'라는 제목을 붙인 이유가 바로 여기에 있겠지? 초제란 무속 신앙이나 도교에서 행하는 의식인데, 성신(星辰), 즉 별을 향하여 지내는 제사라는 뜻이야. 제사라는 건 조상들을 기억하고 예를 드리는 거잖아. 나를 존재하게 한 별에게도 제사를 지내고 싶었던 것이겠지. 인류가 막 시작되었던 그 옛날에도 일월성신(日月星辰)의 힘을 믿었던 사람들은 자연 앞에서 무릎 꿇고 예를 다했던 기록이 많이 남아 있잖아. 그들처럼 자연에 대한 경이로움과 순수, 그리고 '지금-여기' 내가 있다는 엄청난 우연에 대해서 시인은 감사를 드리고 있는 걸 거야.

"안드로메다 대성운/너머서/직접 온 것들"이 누구인지 대번 알겠지? 그래, 우리 모두야. 참새도 바위도 제비꽃과 송사리도, 너와 나 우리도 우주에서 바로 왔어. 여기까지 오느라 멀고 멀었겠지만, "몇억 광년 전부터" 내가 되려고 왔어. 그사이 거쳐 온 수많은 몸들의 기억을 품은 채로. 공룡의 어깨에 앉았던 잠자리의 날갯짓과 인디언 땅에서 자라던 나무의 향기와 할아버지의 손아귀에 잡혔던 여치의 불안이 모두 저장된 몸이 바로 나야. 오늘은 나지만 몇천 년 후에는 꽃잎이나 그 안의 무당벌레 한 마리가 될 수도 있는 몸이 우리야. 왜냐하면 우리는 모두 같은 원소로 이루어졌으니까 말이야. 그러므로 우리가 다시 돌아갈 곳도 별이겠지.

내가 이렇게 거창하게 별 이야기를 한 건, 우리가 어디에서 왔고 어디로 가는지에 대해 잠시라도 생각해 봤으면 해서야. 또 이처럼 넓은 안목으로 본다면 잠깐 다녀가는 푸른 지구의 삶이 얼마나 소중한지도 깨닫게 되지 않을까 싶고. 게다가 우리는 아주 기막힌 우연과 인연, 필연을 다 엮어서 만난 거니까 얼굴 붉히지 말고 서로

더 많이 사랑하길 바라서이기도 하고. 어쨌든 어마어마한 별 이야
기는 여기까지이고, 오늘 밤엔 함께 별 한번 보자.

03

—

삶의 징검돌을 건너며

운명을 바꿔 준 책 이야기

퀴즈 하나 낼까?

'우리 국민 한 달 평균 독서량은 얼마나 될까?'

세 권? 다섯 권? 그것보다 더 많이? 놀라지 마. 64퍼센트의 사람들이 한 달에 한 권 이하의 책을 읽는다고 답했대. 2012년 독서의 해를 맞아 실시한 설문 조사의 다음 질문은, '지난 2월에는 몇 권의 책을 읽었나요?'였는데, 단 한 권의 책도 읽지 않았다는 응답자가 25.2퍼센트를 차지했고, 연령 대로는 십 대 이하가 28.5퍼센트로 가장 높았고, 나이가 많을수록 독서량이 많다는 조사 결과를 보았어. 그럼 여가 시간에는 무엇을 하느냐 물었더니, 텔레비전 등 영상 매체를 즐긴다는 응답자가 50퍼센트로 가장 많았고, 9퍼센트가 독서를 한다고 응답했대. 이쯤에서 내가 던질 질문을 너도 짐작했겠지?

넌 어때?

소리 내어 답하지 않아도 돼. 슬픈 현실을 굳이 확인하고 싶지 않으니 말이야. 조사에서도 나왔듯이 영상물에 길든 어린 친구들에게 책은 점점 더 구시대적 유물로 취급되는 것 같아 안타까워. 물론 입시 지옥에서 시달리고 있는 너희에게 수학 문제와 영어 단어를 외우기에도 시간이 모자라다는 거 나도 잘 알아. 그리고 주위에는 책보다 훨씬 재밌는 것들이 널렸고 말이야. 하지만 나는 꼭 '책 이야기'를 들려주고 싶어. 어쩌면 내 운명의 바늘을 돌린 몇 권의 책 이야기를.

나는 중학교 입학 선물로 두 권의 책을 받았단다. 하나는 두툼한 영어 사전이고, 또 하나는 『한국의 명시』였지. 지금이야 다 아는 시인들이지만 그땐 유명한지 어떤지 전혀 모르는 시인들의 작품이 빼곡히 들어 있던 시집이었어. 김소월의 「진달래꽃」부터 윤동주, 한용운, 박목월, 김영랑, 서정주 등 훌륭한 시인들의 시가 한두 편씩 실려 있었지. 한자가 많아서 자전(字典) 찾는 법부터 배웠던 기억이 나. 지금과는 달리 중학교에 가서야 영어를 배우기 시작하던 시절이니 영어 사전은 평범한 선물이었지만, 시집은 흔한 선물이 아니었으니 운명의 책이 내 손에 들어온 셈이야.

사실 난 어린 시절에 책을 그리 많이 읽는 아이가 아니었어. 동시집 같은 것은 구하기도 힘들었고 볼 생각도 안 했지. 그저 전래동화나 이솝 우화, 위인전 몇몇을 읽는 게 고작이던 시절이었어. 게다가 유아에서 청소년까지 나이별로 장르별로 책이 쏟아져 나오기 시작한 건 그리 오래되지 않았거든. 어쨌든『한국의 명시』에 소개된 시인들을 교과서에서 만나는 게 참 신기한 때였어. 그 책을 꽤나 열심히 읽었던가 봐.

지난 추석 시골 할머니 댁에 갔을 때 그 책을 책꽂이에서 찾아내고는 깜짝 놀랐어. 한자 밑에 깨알처럼 적어 놓은 글씨들과 밑줄 그은 구절들이 그 시절을 간직하고 있었거든. 운명이라는 게 있다면 내 운명은 이 책에서부터 시작되었나 하는 생각도 짧게 스쳐 갔어. 그 책을 처음 읽었을 때 삼십여 년 후에 내가 이런 글을 쓰는 사람이 될 거라고는 단 한 번도 생각해 본 적이 없거든. 그냥 그 전에 내가 읽던 책들과는 다른 분위기에 매료되었던가 봐. 시가 무슨 말을 하는지 잘 몰랐지만 마음을 말랑말랑하게 만들어 주던 표현들에 밑줄 그은 흔적을 보고 한 번 더 놀랐어. 그랬구나, 내가 그랬구나. 그 문장들을 읽으면서 소녀였던 나는 무슨 생각을 했던 걸까 몹시 궁금해졌어.

그 책을 지금까지 간직해 준 엄마에게도 고마웠지. 집으로 가져올까 한참을 고민했는데, 그냥 제자리에 두고 왔어. 어쩌면 그건 내 책이기도 하지만 엄마 몫의 기억일지도 모른다는 생각이 들어서 말이야. 왜냐하면 그 옆으로 나란히 나의 중고등학교 시절이 꽂혀 있었거든. 한국 단편 문학선, 세계 문학 전집, 유안진의『우리를 영원케 하는 것은』, 서정윤의『홀로서기』, 이해인 수녀의『오늘은

내가 반달로 떠도』, 김초혜의『사랑굿』이 낡아 가고 있었어. 먼지를 털고 한 장 한 장 책장을 넘겨 보니 오래전의 눈빛들이 자분자분 숨어 있었어. 여기쯤에서 내가 울었겠구나, 이 문장은 한 번에 넘어가지 못했겠구나, 사라져 버린 시간이 돋을새김되어 남아 있었어. 내가 떠난 뒤에도 그대로 옛 시간을 품고 있는 책의 체온이 너무나 따뜻해서 마냥 행복했지. 지금에야 말이지만, 내가 다 느끼지 못하고 읽었던 책들조치도 내 가슴의 밑자리에 받침돌이 되었을 거란 생각이 들어.

너도 책을 읽으면서 이야기의 소용돌이에 휩쓸렸던 때가 분명 있었을 거야. 그 느낌을 떠올려 봐. 네가 좋아하는 소설의 주인공 완득이가 엄마의 신발을 고를 때 어땠니? 또 완득이가 똥주 선생을 죽여 달라고 교회에서 기도할 때는? 네가 겪어 보지 못한 일인데도 완득이처럼 슬프고 화나고 기뻤잖아. 책에서가 아니라면 평생 알지 못할 삶과 사람들이었지만 낯설다 외면하지 않고 오히려 완득이를 응원해 주었잖아. 그러면서 이 상황에서도 '착한' 완득이가 고맙다고 했잖아. 그래, 사소한 느낌 같지만 그게 바로 감동이고 공감이야. 이것이 하나둘 자기도 모르는 사이에 쌓여서 우리 눈을 환하게 해 주는 거지. 처음엔 미처 모르는 것이 있어도 괜찮아. 그것은 마음속 어딘가에 저장되어 있다가 내가 깨우칠 눈을 갖게 되면 하나씩 암호를 풀고 내 것이 되어 주니까.

그런데 '무슨 책을 읽어야 하나?'라는 의문이 들지? 책이라고 다 좋지는 않다는 것쯤은 너도 알 테고. 무엇을 읽든 간에 책은 결과를 가져오게 되어 있어. 읽는다는 행위는 생각과 마음에 보이든 안 보이든 밑줄을 긋게 되거든. 의식하지 못한다 하더라도 어디를 가든 책이 나를 따라다니는 거지. 그렇기 때문에 더욱 좋은 책을 읽으라고 하는 것이고. 이런 의미에서 사라지지 않고 오래오래 남을 책을 먼저 읽으라고 추천하는 거야. 짧게는 수십 년에서 길게는 수백 년, 수천 년 동안 살아남았다면 그 책의 생명력과 힘이야 따로 설명할 이유가 없겠지. 요즘같이 빠르게 돌아가고 사색보다 정보가 우선하는 시절에는 더욱더 좋은 책의 역할이 크다고 생각 해. 역사나 철학, 과학이나 예술 작품까지 다양하게 관심을 두다 보면 반드시 세상을 보는 커다란 눈을 가지게 될 거야. 그중에서도 문학은 삶에 놓인 수많은 징검돌인 셈이니, 다양한 작품을 읽는다면 질척질척해지지 않고도 징검돌을 건너며 많은 삶을 경험할 수 있지. 세상의 수많은 가치와 다채로운 삶의 모습을 담고 있는 문학 작품을 읽는 것은 또 다른 삶의 시공간을 하나 더 체험하는 것이라고 생각해. 이만큼 말하고 나니, 내가 거들먹거리며 가르치려는 어른처럼 느껴져서 미안하고 쑥스럽다. 그러나 이 어색함을 무릅쓰면서까지 내가 말하려는 책의 힘을 기억해 주었으면 해. 늘 든든한 친구이자 멘토가 될 따뜻한 책을 많이 만나기를.

따뜻한 책

이기철

행간을 지나온 말들이 밥처럼 따뜻하다
한마디 말이 한 그릇 밥이 될 때
마음의 쌀 씻는 소리가 세상을 씻는다
글자들의 숨 쉬는 소리가 핏속을 지날 때
글자들은 제 뼈를 녹여 마음의 단백이 된다
서서 읽는 사람아
내가 의자가 되어 줄게 내 위에 앉아라
우리 눈이 닿을 때까지 참고 기다린 글자들
말들이 마음의 건반 위를 뛰어다니는 것은
세계의 잠을 깨우는 언어의 발자국 소리다
엽록처럼 살아 있는 예지들이
책 밖으로 뛰어나와 불빛이 된다
글자들은 늘 신생을 꿈꾼다
마음의 쟁반에 담기는 한 알 비타민의 말들
책이라는 말이 세상을 가꾼다

여기 시인은 '밥처럼 따뜻한 책'이라고 했네. 밥 없이 살 수 없는 것처럼 책이란 마음의 밥이라는 뜻이겠지. 그렇다면 얼마나 중요한 것이겠니? 생명을 유지하기 위한 '밥'과 같은 존재라니 말이야. 한마디 말과 글이 핏속을 지나면 마음의 단백이 되고 비타민이 되어 내 생각과 가치관을 만들어 준다잖아. 밥을 잘 먹고 몸이 건강한 사람은 감기나 질병에 쉽게 걸리지 않는 것처럼, 책을 많이 읽어서 자연과 사회를 보는 나름의 안목을 키운 사람은 어지간한 유혹과 어려움에도 흔들리지 않을 거야. 입에 달고 향기로운 초콜릿 같은 책 말고 정성 들여 지어 낸 따뜻한 밥 같은 책들을 많이 먹고 튼튼해지면 좋겠구나.

마지막으로 연암 박지원의 글을 옮기며 당부의 말을 덧붙이고 싶어.

"아침에 일어나니 푸른 나무 그늘진 뜨락에서 이따금 새가 지저귄다. 부채를 들어 책상을 치며 외쳐 말했다. '이것은 내 날아가고 날아오는 글자이고, 서로 울고 서로 화답하는 글이로다. 오색 채색을 문장이라고 한다면 문장으로 이보다 나은 것은 없을 것이다. 오늘 나는 책을 읽었다.'"(『죽비소리』, 정민 편역, 마음산책 2005)

글자만 읽는 것이 독서가 아니라는 말을 해 주고 싶어서 빌려 온 글이야. 익숙한 것에서 문득 깨닫는 새로운 발견, 사람들에 대한 깊은 애정, 자연에 대한 감동 같은 것들이 모두 독서, 그것도 진짜 독서라는 거야. 그러므로 눈앞의 생생한 우주를 쓰고 읽으라는 것이겠지. 그러니 오늘은 너도 네 안의 마음에 따라 언제나 다른 페이지가 펼쳐지는 허공을 한 권 빌려 와서 읽어 봐. 정말 하늘도 세상도 그대로 네가 읽고 쓰는 한 권의 책이 되는지 말이야.

그리움까지 박힌 사진 속에는

옛날에는 사진을 찍는 일이 흔치 않았어. 입학식이나 졸업식, 초등학교 때 딱 한 번 해 본 생일 파티 같은 날에만 십오 도쯤 어깨를 비틀고 나란히 서서 찍는 사진이 다였어. 아무리 '김치~'라고 말해도 방긋 웃음이 나오지 않는 어색함이 사진에 그대로 담겼지. 그렇게 특별한 날에만 한두 장 찍기 때문에 스물네 장짜리 필름 한 통을 다 채우자면 몇 달 혹은 몇 년이 걸리기도 했어. 사진을 찍은 사람도 사진에 찍힌 사람도 그 시간도 모두 잊히고 나서야 사진을 받아 보는 일이 허다했지. 사진기 안에서 벌써 빛바랜 추억이 된 채 푸르스름한 색을 간직한 사진은 각자의 창고로 자리를 옮겨 앉았어. 그러니 사진관에 필름 현상을 맡겨 놓고 사나흘 기다리는 일은 기다림 축에도 들지 않았어. 사람도 사진기도 딱 한 장을 찍기 위해 숨을 멈추며 긴장했고 사진기는 간곡하게 그 순간을 담아 주었지.

그에 비하면 지금은 어떠니? 훨씬 빠르고 쉽게 사진을 찍을 수 있잖아. 디지털카메라나 휴대 전화로 누구나 어디에서나 마음대로 사진을 찍으니까. 그리고 쉽게 많이 찍은 만큼 미련 없이 마구 버리기도 하지. 손가락 터치 한 번이면 끝나잖아. 아마도 이것이 옛날 사진과 지금 사진이 가지는 가장 큰 차이일 듯싶어. 그땐 사진작가가 아니고선 사람이 없는 풍경 사진을 찍는 건 생각지도 못했어. 대부분 제일 좋은 풍경 속에는 꼭 사람이 있었지. 또 사진 찍는 일이 흔하지 않았으니까 그만큼 내 모습을 찍는 일에 대해 진지했어. 이런 마음을 두고 난 간곡하다고 말하고 싶어.

그런데 요즘엔 나도 사진을 무척 많이 찍긴 해. 단 며칠 만에 백여 장을 넘기는 일이 많거든. 더 재밌는 사실은 그 많은 사진의 주인공들이 사람이 아니라 주로 꽃이라는 거야. 놀이터 벤치에 떨어진 목련 꽃잎과 벚꽃 양탄자가 깔린 길, 꽃밭에 핀 붉은 모란과 상앗빛 수국이 휴대 전화 속 앨범에 가득하구나. 다음 주인공은 아마도 붉은 장미일 테고, 그다음 여름 하늘의 뭉게구름이 지나면 붉고 노란 단풍과 은행잎이 차례로 이어지겠지. 그러다가 마침내 하얀 눈 속에서 고개를 젖히고 하늘을 향해 셔터를 누르겠지. 찰칵찰칵, 내가 머물렀던 시간들을 잘라 내어 내 기억의 창고로 옮겨 놓을 거야.

하지만 이렇게 많은 꽃과 풍경을 찍어 놓고 다시 보느냐 하면 아니야. 역시 사연이 없는 사진이라서 그럴까? 만발한 개나리꽃

옆에 처음으로 교복을 입은 네가 어정쩡한 포즈로 서 있는 사진은 두고두고 그날을 추억하게 하는데 말이야. 그러고 보면 사진은 구도와 색감을 멋지게 잘 잡는 것보다 어떤 그리움을 담아 두는지가 더 중요한지도 모르겠어. 먼 훗날에도 생생하게 기억하고 싶은 느낌들을 미리 하나씩 저장해 두는 다락방 같아. 이런 이유에서 사진을 보면 그것을 찍은 이의 소망과 마음이 보이는 걸 거야. 여기 눈송이까지 박힌 사진의 사연이 무엇인지 궁금해지는 것일 테고.

어느 날 눈송이까지 박힌 사진이

허수경

간곡한 기계가 있었다 우리 앞에
우린 그 기계 앞에 서 있었다
기계는 우리를 온 힘으로 찍었다

시계탑 앞에 서 있는 너를 동물원에 앉아 있는 나를
돼지우리 앞에 앉아 있는 이종사촌과 나를 찍었다

머리칼을 잘라 팔던 날
우연히 지나가던 사진사가 날 찍었다
어느 날 눈송이까지 박힌 사진이 나에게로 왔다

이제 눈송이까지 박힌 사진을 좀 볼까? 좀 부끄러운 얘기지만 처음에 이 제목을 보고서 나는 어떻게 눈송이까지 담아냈을까 하는 궁금증이 먼저 일었단다. 왜냐하면 함박눈이 펑펑 오던 날, 카메라를 들고 하얀 눈송이들을 알알이 다 찍고 싶어서 셔터를 수십 번도 넘게 누른 적이 있거든. 아무리 찍어도 눈앞의 모습처럼 담기지 않는 사진을 보며 애먼 카메라 탓만 했었고. 그런데 그 눈송이가 박힌 사진이라잖아. 하지만 시를 읽고 에이, 하고 실망했다면 여기에 이렇게 적어 놓지도 않았겠지? 시를 끝까지 읽고 난 뒤의 첫마디는 '아, 역시나.'였어. 시가 내게 눈 감기를 주문했어. 나는 시가 시키는 대로 눈을 감고 상상 속의 사진기 앞에 서 보았어. 희미한 추억 같기도 하고 어디선가 본 그림 같은 것이 떠올랐지.

나는 갑자기 하얀 도화지를 찾아 시 속의 풍경을 검은색 파스텔로 그려 보기로 했어. 이 시를 그림으로 말하라고 하면 목탄화라고 하고 싶어. 숯으로 그린 그림 말이야. 굵은 선을 여러 번 덧칠하지 않으면서 한 번에 완성한 밑그림을 보는 것 같았으니까. 손목의 힘이 약하게 가해진 곳은 눈송이로 빽빽한 하늘처럼 흐릴 테고, 첫힘을 주어 그린 진한 선은 우뚝한 나무처럼 강한 그런 그림일 것같았어. 진하고 선명하게 그리는 것보다 부드럽게 선을 그리는 게참 어렵더구나. 도화지의 한쪽으로 높은 시계탑을 그리고 예쁜 아기 곰이 사는 우리 앞에 나란히 서 있는 친구 세 명을 그렸지. 그중의 한 명은 그날 머리를 짧게 잘라서 어색하고 맘에 들지 않는 듯앵돌아진 표정으로 말이야. 천천히 마음의 선을 옮겨 놓는 동안 나는 깨달았어. 내가 여기에 불러내고 싶어 하는 사람이 누구인지 말이야.

저렇게 시 속의 아이처럼 머리를 짧게 자르고 온 날, 너무 짧아진 머리칼이 속상해서 울다가 혼이 난 날, 나는 마당가에서 동생들과 나란히 서서 찍었던 사진을 떠올리고 있었던 거야. 잠시 울음을멈추고 단정하게 서서 카메라가 우리를 온 힘으로 빨아들일 때까지 간곡하게 바라보았지. 거기엔 내 동생들이 있었고, 꽃밭의 붉은진달래 꽃잎이 점점이 박혀 있었어.

시가 주는 감동이란 이런 것이기도 해. 내가 미처 깨닫지 못했던 내 안의 미미한 슬픔까지도 환하게 다시 비춰 주거든. 이 시가아니었다면 기억 속의 동생 얼굴을 그려 보는 일은 없었을 거야.그 시절로 돌아가 무뚝뚝하고 정직한 표정으로 다시 웃어 보지도않았겠지. 어느 날 나는 마음속 그리움까지 박힌 사진을 받은 것 같았어. 너도 시간이 오래 지나 지금 네 모습을 새긴 사진을 본다면 그 안에 머문 채 떠나지 않은 그리움을 읽게 될 거야. 그리고 사진 속의 한순간이 간직하고 있는 간곡함과 이야기가 무엇인지도 알게 될 거야.

밥 한 그릇의 희망

우리 집에는 일 년에 두세 번쯤 모래바람이 배달되어 오지. 새 학기 때나 크리스마스 때면 읽을 수 없는 낯선 글자의 편지가 아프리카의 뜨거운 햇살을 담은 채 날아오잖아. 편지 속엔 어김없이 사진 한 장이 들어 있고 그 사진 속엔 한 소녀가 있지. 초록이 짙은 나무 그늘을 배경으로 할 때도 있고, 흙집의 벽에 기대앉아 나물을 다듬을 때도 있어. 사진 속의 풍경은 조금씩 달라도 언제나 검은 미소가 환해. 사진 속에선 배고픔의 눈물이 보이지 않아서 희망을 의심할 줄 모르는 아이 같았지.

입학하던 해였던가, 특별 후원금으로 닭 몇 마리를 샀노라고 감사의 글이 왔었고, 그 뒤 두어 해가 지나고선 닭을 팔아 염소를 샀노라고 했지. 그땐 하얀 염소 두 마리를 양손에 움켜잡은 씩씩한 사진을 보내왔고. 정말 기쁜 얼굴이었어. 털끝만큼의 의심도 없이 꿈을 믿는 표정이 있다면 이 얼굴이 아닐까 생각했으니까. 우리나라 돈으로 삼만 원을 주면 살 수 있는 염소가 아프리카의 누군가에겐 삶을 가꿀 희망이 된다는 것에 가슴이 느껴워져 염소가 제발 아프지 말아야 할 텐데 걱정을 했어. 그래서일까. 가끔 소녀와 염소 생각이 나. 소녀와 동생이 배부를 만큼 염소젖은 많이 날까, 염소에게 먹이를 주며 소녀는 어떤 소망 하나씩을 더할까. 아마 가까이 있었다면 눈을 보며 물어보았을 거야.

한 번도 마주한 적 없지만 우리에겐 동생이자 딸인 우간다의 난야고 미니사 얘기야. 처음 만났을 때가 세 살이었는데 어느덧 아홉 해가 흘렀구나. 아기 같았던 얼굴이 길쑥해지면서 제법 소녀티가 나는 사진을 보고 우린 무척 기뻐했잖아. 태양이나 나무를 그려 보내는 솜씨가 좋아지는 것을 보며 학교생활과 성격을 짐작하기도 하고 말이야. 공부도 잘하고 노래도 잘 부르고 친구도 많은 활발한 모습이면 좋겠다고 말하곤 했잖아. 그리고 염소를 팔아서 이번엔 더 큰 소를 사서 중학교에도 갔으면 했고. 그땐 가방이랑 예쁜 치마를 보내 주자고 몰래 약속도 했지. 아주 작은 밥 한 공기만큼의 손길이 우리에게 되돌아올 땐 더 큰 그릇이 되어 온다는 게 신기해. 미니사를 보면서 우리가 배우는 셈이지.

풍요로운 사회에 살고 있는 우리가 가끔이라도 굶는 일을 고민할 때가 있다면 미니사의 얼굴을 보는 때뿐일 거야. 굶는 일을 걱정하는 것이 아니라 지나치게 먹어서 다이어트를 걱정하는 이 시대에 지구 반대편 나라의 소식은 우리 모습을 되돌아보게 해. 지구

한편에서는 삼 초마다 한 명의 어린이가 영양 결핍으로 사망하고 있다는구나. 매일 세 끼를 다 챙겨 먹고 주전부리까지 빠뜨리지 않는 우리에겐 믿기 어려운 일이지만, 매일 십만 명의 어린이가 굶주림과 전쟁, 예방 가능한 질병으로 죽어 가는 것이 현실이야. 파리가 엉겨 붙어도 손을 들어 쫓을 힘도 없는 아이들의 모습을 너도 본 적이 있을 거야. 뼈가 다 보이는 앙상한 몸으로 지쳐 누워 있는 모습을 분명히 보고 또 그 순간 미안함과 아픔을 느껴도 우린 또 금방 잊어버리고 살잖아. 그래서 어느 후원 단체에서는 기아 체험을 통해 나눔과 봉사를 배우는 프로그램을 진행하더구나. 너도 텔레비전이나 신문을 통해서 '기아 체험 24시간'이라는 프로그램을 봤을 거야. 고통받는 지구촌 이웃들의 삶을 잠깐이라도 몸으로 직접 느껴 보라는 취지이지. 그러나 이 행사에서도 우린 단지 스물네 시간이라는 끝이 정해진 시간 동안만 배고픔을 참으면 되지만, 그들의 배고픔은 끝이 없다는 사실을 기억해야 해.

어느 날 후원 단체에서 온 소식지를 넘기다가 한 어린아이의 눈빛과 마주쳤어. 그 눈빛에 담긴 공포가 생생하게 느껴졌어. 아침에 일어나면 무엇을 먹고 어떻게 살아남아야 할지 걱정하는 생존의 두려움을 보았던 거야. 그 앞에서 난 한없이 부끄러웠어. 좋은 옷, 예쁜 신발 같은 것을 가지고 싶어 발버둥 치는 일이 얼마나 무의미한지 문득 깨달았지. 그러고는 내가 무언가 물질적인 것을 또 욕망하게 될 때면 저 아이들의 배고픔을 떠올려야겠다고 생각했지.
물론 금방 잊어버리고 욕망이 원하는 일을 저지르고 또다시 후회
하는 일이 반복되고 있지만 말이야. 욕심과 물질에 길들여진 몸이
라 단번에 행동과 생각을 바꾸기는 힘들지만 수많은 미니사에게
희망의 불씨를 나눠 주는 일이기도 하니까 노력을 게을리하지 말
아야겠지? 미니사의 밥을 걸고 한 약속이라 밥에 관한 시 한 편을
골랐으니 재밌게 읽어 봐.

밥에 관한 생각

고두현

냉장고 문에
에티오피아 아이들
굶는 사진 붙여 놓고 석 달에 한 번
용돈으로 성금 채우는 건이 녀석,
장난치다가 짐짓
눈길 굵어지는 표정

아내가 달덩이 같은
밥상을 들고 들어올 때
누군가 수저를 놓고 쩽, 지구의
반대편으로 돌아가는 소리
들린다.

먹는 일의 성스러움이란
때로 기품 있게 굶는 일.
식구들 모여
오래오래 냉장고 문을
바라보는 것이기도 하다.

　건이도 나 같은 약속을 했던가 봐. 냉장고에 에티오피아 친구들 사진을 붙여 놓고 그들에게 보낼 밥값을 용돈으로 모으고 있어. 떡 볶이도 아이스크림도 사 먹고 싶을 텐데 꾹 참았다가 그 용돈을 모아 친구들에게 사랑을 보내는 녀석, 참 기특하구나. 학교 끝나고 축구도 하고 학원에도 다녀와서 무척 배고플 텐데 오늘 저녁은 또 친구들처럼 굶을 생각인가 봐. 엄마가 뜨거운 밥을 들고 들어오는 데 수저를 놓고 일어나 버렸어. 지구 반대편에 있는 친구들을 보러

냉장고 앞으로 달려갔네. 오늘 하루 한 끼가 식사의 전부였을 친구들을 보며 배고픔을 참으려고 말이야. 아, 그러면 어쩌겠어. 엄마와 아빠도 건이랑 함께 굶을 수밖에. 냉장고 문을 오래오래 바라보며 "식구들 모여" 의젓하게 참아 내야지.

어때? "먹는 일의 성스러움이란/때로 기품 있게 굶는 일"이라는 시인의 표현이 의미심장하지 않니? 친구의 배고픔을 똑같이 겪어 보는 건이의 순수한 연민이 함부로 먹고 버리는 일에 대해 다시 생각하게 해. 누군가에게 희망을 주는 일이 그렇게 크고 거창할 필요는 없는 것 같아. 건이처럼 그들의 가장 아픈 곳을 알아준다면, 그래서 그들에게 꼭 필요한 것을 내가 조금 도와준다면 충분하지 않을까.

냉장고를 가득 채워 놓은 나를 나무라는 건이의 눈빛이 보이는 듯하구나. 미안해, 건아. 앞으로 조심할게.

나를 키우는 말

"엄마, 이거 좀 봐, 완전 쩔어!"

어느 날 넌 인터넷에서 연예 기사를 하나 보여 주며 내게 말했어. 여자 연예인의 성형 의혹에 관한 짧은 글이었지. '비포/애프터' 두 장의 사진이 대문짝만 하게 실려 있었어. 누가 봐도 고쳤다고 생각할 만한 사진이었지. 그런데도 굳이 살이 빠져서 그렇다는 여배우의 대답 때문인지 이백 개도 넘는 댓글이 달려 있었어. 그런데 그 순간 넌 아무렇지도 않게 댓글 전체를 볼 수 있는 버튼을 눌러 주르륵 긴 화면을 띄우더구나. 너희의 표현대로라면 '스압'이 엄청날 텐데도 말이야. 사실 그때 난 좀 실망했단다. 네가 '쩔어.'라는 말을 쓰는 것까지야 너희들 사이의 문화라고 받아 줄 수 있지만, 아무짝에도 쓸데가 없는 댓글을 읽으며 웃는 것을 볼 땐 속으로 한숨을 쉬었어. 그런데도 네가 다음에 어떤 행동을 할지 궁금해서 한참을 보고 있었지.

"엄마, 애 레알 안 했을까? 살 빠져서 저렇게 되는 건 완전 에

바야."

키득거리며 댓글을 한참 읽더니 또 이러더구나.

"엄마, 얘 진짜 개드립 쳤다!"

아마도 분위기를 벗어난 댓글을 본 모양이지. 네가 학교생활 이
야기를 전해 주며 한두 개씩 가르쳐 준 '너희들만의 말' 덕분에 간
신히 너의 이야기를 이해했지만, 문득 생각이 참 많아지더구나. 그
래서 네게 물었어. 기억나지?

"이런 말 안 쓰는 애들은 없니?"

"응, 아마 없을걸! 왜? 이건 그냥 욕도 아니고 평범한 말인데?
전교 1등도 쓸걸! 그리고 난 이런 정도밖에 안 써. 엄마도 다 아는
말이잖아. 문상, 듣보잡, 득템 뭐 그런 거!"

넌 아주 자신감 있는 표정으로 말했어. 그래, 나도 알아. 네가 입
으로나 문자로도 욕은 하지 않는다는 거. 그 정도의 은어조차도 사
용하지 않는다면 또래와의 소통에 다른 문제가 생길 수도 있다는
거. 그렇기 때문에 나도 가끔 감정을 강조하고 싶거나 네 생각에
크게 공감을 표현하고 싶을 땐, 일부러 그런 말을 쓰기도 해. 지금
은 잘 기억나지 않지만 나의 어린 시절에도 우리들끼리 통하는 말
이 분명 있었을 테니까 말이야.

은어란 특정 집단이나 사회 계층에서 구성원이 아닌 사람들이
알아듣지 못하게 자기들끼리만 쓰는 말이야. 그러므로 십 대인 너

희들끼리만 쓰는 말도 은어라고 할 수 있지. 너희들이 은어를 쓰는 이유는 감정을 좀 더 분명하고 강하게 표현할 수 있고, 어른들 모르게 대화할 수 있으며, 무엇보다 친구들 사이에서 동질감을 느낄 수 있고 재미있기 때문이 아닌가 싶어. 또 옛날과 다르게 SNS(소셜 네트워크 서비스)와 문자 메시지의 영향으로 제한된 글자 수에 맞춰 생각을 담아야 하다 보니 은어의 사용은 더욱 늘어나는 것 같아. 근데 그게 무슨 문제냐고? 글쎄, 내 걱정이 무엇인지는 이해인 수녀의 시를 읽으면서 차근차근 따져 보기로 하자꾸나.

나를 키우는 말

이해인

행복하다고 말하는 동안은
나도 정말 행복해서
마음에 맑은 샘이 흐르고

고맙다고 말하는 동안은
고마운 마음 새로이 솟아올라

내 마음도 더욱 순해지고

아름답다고 말하는 동안은
나도 잠시 아름다운 사람이 되어
마음 한 자락이 환해지고

좋은 말이 나를 키우는 걸
나는 말하면서
다시 알지

이해인 수녀는 성직자이면서 좋은 글을 많이 쓴 시인이기도 하
단다. 평생 우리말을 아끼고 고운 말로 많은 글을 썼지. 그런 시인
이니 세상 사람들의 말이 너무 거칠고 험하다는 생각에 슬펐던가
봐. '고운말 차림표'를 만들라고 하더구나. 우리가 음식점에서 차
림표를 보고 뭘 먹을까 고민하는 것처럼 누군가에게 말을 할 때도
메뉴가 있어야 한다고. 한 번쯤 공책에 적어 보는 것도 좋을 것 같
아. 예를 들어 한식, 중식, 일식으로 나누듯이 기쁠 때, 화날 때, 칭
찬할 때, 위로할 때, 이런 식으로 좋은 말을 생각해 둔다면 삶이 훨
씬 풍요로워지지 않을까? 그리고 시인의 바람처럼 사람들은 더욱

향기로운 관계를 맺을 것이고. 무엇보다 말이 곧 나의 인격이라는 걸 잊지 말았으면 해.

너도 은어 정도가 아니라 욕설을 심하게 하는 친구들을 볼 때, 속으로는 실망한 적이 있을 거야. 마음에 상처를 받기도 했을 거고. 더욱 놀랍고 걱정스러운 일은, 분노를 표출할 때가 아니라 일상적인 대화에서 욕설을 쓰는 아이들이 90퍼센트가 넘는다는 거야. 제대로 된 십 대의 놀이와 문화가 없어 숨통을 틔울 게 필요하다고는 하지만 요즘의 모습을 보면 이해받을 수 있는 수준을 훌쩍 넘어 버린 듯해서 걱정이야. 욕도 자꾸 하면 내성이 생기고 둔감해지고, 그러다 보면 더 자극적인 말을 찾고, 말의 수위에 맞는 폭력적인 행동을 하게 되기도 하거든. 외국의 유명한 대학에서 한 실험 결과에 따르면, 욕은 일반 단어에 비해 네 배 이상 오래 기억에 남는대. 또 동물 실험을 통해 알아낸 바에 따르면 화를 내거나 짜증을 낼 때, 혹은 욕을 할 때 배출되는 침의 파편에는 정말로 해로운 성분이 섞여 있다고 해. 부정적인 말에는 부정적인 마음과 에너지, 그리고 독소가 담겨 있는 거야. 그러니 그것을 받은 사람은 당연히 상처받고 불행하고 우울할 수밖에 없지. 욕을 하는 것은 자신과 타인을 동시에 다치게 하는 일이야.

그러나 고백을 하자면, 이 시를 옮기면서 나는 실은 어른들에게 먼저 읽어 주고 싶었단다. 뉴스의 헤드라인을 장식하는 국회 의원들의 몸싸움이나 비방, 또는 인터넷을 뜨겁게 달구는 지하철 막말녀 동영상 같은 것을 만든 어른들에게 이 시를 백 번쯤 큰 소리로 읽는 벌을 주고 싶은 심정이야.

또 이건 너만 모르는 비밀이기도 한데, 사실은 내가 아줌마들에게 네 자랑을 좀 했어. 뭐냐고? 네가 받은 상 말이야. '바른 말 고운 말 상.' 학년이 끝날 때마다 두 번이나 받아 왔잖아. 내가 학교 다닐 땐 들어 보지도 못한 상인데, 가만 생각해 보니 이것보다 좋은 상이 없더라. 얼마나 많은 아이들이 나쁜 말을 쓰면 이런 당연한 행위를 칭찬하기 위해 상을 주나 싶기도 했지만, 그런 상황에서도 항상 바른 말 고운 말을 쓰려고 노력한 네가 고맙고 자랑스러웠어.

"엄마, 난 욕 안 하는 사람으로 인식돼 있어서 안 해도 왕따 안 당해서 좋아. 처음부터 안 하길 잘한 거 같아."

함부로 말하고 함부로 헐뜯고 함부로 욕하는 사람들에게 시와 함께 네 말도 꼭 전해 주고 싶구나. 나를 키우는 일은 바른 말을 쓰는 것부터 시작해야 한다고. 그리고 네게 작은 부탁 하나 더 하자면, 은어도 조금만, 가끔씩만 쓰기. 알았지?

나는 이제 엄마를 사랑하려 하네

　그건 아수 우연히 일어닌 일이었지만 그 뒤로 나는 의식하지 않는 순간에도 자주 그때의 느낌을 마주하곤 했어. 내가 막 중학교에 입학해 목련이 부풀기 시작하던 무렵이었어. 아마 엄마는 딱 지금의 내 나이였을 거야. 정말 우연히 엄마의 일기장을 보았어. 동생들을 데리고 숨바꼭질을 하다가 집 귀퉁이에 있던 엄마의 방으로 숨어들었는데 화장대 위에 낡은 공책 한 권이 놓여 있는 거야. 순간 나는 문을 걸어 잠그고 옷걸이 뒤에 숨어 앉아서 공책의 첫장을 열었지.

　숨 막히는 고요라는 게 어떤 것인지 그때 알았어. 행여 종이가 쓸리는 소리라도 들릴까 봐 아주 천천히 일기장 한 장을 넘기는 그 사이에 나는 깜빡 시간과 공간을 놓쳐 버리곤 했지. 봄날의 오후라고는 해도 구석방의 닫힌 창문은 햇살을 받아 주지 않아서 그곳은 비밀이 막 탄생하던 동굴 같았어. 맞춤법이 어긋나고 큼직한 엄마의 글씨. 아, 내 생각이 맞는구나, 미소를 지으면서 문고리를 또 확인했지. 지금 내가 잡히면 안 되는 건 술래가 될까 봐서가 아니라 엄마의 일기장을 본 죄를 고백해야 하기 때문이라고 생각했지.

그 당시엔 엄마가 쓴 일기의 내용보다 엄마가 일기를 썼다는 사실에 더욱 놀라서 아주 오랫동안 엄마 얼굴을 똑바로 쳐다보지 못하곤 했어. 기억에 분명하게 남아 있진 않지만 어딘가 모르게 쓸쓸하고 외로운 문장들이 가득해서 이걸 다 읽으면 평생 용서받지 못할 거라는 생각을 했던 기억만은 아직도 또렷하구나. 엄마가 힘든 시집살이와 외로움을 견딜 수 있게 지켜 주었던 그 작은 공책에는 바스러질 듯한 마른 꽃송이도 여러 개 들어 있었어. 외출하는 일이 거의 없었던 엄마가 꽃밭에서 따서 넣어 두었는지 노란색을 잃어버린 개나리꽃도 있었고, 마당 귀퉁이에 붉게 피던 진달래 꽃잎도 속살까지 투명해진 채로 끼워져 있었어. 엄마의 마음속 뜰에는 늘 꽃이 함께했던가 봐. 그 일기장을 읽은 후에 나의 봄밤은 결코 평범해지지 않았어. 오히려 달밤에 꽃나무 밑을 지나기라도 하는 날이면 엄마의 일기장이 떠올라서 온몸의 세포들이 새 피를 수혈받는 듯 전율이 일기도 했으니까.

해마다 어김없이 봄은 오는데 이제 엄마는 어디에 봄을 숨겨 놓을까? 그래서일까. 얼마 전에는 신경숙의 소설 『엄마를 부탁해』를 읽다가 왈칵 눈물을 쏟았어. "모녀 관계는 서로 아주 잘 알거나 타인보다도 더 모르거나 둘 중 하나다."라는 문장에서 도저히 넘어

갈 수가 없는 거야. 애써 외면하던 진실을 마주치고 만 당혹감에 책장을 덮어 버렸지. 나는 엄마에게 타인과 같은 존재일 거라는 생각을 가끔 하던 터였거든. 나는 엄마가 무슨 국을 좋아하는지, 신발 사이즈가 몇인지, 얼마나 자주 미용실에 가는지, 친구들이랑 고스톱을 칠 때 무조건 '고'를 하는지 '스톱'을 하는지, 멀리 떠난 자식들이 보고 싶은 날엔 어떻게 참는지 아무것도 모르는 남과 같아. 도대체 엄마 걱정을 하지 않는 딸이라니……

그러나 이제 엄마가 앓았던 병을 내가 똑같이 앓고, 엄마가 넘었던 인생의 고갯마루를 내가 넘을 때마다 엄마는 그 나이에 무슨 힘으로 견뎠을까 궁금해서 묻고 싶어져. 엄마, 어떤 낙으로 한세상을 살았나요?

모녀

이태관

가을 산을 오른다

엄마, 저 단풍 좀 보아

─그래, 곱구나

엄마는 무슨 낙으로 세상 살았어?
─음, 밥 들이는 재미

엄마, 사진 한 장 찍어요
─아니다. 저 낙엽을 다시 붙일 수 없듯 지금은 사진을 찢을
때란다

속을 비운 것들이 홀씨를 만든다

숲이 헐거워져 가고 있다

　내게 엄마는 오래전에 읽은 엄마의 일기장처럼 다 볼 수 없고
다 보지 못한 그런 존재인가 봐. 가까이 다가가지 못한 이유가 무
엇인지 모르겠으나 이대로 거리를 둔 채 영원히 이별할까 두려워.
'모녀'라는 말에는 얼마나 따스하고 애잔한 그리움이 스며 있니?
그런데 나는 그런 다정한 딸이 되지 못했어. 그 때문에 시 속의 모
녀가 한없이 부러워서 이 시를 읽으면서는 혼자 속으로 여러 번

엄마를 불러 보았어.

엄마, 하고 부르면 가슴이 쿵, 내려앉아. '엄마'라는 말은 그런 것일까? '엄마'라는 소리 너머에는 무엇이 있길래 이렇게 부르는 것만으로도 가슴이 조여 오는 것일까? 그저 김치가 필요하다는 이야기 말고 가슴이 아파 울지 않을 수 없는 이야기를 엄마에게 할 수 있으려면 내가 무엇을 어떻게 해야 하는 것일까? 나는 알고 싶어졌어. 나만큼 엄마도 외로울 테니까 말이야.

엄마도 때로는 나비처럼 훨훨 날아서 어디든 가고 싶었을 텐데, 평생 가족들에게 "밥 들이는 재미"로 지냈다는 말이 참으로 무겁고 미안해. 그러나 한편으론 또 그게 삶의 행복이고 그 말이 엄마의 진심임을 알 것도 같아. 왜냐면 나도 엄마니까 말이야. 아무리 힘들고 지쳐도 나를 쓰러지지 않게 하는 힘은 바로 너희들에게서 나오더라고. 너희들 밥을 먹여야 한다는 그 단순한 믿음이 시 속의 엄마처럼 내 삶을 지탱해 주었어. 사는 일이 힘들고 어지러울 땐 말이야, 난 밥처럼 아주 단순하고 중요한 것만을 생각하곤 해. 그래서 이 시가 더욱 마음에 와 닿았는지 모르겠어. 아무것도 아닌 듯하지만 실은 하루도 하지 않을 수 없는 일, 꼬박꼬박 밥을 챙겨주는 일이 낙이었다는 엄마의 말이 평생 먹은 밥만큼 무겁게 느껴졌으니까. 그리고 엄마에게 미안하고 고마웠어.

게다가 나도 얼마 전에 시 속의 엄마처럼 우리 엄마가 조금씩 사진을 정리하는 것을 보았어. 명절에나 겨우 얼굴을 볼 때면 '나 죽으면……' 하고 혼잣말처럼 남기는 부탁도 늘었어. 이제는 사진 속에 담긴 시간이 생의 남은 시간보다 더 많아진 황혼기, 엄마는 사진을 하나씩 찢으며 조용히 자신을 지워 가고 있나 봐. 행복과 불행으로 가득했던 인생이라는 숲을 비워 가고 있는지도. 그 숲에서 끝까지 남을 한 그루 나무, 자식이라는 나무에만 오늘도 여전히 물을 주면서 말이야.

엄마라는 말은 '세상에서 가장 짧고 아름다운 기도'라는 김종철 시인의 말처럼 오늘부터라도 자주, 가능한 종종, 진물투성이인 엄마를 생각해야겠어. 그리고 엄마랑 사진 한 장을 예쁘게 찍어 두고 싶어.

엄마, 같이 사진 찍어요.

스승이 열어 준 세상

'줄탁동기(啐啄同機)'라는 말을 들어 본 적 있니? 어려운 말이라고? 그래, 좀 낯설긴 하지. 뜻을 한번 들어 봐.

알 속에서 자란 병아리는 부리로 껍데기 안쪽을 쪼아 알을 깨야만 세상으로 나올 수 있어. '줄'은 바로 병아리가 알껍데기를 깨기 위해서 쪼는 것을 말한대. 톡톡톡, 알 속의 병아리가 부리로 알을 쪼는 소리가 들리면 어미 닭도 가만히 있을 수가 없겠지? 이때 어미 닭은 밖에서 알을 쪼아 새끼가 나오는 것을 도와주는데, '탁'은 어미 닭이 알을 쪼는 것을 가리키는 말이야. 이제 막 세상에 태어나려는 병아리의 부리는 아직 약해서 혼자 힘으로 알을 깨기란 쉽지 않겠지? 그러니 어미가 알 깨는 기척을 듣고 탄생을 도와주는 거지.

이제 줄탁동기가 무슨 말인지 짐작이 가니? 병아리가 알을 깨고 나오려면 병아리와 어미 닭이 안팎에서 함께 알을 쪼아야 한다는 뜻으로, 스승과 제자 사이를 말할 때 주로 인용되는 고사성어란다.

여기서 알을 깨고 나오려는 병아리는 깨달음을 얻으려는 제자를 가리키고, 어미 닭은 깨우침의 방법을 일러 주는 스승이라고 할 수 있지. 깨우침의 길과 방향을 제시하는 스승이 있다면 나를 가로막고 있는 내 안의 견고한 틀을 깨고 새로운 세상에 눈뜰 수 있다는 뜻일 거야.

스승 이야기를 할 때면 제일 먼저 떠오르는 사람이 있는데, 바로 헬렌 켈러의 스승 설리번이야. 그들의 이야기는 너무나 유명해서 너도 들어 보았을 테지만, 여기서 다시 얘기하지 않을 수가 없네. 스승의 역할을 그녀만큼 훌륭하게 해낸 사람도 별로 없으니까.

헬렌 켈러는 태어난 지 십구 개월 만에 열병을 앓아서 시각과 청각을 잃었어. 그러니 말을 배울 수 있는 감각을 모두 잃어버린 셈이지. 그녀의 어린 시절은 암흑과도 같았을 거야. 어린 헬렌은 누구든 물어뜯고 할퀴고 때리면서 제멋대로 행동하는 아이였대. 소통이 막혀 버린 답답함과 장애의 고통을 그렇게 표현한 것이겠지. 빛과 소리가 없는 어둠과 고요를 생각해 봐. 얼마나 무섭고 외로울까. 그 암흑으로부터 영혼을 해방시켜 준 사람이 있었으니, 바로 앤 설리번이야. 헬렌 켈러는 자서전에서 "일생을 통틀어 가장 중요한 날이 있다면 바로 이날, 내가 앤 맨스필드 설리번 선생님을 만난 날"이라고 했어. 일곱 살 헬렌의 손을 잡아 준 사람, 한없는 인내와 헌신으로 천형 같은 장애를 이겨 나가도록 해 준 사람.

이런 설리번을 헬렌이 얼마나 사랑했는지 엿볼 수 있는 그의 글을 한 대목 옮겨 줄게. 헬렌이 쉰세 살 때 쓴 이 글은 20세기 최고의 수필로 뽑히기도 했대.

"제가 단 사흘만이라도 눈으로 볼 수 있다면 (…) 제가 가장 먼저 보고 싶은 것은 당연히, 어둠 속에서 살았던 세월 동안 제게 가장 소중했던 것입니다. 눈을 뜬 첫날, 저는 제 삶을 살 만하게 만들어 준 친절하고 다정한 제 동반자들을 보고 싶습니다. 무엇보다 먼저 사랑하는 앤 설리번 선생님의 얼굴을 오래도록 바라보고 싶습니다. 설리번 선생님은 저와 바깥세상을 이어 주신 분이지요. 단순히 얼굴 보는 것을 넘어, 저를 가르치는 그 어려운 일을 해내신 선생님의 인내와 사랑의 살아 있는 증거를 그 얼굴에서 찾아내고 싶습니다."(권태선, 『장애를 넘어 인류애에 이른 헬렌 켈러』, 창비 2010)

헬렌의 손바닥에 손가락으로 한 자 한 자 적어서 단어를 가르치고 문장을 가르치고 시를 가르치고, 마침내 대학 수업까지 모두 함께했던 스승이 없었다면 인간 승리의 대명사로 불리는 헬렌 켈러도 없었을 거야. 자신에게 훌륭한 점이 있다면 그건 모두 스승으로부터 온 것이었다는 헬렌의 고백이 설리번의 희생을 짐작하게 해. 헬렌이 보여 주었던 인류애도 그가 스승으로부터 받은 사랑에서 시작되었으리란 것을 우리는 알 수 있어.

이처럼 진정한 스승은 우리에게 새로운 세상의 문을 열어 줘. 때

로는 지성과 학문의 문을 열어 주고, 때로는 가슴의 빗장을 풀어
주지. 특히 인생의 어려움과 슬픔을 어루만져 준 스승이라면 부모
처럼 잊을 수 없는 존재가 돼. 아래의 시인에게 그랬듯이.

스승 김인권

유용주

나른한

아득한 봄날

우리는 양지바른 곳을 골라 그를 심었다

언젠가 우리가 1층이나 2층 슬라브에서

아님 고층 아파트 옥탑 아슬아슬

생의 곡예를

땀의 묘기를 보여 주고 있을 때

그 다시 진달래로

그 다시 개나리로

그 다시 민들레로

피어나길 간절히 바라면서

뜨뜻미지근 우리들 일그러진 막노동 생애를
소주처럼 털어 넣었다
그는 우리들에게 못 박는 법을 알려 주었지
거푸집을 구축하는 법
철삿줄을 알맞게 조이는 법
수평과 수직을 정확하게 보는 법
해체 작업을 쉽게 하는 법
무엇보다 사람 좋아하고 사랑하는 법
평생을 막노동판에서 일하다 결국
그 무대에서 쓰러진 행복 불행한 사람,
나른한
아득한 봄날
추운 겨울 파카 속 우는 듯한 사진을
우리들의 마음 깊이 다시 한 번 비벼 넣으며
해미 홍천리 고향 뒷산에
다독다독 그를 심었다
해마다 씀바귀로
해마다 냉이 달래
해마다 다북쑥으로
다시 돋아나라고

그의 딱딱한 흙가슴을 열고
맑은 소주 한 잔을
고루고루 뿌려 주었다

　이 시인의 직업은 건축 공사장의 목수야. 시에 벌써 그의 이력이
드러나 있지. 모름지기 시인의 삶과 시가 한 몸이라지만, 이 시인
처럼 삶의 육성이 시에 진솔하고 강하게 드러나는 경우도 드물 거
야. 그는 '일당 사만 오천 원'의 노동이 그의 시이고 삶이라고 했
어. 그런 그에게 노동과 삶을 모두 가르친 스승이 있었는데, 지금
그를 몹시 그리워하고 있는 거야. 귀하게 대접받는 직업이 아니어
서 "아슬아슬 생의 곡예"를 하는 나날들이었지만, 끝내 "그 무대
에서 쓰러진 행복 불행한 사람"이 스승이라면 제자가 배울 것은
한 가지였을 거야. 그것은 정직하고 올바른 삶이겠지. 막노동의 기
술보다 "무엇보다 사람 좋아하고 사랑하는 법"을 잘 가르친 스승
이라잖아. 그런 배움이라면 얼마든지 얻고 싶지 않니? 사람을 사
랑할 수 있으면 평생 외롭지도 불행하지도 않을 테니 그보다 더
훌륭한 가르침이 어디 있을까? 그러니 스승에 대한 그리움이야말
로 다할 수가 없을 테지.
　아지랑이가 피어오르는 봄날. 고층 아파트 옥탑에 매달려서 일

을 하다가 잠깐 숨을 돌리는 사이에도 스승은 저 아래의 진달래로 개나리로 민들레로, 눈이 닿는 곳마다 피어나고 있어. 시인은 고단하고 절박한 삶을 하소연하고 위로받고 싶을 거야. 이럴 때 스승이 곁에 있었다면 세상을 향해 어떻게 못 박으라고 하였을 것인가. 아니면 말없이 맑은 소주나 한잔 기울여 주실 것인가. 해마다 봄이 되면, 날마다 삶이 무거울 때 꺼내 보는 스승의 사진이 내게도 환하게 보이는 듯해. 그래서 나도 탕탕 소리 나도록 세상에 못 박고 스승 앞에 등짐 내려놓고 한바탕 울고 싶어져. 그 울음의 힘으로 다시 한세상 더 살아 보라고 어깨를 다독여 줄 스승 앞에서. 소박한 꿈 하나도 가장 무겁게 받아 주는 사람, 바로 그런 스승 앞에서.

그러나 현실은 좀 다르지? 사람 좋아하는 법을 가르치는 선생님은 학교나 학원에서 찾아보기 힘들지. 시험지와 성적표를 들고 훈계하는 경우가 대부분일 거야. 내 고민은 짝사랑이고, 여드름이고, 친구 문제인데도 말이야. 마음속으로는 엄마 말고 누구라도 내 마음을 좀 알아주었으면 좋겠는데, 그런 역할을 해 주는 사람이 없어서 힘들 때가 많을 거야. 겨우 친구의 미숙한 조언으로 만족해야 할 때가 대부분이지. 하지만 입시와 경쟁 앞에서 제자들과 마음을 나누지 못하는 선생님들도 외롭고 힘든 건 마찬가지일 거야. 그렇다면 말이야, 이렇게 하면 어떨까? 멘토로 삼고 싶은 선생님께 내가 먼저 노크하는 거야. 톡톡톡, 내가 알에서 나오고 싶다는 신호를 보내는 거야. 선생님, 단단한 껍데기 좀 쪼아 주세요. 도와주세요. 그 기척을 듣고도 모른 척할 선생님은 아마 없을 거야. 보드라운 털을 가진 병아리를 위험에 두는 어미 닭이 없듯이. 그렇다고 처음부터 헬렌과 설리번, 시인과 그의 스승처럼 되진 않겠지. 사제 관계에서도 다른 모든 관계처럼 오래 쌓인 정과 믿음이 필요하니까 말이야. 어쨌든 더 깊고 넓은 인생의 문제를 함께 풀 좋은 스승을 꼭 찾길 바랄게.

아버지의 편지를 받는다면

내 기억에 내가 쓴 첫 번째 편지는 나에게 쓴 것이었어. 이제 막 열 번째 어린이날을 앞두고 있었지. 부모님께서 써 주신 편지를 받아 가는 것이 숙제였어. 그러면 그 편지를 어린이날에 맞춰 선물로 주는 것이 학교 행사로 잡혀 있었던 모양이야. 자주 오랫동안 먼 곳에서 일하셨던 아버지의 편지를 받아 가기란 애초부터 불가능한 일이었고, 그렇다고 엄마에게 말한다 해도 쉽게 해결될 숙제가 아니라고 판단했어. 아니, 실은 비뚤비뚤하고 맞춤법에 어긋난 엄마의 글씨를 보이기 부끄러워 내가 편지를 쓰고 말았어. 어차피 편지 봉투는 봉해진 채로 선생님에게 전달될 터였고, 그 속의 내용 또한 선생님이 확인할 수 없었기에 그런 무모한 짓을 감행한 것이 아닌가 싶어. 편지를 제출해 놓고 며칠 동안 선생님 얼굴을 똑바로 쳐다보지 못했어. 행여 선생님이 내 이름이라도 부를라치면 죄를 들킨 듯 놀라곤 했으니까.

어린이날이 그때만큼 싫었던 적도 없어. 그러나 생각보다 훨씬

가혹한 일은 그다음에 일어났어. 편지를 모두 나누어 준 선생님께
선 친구들 앞에서 부모님의 편지를 자랑할 시간을 주신 거야. 아
버지가 한의사인 친구가 먼저 편지를 읽었어. 학교 선생님인 엄마
의 편지를 받은 친구가 밝은 목소리로 편지글을 읽을 때는 부러움
과 속상함으로 고개도 들지 않았어. 두어 명 더 편지를 읽힌 후 선
생님께선 무작정 나를 교실 앞으로 불러 세웠어. 당시 반장이었던
나에 대한 배려였겠지만 난 지옥문 앞에 선 심정이었지. 한참 동안
나는 얼굴을 붉힌 채 온몸을 부들부들 떨며 서 있었어. 그러고는
결국 친구들 앞에서 편지를 꽉 움켜잡고 울고 말았어. 순간 교실은
쥐 죽은 듯 고요해졌어. 눈물 속에서 난 원망했어. 아버지를, 엄마
를, 선생님을, 그리고 나를 모두 미워했어.

　그날의 기억이 바늘 한 땀만큼의 아픔으로도 남지 않은 지금 난
가끔 편지를 받고 싶을 때가 있어. 아니, 어린이날에 받지 못한 그
편지보다 몇 곱절은 더 간절하게 받고 싶어. 부모의 자리에 앉아
세상살이에 휘청거릴 때면 내 아버지와 엄마가 겪었을 그 이야기
를 듣고 싶어. 이만하면 넌 잘하고 있는 것이라는 당신들의 마음을
담은 엉성한 글씨를 만져 보고 싶은 거야. 다산(茶山)의 애틋한 편
지를 알고 나서는 더욱 그랬어. 귀양살이로 이십 년 가까운 세월을
가족과 떨어져 산 다산 정약용의 산문을 읽으면서 살가운 부모의
모습이란 어떤 것인지를 자주 생각했지.

"내가 강진에서 귀양 살고 있을 때 병든 아내가 낡은 치마 다섯 폭을 부쳐 왔다. 그녀가 시집오던 날 입었던 붉은색 활옷이었다. 붉은색은 이미 씻겨 나가고 노란색도 희미해져서 책 장정으로 삼기에 적당했다. 그래 가위로 말라서 작은 공책을 만들어 놓고 손가는 대로 훈계하는 말을 적어서 두 아들에게 남겨 준다. 아마도 훗날 이 글을 보게 되면 감회가 일어날 것이고, 두 어버이의 아름다운 은택(恩澤)을 어루만지게 되면 뭉클하고 감동이 일지 않을 수 없으리라. 이름을 하피첩(霞帔帖)이라 했으니 이것은 붉은 치마를 돌려 은근히 말한 것이다."(『뜬세상의 아름다움』, 박무영 편역, 태학사 2001)

　다산이 유배 생활을 시작한 지 십삼 년에 접어들 무렵, 부인 홍씨는 그녀가 시집오던 날 입었던 활옷의 다홍치마를 보내왔대. 오랜 세월을 간직한 옷이었으니 선명하던 다홍색과 노란색도 바래고 희미한 노을빛만 남아 있었겠지. 부인이 옷을 보낸 마음을 헤아리다가 다산은 빛바랜 치마를 잘라서 그것으로 공책을 만들었나봐. 자신들의 혼례복으로 만든 빈 공책에 다산은 생각날 때마다 아들에게 당부하는 교훈을 적었다고 해. 그러고도 남은 치맛감에는 「매화병제도(梅花屛題圖)」를 그리고 행복한 결혼 생활을 기원하는 시를 적어서 시집간 외동딸에게 주었대. 어머니가 시집오던 날 입었던 치마 위에 아버지가 써 주신 글을 받아 들었을 때, 자식들의 가슴은 얼마나 뜨거웠을까? 그런 부모의 정성 어린 당부와 애틋한 기원, 애절한 바람을 차마 어떻게 어길 수 있었겠니?

그러나 가족을 사랑하는 아버지의 마음이 담겨 있지 않았다면 노을 치마도 한갓 천 쪼가리에 지나지 않았을 거야. 아직 너의 눈에 아버지란 강하고 자신 있고 고집 센 사람처럼 보일지 몰라도 이 세상 모든 아버지는 자식 앞에서 한없이 약하고 외로운 사람임을 알았으면 좋겠어. 김현승 시인의 「아버지의 마음」이라는 시를 봐도 마찬가지야. 아버지를 한번 안아 주고 싶어질 만큼 외로운 등이 보인단다.

"바쁜 사람들도/굳센 사람들도/바람과 같던 사람들도/집에 돌아오면 아버지가 된다.//어린것들을 위하여/난로에 불을 피우고/그네에 작은 못을 박는 아버지가 된다.//저녁 바람에 문을 닫고/낙엽을 줍는 아버지가 된다.//바깥은 요란해도/아버지는 어린것들에게는 울타리가 된다."

나의 아버지도 너의 아버지도 모두 이 마음뿐일 거야. 어린것들에게 부는 찬바람을 막아 주다가 당신들의 몸은 조금씩 얼어 가는데도 끝까지 자리를 지키는 사람. 바로 세상의 아버지들이야.

결빙(結氷)의 아버지

이수익

어머님,

제 예닐곱 살 적 겨울은

목조 적산가옥 이 층 다다미방의

벌거숭이 유리창 깨질 듯 울어 대던 외풍 탓으로

한없이 추웠지요, 밤마다 나는 벌벌 떨면서

아버지 가랑이 사이로 시린 발을 밀어 넣고

그 가슴팍에 벌레처럼 파고들어 얼굴을 묻은 채

겨우 잠이 들곤 했었지요.

요즈음도 추운 밤이면

곁에서 잠든 아이들 이불깃을 덮어 주며

늘 그런 추억으로 마음이 아프고,

나를 품어 주던 그 가슴이 이제는 한 줌 뼛가루로 삭아

붉은 흙에 자취 없이 뒤섞여 있음을 생각하면

옛날처럼 나는 다시 아버지 곁에 눕고 싶습니다.

그런데 어머님,

오늘은 영하의 한강교를 지나면서 문득
나를 품에 안고 추위를 막아 주던
예닐곱 살 적 그 겨울밤의 아버지가
이승의 물로 화신해 있음을 보았습니다.
품안에 부드럽고 여린 물살은 무사히 흘러
바다로 가라고,
꽝꽝 얼어붙은 잔등으로 혹한을 막으며
하얗게 얼음으로 엎드려 있던 아버지,
아버지, 아버지……

　엄동설한의 깊은 밤, 적산가옥 다다미방에서 잠들어야 했던 어린 시절 이야기인가 봐. 일제 강점기 때 일본인들이 우리나라에 짓고 살다가 해방 후 남겨 놓고 간 집을 적산가옥이라고 해. 그 집엔 일본식 돗자리인 다다미가 깔려 있었지. 우리나라 온돌방과는 다르게 불을 떼지 않았던가 봐. 온기가 없는 서늘한 바닥이라니, 생각만 해도 소름이 오스스 돋는구나. 게다가 바깥에 몰아치는 눈보라는 창틈 사이로 솔솔 새어 들어오고. 이런 곳에서 자기란 무척 힘들었을 거야. 너도 짐작 가지? 겨울날 할머니 댁에서 잘 때, 솜이불을 머리까지 덮어쓰곤 하잖아. 문틈으로 들어오는 바람이 황소

바람 같다고 하면서 말이야. 시인은 그보다 더 추웠을 거야. 할머니 댁은 보일러라도 틀지만 시 속의 아이는 그냥 찬방에 있거든. 몸을 잔뜩 웅크리고 오슬오슬 몸을 떨며 자야 하는 일곱 살 아이에게 밤은 날마다 고통의 시간이었을 것 같지? 그래서 시린 발은 "아버지 가랑이 사이로" 밀어 넣고 "그 가슴팍에 벌레처럼 파고들어"야 겨우 잠들 수 있었다는구나. 시인의 유년 시절이 어떠했는지 다다미방의 겨울로 모두 짐작되는 것 같아. 하지만 시인도 그땐 미처 알지 못했어. 아버지, 만약 아버지라는 이불을 덮지 않았다면 마음까지 꽁꽁 얼었을 거라는 걸.

그랬던 시인이 이제 아버지가 되어 잠든 아이들의 이불깃을 덮어 주고 있어. 그러면서 내 아버지도 잠자는 내게 똑같이 이불을 끌어당겨 덮어 주었겠구나, 이제야 그런 생각이 드는 거지. 그때마다 "한 줌 뼛가루로 삭아" 버린 아버지가 떠오르고 마음은 아파와. 왜 항상 깨달음은 늦게 오는 걸까? 조금만 일찍 그 마음을 알았더라면 아버지 생전에 손이라도 한번 따뜻하게 잡아 드렸을 텐데. 야윈 어깨 움츠리고 주무실 때 이불깃이라도 한번 여며 드렸을 텐데. 아버지에 대한 미안함과 그리움이 가득하다 보니 이제는 얼음 언 한강을 건너다가도 그곳에서 아버지 마음을 보게 되는 거야.

추운 겨울날의 강을 떠올려 봐. 혹한에 강의 바깥 피부가 하얗게 얼어 있는 풍경. 간혹 썰매를 타도 깨지지 않을 만큼 두껍고 단단하게 언 강의 풍경. 그런데 그 얼음 안에선 여전히 물고기가 헤엄치고 여린 물길은 고요히 흘러 큰 바다로 가고 있다는 사실을 시인은 문득 깨달은 거야. 그것은 마치 아버지 자신이 하얀 얼음이 되어 그 아래 어린 자식을 보호하는 것과도 같다고 생각한 거지. 아버지의 여윈 등이 덮어 준 것은 추위뿐이 아니었고, 아버지가 고난 속에 지켜 낸 것은 가족과 사랑이었음을 비로소 알게 되었다고. "아버지, 아버지……" 뒤늦은 깨달음과 그리움으로 얼마나 그 이름을 부르고 싶고 얼마나 그 목소리를 다시 듣고 싶었을까? 그 마음이 사무쳐 어떤 얼음도 녹여 낼 따뜻한 시 한 편이 나왔을 테지. 이럴 때 시는 내 마음에도 불씨 하나를 지펴 줘. 시인의 후회를 내 것처럼 생생하게 느끼는 것으로 끝나지 않고 곧바로 나에게 말해. 너는 어떠니? 너도 나중에 후회하지 말고 아버지께 한 번만 말해 봐, 당신의 마음이 무엇인지 알겠노라고, 사랑한다고.

오래전 그 편지에 내가 무어라 적었는지는 기억나지 않아. 나의 울음에 끝내 편지는 읽히지 않았지만 오래오래 복도 끝에서 혼자 울었던 기억만 날 뿐. 아무도 달래지 못했던 그날의 울음이 아직도 남아 나를 흔들 때가 있어. 그러면 내 울음의 이유를 말하고 싶을 때도 있지만, 그 시절의 아버지 나이가 되어 버린 지금, 나는 알게 됐어. 아버지의 등에 업혀 잠들어 보지 못했어도 적막하디적막한 아버지의 등은 한 번도 나를 내려놓은 적이 없었다는 것을.

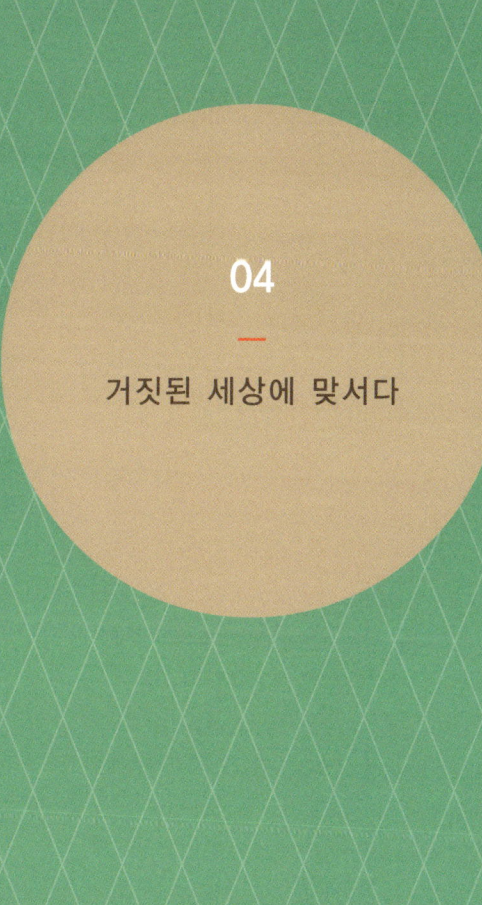

04

—

거짓된 세상에 맞서다

디지털 시대의 풍경

    유난히 길었던 지난겨울 때문에 순서 없이 꽃들이 피고 있는 봄날이구나. 온갖 색의 꽃들이 모네의 정원 부럽지 않게 세상을 바꿔 놓는 아름다운 시절이야. 이 순간을 놓치면 다시 일 년을 기다려야 하니 나는 소풍을 가자고 했어. 식구들은 각자 필요한 소지품을 챙겨 작은 가방 한 개씩을 들고 차에 올랐어. 시동을 걸자 제일 먼저 내비게이션의 익숙한 알림음이 들렸어. 목적지를 찾아서 안내시작 버튼을 누르고 우리는 출발했지.

    어느 꽃의 향기인지 알 수는 없지만 바람을 따라 달콤한 내음이 코끝으로 들어왔어. 문득 좋은 향기는 늘 창문을 넘어서 온다는 생각을 하며 웃는데, 가방을 열어 각자의 물건을 꺼내는 모습을 보고 적잖이 놀리고 말았구나. 아빠는 스마트폰을 손에 쥐고, 너는 휴대 전화로 열심히 문자를 보내고, 동생은 또 게임기 속 도로를 질주하고 있지 않겠니? 부드러워진 봄볕을 받아 내느라 어느 때보다 조용하게 흐르는 강을 건너고 있었는데 아무도 그 물빛을 바라보는 사람이 없다니. 그때 우리 가족은 모두 작은 자동차 안에 함께 있었지만 동시에 다른 세상에 뿔뿔이 흩어져 존재하고 있다는 생각이 들었어. 이것이 2012년의 현실이라니, 잠깐 아득해졌지. 몸은 같은 공간에 있지만 생각과 의식은 각자의 컴퓨터, 휴대 전화, 게임기 속에서만 살고 있다면 이건 함께하는 게 아닐 거야. 버스나 지하철, 기차나 비행기, 식당이나 길거리에서도 마찬가지야. 고개를 숙인 채 휴대 전화 속의 세상을 누비는 사람들에게 당신이 사는 진짜 세상은 어디냐고 묻고 싶어. 그래서 난 지하철이나 버스 안에선 절대로 휴대 전화를 꺼내서 인터넷을 하지 않아. 왜냐하면 조그만 화면에 고개를 박고 열심히 읽어야 할 만큼 중요한 기사도 없고, 무엇보다 부끄러운 생각이 들어. 언제라도 좋으니 버스나 지하철, 길거리나 식당 어디든 휴대 전화를 들고 있는 사람들의 표정과 모습을 한번 관찰해 봐. 조금 멍한 눈빛과 정신없이 움직이는 손가락을 보고 있으면 내 말을 금방 이해할 거야. 그리고 나도 저럴 텐데 생각이 들면 소름이 살짝 돋을지도 몰라.

정보화 시대가 시작된 건 인터넷이 개발되고 개인용 컴퓨터가 보급된 1980년대라고 해. 물론 미국의 경우지. 우리나라는 그보다 조금 늦었을 테지만 세계 어느 나라보다도 빠른 속도로 디지털화되어서 명실공히 'IT 공화국'이 되었어. 유치원에 다니는 꼬마들부터 할아버지, 할머니까지 인터넷을 이용해서 정보를 얻고 물건을 사고 소통을 하고 있어. 실제로 국경도 없고 시간적 제약도 없는 인터넷은 전 세계에 흩어져 있는 사람들을 직간접적으로 연결해 줘. 이로 인해 파생된 많은 아이디어와 제품이 새로운 시장을 만들고 새로운 일자리를 만들어 내기도 했지. 전자 기기에 쉽게 적응하고 정보 수집을 빨리 할수록 시간을 아낄 수 있고 더 많은 정보를 획득하는 것처럼 보이기 때문에 사람들은 더욱 단단히 인터넷에 자신을 묶고 있어. 그렇다면 우리는 예전에 비해 더 많은 정보와 네트워크를 가졌으니 더 똑똑해지고 더 많이 행복해진 것일까? 이 질문에 누구도 망설임 없이 그렇다고 대답하지는 못할 거야. 왜냐하면 우리는 과거보다 더 많이 결핍되어 있으니까.

분명 예전에 비해 정보의 양은 엄청나게 늘었어. 내 학창 시절엔 무언가를 조사해 오라는 숙제가 가장 어려웠어. 예를 들어 간디에 대해서 알아 오세요,라고 하면 정말이지 막막했단다. 왜 그랬는지 모르겠지? 요즘엔 당장 컴퓨터를 켜서 검색창에다 '간디'라고만 치면 수 초 만에 수십만 개도 넘는 자료들을 찾을 수 있으니 말이야. 그런데 그땐 컴퓨터가 없던 시절이니 친구들이랑 모여서 도서관을 가야만 했지. 백과사전부터 전기까지 하나씩 맡아서 조사한 다음에 공책에다 베껴 와야 했어. 시간도 오래 걸리고 내용도 빈약했지만 단 한 줄이라도 내가 직접 찾은 정보들은 끝내 잊히지 않았어. 이건 정말 중요한 차이 같아. 마치 은행에 아무리 많은 돈이 있어도 내가 저금한 게 아니면 내 돈이 아닌 것처럼 정보도 그렇다는 생각이 들어. 정보나 지식을 내 것으로 만들려면 Ctrl + C와 Ctrl + V만으로는 되지 않는 거지. 게다가 그것이 정확한 정보인지 판단하기가 더 어려워졌어. 우리는 정보의 과포화 상태에 압도당하고 있는 거야. 이 상황이 앞으로 어떤 문제를 야기할지 고민하지 않을 뿐 아니라 그것에 맞설 어떤 방패도 가지지 못했으니까. 지금 이 순간에도 정보는 급류처럼 쏟아지고 있지만 이러한 정보 속에 삶의 질을 높일 수 있는 정말 중요한 내용은 없는 것 같아.

또 한 가지 놀라운 얘기를 해 줄까? 학습에서 갈수록 중요한 도구로 활용되는 인터넷이 오히려 지식 생산의 힘을 감소시킨다는 연구 보고서를 읽었어. 인터넷을 더 많이 사용할수록 뇌는 더 산만해지도록 훈련을 받는다는구나. 온라인의 넘치는 정보에서 핵심만 재빨리 훑는 '스타카토식' 읽기가 깊이 있는 사고와 몰입을 방해해서 결국엔 생각하는 힘을 잃게 한다는 거야. 우리가 세상을 이해하기 위해서는 컴퓨터에만 의존해서는 안 된다는 걸 정확히 알려 주는 연구 결과가 아닌가 해.

우리가 사는 세상은 변화무쌍한 자연에 둘러싸여 있어. 항상 한자리에 서 있는 나무마저도 매일 매시간 나뭇잎의 개수와 푸르름의 정도가 달라지는데, 그런 현실 세계를 두고 왜 가상의 세계로 자꾸 찾아가는 걸까? 마침 여기, 한 시인이 소풍 준비를 하고 있으

니 어수선한 생각도 버릴 겸 함께 따라나서 볼까? 시인이야말로
누구보다 예민하게 정서적인 교류를 하는 사람이니까 말이야.

소풍 가는 날

정한용

나는 디지털 노마드
지금부터 짐을 챙기자

노트북 컴퓨터	샌트리노 1.8G/하드 80G
USB 메모리	512M
디지털카메라	900만 Pixel
MP3 플레이어	iPod 60G
PDA	블루투스 내장/SD와 CF를 동시 내장
보이스 레코더	SDR-5128MP
전자사전	리얼딕세이 RD-6200

자 떠나자

우주오락실, 신갈피시방, 죽전웹휴게실, 온세상인터넷방

온라인쇼핑몰, 온라인사이버증권, 사이버유명입시학원, 사
이버네트워크교회

에로바다, 폰생폰사, 익스트림X, 트위스티닷컴

나 하늘로 돌아가리라

아름다운 이 세상 소풍 끝내는 날

가서 내 살던 곳

무지하게 아름다웠더라고 말하리라•

• 천상병의 시 「귀천(歸天)」을 차용, 변형하였음.

어, 그런데 잠깐 나들이를 나가는 시인이 가방 속에 넣은 것들
좀 봐. 노트와 펜 대신 온갖 전자 기기들을 챙겼어. 혹 반가웠니?
나랑 똑같잖아, 하고. 아마도 이런 생각을 했겠지. 그래, 좋은 곳에
가면 문득 좋은 아이디어가 떠오를지도 모르니까 노트북을 가져
가야 돼. 맛집도 찾아야 하고 가 볼 만한 곳도 찾아야 하니까 꼭 필
요해. 그리고 풍경이 끝내줄 텐데 사진으로 찍어 와서 블로그에 올
려야지. 가는 동안 심심할지도 모르니까 음악도 듣고…….

홍얼홍얼 노래를 따라 부르며 길을 나섰겠지? 그러나 막혀 버린 도로 위에서 벌써 짜증이 나기 시작해. 차창 밖으로 보이는 것이라곤 "우주오락실, 신갈피시방, 죽전웹휴게실, 온세상인터넷방"뿐이야. 막힌 길 위에서는 또 스마트폰을 잡고 고개를 숙이든지 새로운 길을 찾으려고 내비게이션을 누르고 있겠지. 정말 집 안에서나 집 밖에서나 우리는 '디지털 노마드'가 분명하구나. 노마드(nomad)가 '유목민', '유랑자'를 뜻하는 말이니까 디지털 세상을 정처 없이 떠돌아다니는 우리의 모습을 이보다 더 잘 표현하긴 어렵겠어. 밖에서는 제비나비가 검은색 날개를 활짝 펴고 소풍 나온 우리에게 작별 인사를 하고 있는지도 모르는데, 면사포구름이 뜬 하늘은 우산을 챙겼느냐고 묻고 있는지도 모르는데, 시인마저도 그들의 손짓에는 도통 관심이 없구나.

그래, 우리 가족의 소풍 모습이랑도 썩 닮았어. 과연 이 모든 기계가 다 필요했을까? 소풍을 다녀와서 남은 것이 카메라의 성능을 확인하는 일뿐이라면 그 소풍이 즐거운 추억으로 남을까? 긴 삶을 끝마칠 때 아름답게 회상될 순간을 저장하는 곳은 컴퓨터 메모리가 아니라 우리의 심장임을 시인도 알고 있었을 거야. 그래서 시 속에서 스스로를 꾸짖는 걸 거야. 마지막에 강한 어조로 역설하고 있잖아. "내 살던 곳 / 무지하게 아름다웠더라고 말하리라"라고.

그날 우리가 다녀온 소풍도 지금 내 기억엔 없어. 어딜 다녀왔는지 무엇을 먹었는지 우리 모두가 즐거워한 일이 있었는지 없었는지. 그러나 우리가 무작정 멈추었던 바닷가의 작은 마을 앞 등대는 생각이 나. 바위에 붙은 김을 뜯던 할머니와 바위에 나란히 앉아 있던 물새들, 그리고 아침 바다의 고요를 느끼던 너희들의 얼굴이 선명하게 남아 있어. 그때 우리 모두 자연의 품 속에서 자연스러운 모습으로 있었기 때문일 거야. 파도 소리와 물새 소리까지 온몸의 감각이 받아들였기 때문일 거야.

정보화 시대에 컴퓨터나 인터넷과 단절하라는 얘기는 아니야. 다만 삶의 질과 행복을 결정하는 것이 무엇인지, 사람과 사람 사이의 깊은 이해는 무엇으로 이루어지는지 생각해 보길 바라는 거야. 그런 의미에서 나는 네가 이런 것들에 대해 여전히 궁금한 사람이면 좋겠어. 어깨에 닿는 햇살의 강도나, 5월과 6월 사이에 바람의 향기를 바꾸는 장미꽃이나, 친구의 갈색 눈빛 같은 것 말이야. 가까이 들여다보고 몰입해야만 알 수 있는 작은 느낌들을 놓치지 않았으면 좋겠어. 이어폰으로 귀를 막고, 스마트폰을 내려다보는 눈으로는 절대로 알 수 없는 진짜 세상을 살았으면 좋겠어. 길을 걷거나 사람들을 만날 때는 네트워크를 잠시 끊어 두고 작은 골목길의 '진짜 거리'와 '진짜 대화'에 몰두할 수 있는 여유. 자연스러운 삶의 방식이었는데 이제는 너무나 멀어진 느림의 미학을 꼭 알았으면 좋겠어.

음식과 사료, 무엇을 먹을까

햄버거 좋아하니? 이 말만 듣고도 벌써 메뉴판의 온갖 햄버거들을 떠올린 건 아니겠지? 무슨 햄버거를 먹을까 고민하는 거니? 패스트푸드점은 친구들이랑 어울려 얘기하고 싶을 때 가벼운 마음으로 찾아가 콜라와 감자튀김을 먹으며 즐거운 시간을 보낼 수 있는 곳이지. 또 학원 시간에 쫓길 때에는 혼자 앉아 먹고 가도 어색하거나 이상하지 않은 곳이기도 해. 게다가 입맛을 잡아당기는 햄버거는 언제 먹어도 만족스러워. 그런데 오늘은 한번 다르게 생각해 보기로 하자.

먼저 몇 해 전에 본 영화 이야기부터 하려고 해. 제목은 「슈퍼 사이즈 미」(Super Size Me)야. 이 영화는 모건 스펄록이라는 미국의 영화감독이 패스트푸드의 폐단을 직접 체험하고 고발한 다큐멘터리 영화야. 한 달 내내 하루 세 끼 맥도널드의 음식만 먹으면서 변화하는 자신의 모습을 기록했어. 이십여 개 도시를 다니며 의사, 영양사, 전문가들로부터 비만에 대한 각종 견해를 들었고, 하루 아홉 개의 빅맥을 먹어 치우는 빅맥 추종자에서부터 예수와 대통령의 얼굴은 몰라봐도 맥도널드 마스코트는 정확히 알아보는 어린 아이들까지 만났어. 그런데 이 흥미진진한 실험을 시작한 지 며칠 만에 감독은 '맥트림'과 '맥방귀'를 호소하고 몸무게가 일주일 만에 무려 5킬로그램이 늘었지. 게다가 무기력과 우울증까지 겹쳐와서 패스트푸드 식단의 위험을 적나라하게 보여 줬어. 이것은 내 예상보다 훨씬 심각한 수준이었어. 결국 한 달 동안 그의 몸무게는 83킬로그램에서 95킬로그램으로 12킬로그램이나 늘었어. 실험 3주 차에는 고혈압과 콜레스테롤의 급격한 증가, 지방간 때문에 의사들로부터 실험을 당장 그만두지 않으면 생명에 위협이 될 수도 있다는 극단적인 경고를 받게 되지.

영화에는 담기지 않은 내용이지만 후일담으로 정말 그만두고 싶은 마음이 굴뚝같았다고 털어놓은 기사를 봤지. 그는 이후에 몸을 예전으로 돌려놓기 위해 무려 다섯 달이나 힘들게 노력했다고 해. 스펄록 감독은 미국인의 높은 비만율의 책임이 개인에게 있지 않고 돈과 정치적인 논리에 휘둘린 정부와 패스트푸드 업체들에 있다고 주장하고 싶어서 이 영화를 찍었대. '영화사상 최고 난이도의 스턴트를 선보인 한 남자의 원맨 패스트푸드쇼'라는 영화 광고 문구가 섬뜩하게 느껴졌어. 영화를 보지 못했어도 소름이 돋지 않니? 맛있게 먹어 치운 햄버거가 몸에 독소를 쌓는 음식이었다니 말이야. 그럼 이런 햄버거가 우리나라에 들어온 건 언제부터였을까?

패스트푸드의 대명사 맥도널드 햄버거가 한국에 상륙한 것은 1988년이라고 해. 서울 압구정동 로데오 거리에 1호점을 열고 햄버거와 함께 미국 문화를 팔기 시작했다지. 코카콜라와 함께 미국식 소비문화를 상징하는 이 브랜드에 젊은이들은 휘청거렸지. 때마침 88 서울 올림픽을 앞둔 시기였으니 글로벌화라는 근사한 이유까지 덧붙일 수 있어서 그 확산 속도는 상상 이상이었대. 맥도널드 1호점은 젊은 세대의 문화 특구라 불렸다지만 한국의 소비문화가 미국화되는 출발점인 건 분명해. 미국이라는 브랜드와 새로움을 갈망하던 젊음은 빠른 속도로 맥도널드 문화를 확산시키고 그 이미지에 중독되어 갔을 거야. 밝고 경쾌한 음악, 반짝이는 네온 불빛, 심지어 화장실 변기마저도 멋져 보이는 이 이미지의 왕국은 환영 인사마저도 새로웠어.

미국 문화의 새로움은 '세련미'와 '진보'라는 단어와 어울려 그 시절 청년기였던 우리의 사상을 지배했어. 당시 물가로 보았을 때 결코 싼값이 아니었기 때문에 햄버거는 쉽게 먹을 수 있는 음식이 아니었는데도 말이야. 그래서 더욱 그 문화를 갈망했는지도 모르지만 십수 년이 지나 바라보니 결국 미국 문화가 승리했다는 생각이 들어.

국가별 맥도널드 매장 수 순위를 보니 미국, 일본, 캐나다, 영국,

독일에 이어 우리나라는 이백삼십여 개로 12위에 올라 있더라. 작은 땅에 참 많이도 들어섰다는 생각이 너도 들지? 그러니 지금은 어느 거리에서나 쉽게 햄버거 가게를 찾을 수 있는 거야. 어디 맥도널드뿐이니? 비슷한 패스트푸드 가게가 골목길까지 들어차 있으니 그것을 사 먹지 않는 일이 더 어려운 시대가 되었잖아. 그런데 사람들은 왜 이런 음식들을 먹고 싶어 하는 걸까? 몸에 나쁘다는 것을 잘 알면서도 말이야. 그것이 바로 영화감독과 시인이 말하고 싶어 하는 부분이야. 무엇이 우리에게 나쁜 음식을 선택하도록 조종하는지 알려 주려고 말이야.

그럼 오늘은 특별히 햄버거를 들고 시를 읽어 볼까?

햄버거를 먹으며

오세영

사료와 음식의 차이는
무엇일까.
먹이는 것과 먹는 것 혹은
만들어져 있는 것과 자신이 만드는 것.

사람은

제 입맛에 맞춰 음식을 만들어 먹지만

가축은

싫든 좋든 이미 배합된 재료의 음식만을

먹어야 한다.

김치와 두부와 멸치와 장조림과……

한 상 가득 차려 놓고

이것저것 골라 자신이 만들어 먹는 음식,

그러나 나는 지금

햄과 치즈와 토막 난 토마토와 빵과 방부제가 일률적으로 배합된

아메리카의 사료를 먹고 있다.

재료를 넣고 뺄 수도,

젓가락을 댈 수도,

마음대로 선택할 수도 없이

맨손으로 한입 덥썩 물어야 하는 저

음식의 독재,

자본의 길들이기.

자유는 아득한 기억의 입맛으로만

남아 있을 뿐이다.

이 시는 시인이 미국에서의 체험을 묶은 시집에 들어 있어. 그래서 햄버거와 코카콜라로 상징되는 미국의 자본주의 문화를 비판하는 시들이 많아. 특히 시인은 미국에서 미국이 아니라 한국을 보았다는 말을 하는데, 그 의미를 생각해 봐야 할 것 같아. 미국 문화가 그만큼 우리에게 익숙하고 일상생활 전반에 깊숙이 스며들어 있다는 뜻일 거야. 그러므로 시인이 미국 문화를 관찰하고 비판한 것은 또 다른 면에서는 우리 문화에 대한 성찰을 요구하는 셈이야. 전 세계 어느 곳에서나 만날 수 있는 햄버거야말로 비판하고픈 문화의 상징이고.

사료는 가축의 먹이라는 뜻이잖아. 여기서 시인이 '아메리카의 사료'라고 한 것엔 여러 가지 의미가 있는 듯해. 첫째는 햄버거의 재료가 이미 찌꺼기들의 배합이라는 뜻일 거고, 둘째는 미국 문화를 받아들이는 데 있어 좋고 나쁨의 분별 없고 생각 없는 태도를 비꼬는 의미일 거야. 가축처럼 주는 대로 받아 먹다 보니 쓰레기가 쌓여서 '슈퍼 사이즈'가 되는 줄도 모르는 세태를 걱정하는 것이지. 우리의 삶 전체에 패스트푸드가 스며든 모습이 어떤지 바라보라고 호소하는 거야. 우리 몸을 유지하게 하는 음식을 자유 의지로 선택할 수 있다면 더 큰 자본에게도 자유를 뺏기지 않을 것이라는 게 시인이 꼭 하고 싶었던 말일 것 같아.

생각해 보면 나의 입맛과 취향과 기호는 모두 나도 모르는 사이에 자본의 손길에 길들여지고 있는지도 몰라. 엄밀한 뜻에서 나의 의지로 선택한 것은 별로 없어. 이러한 이유가 뭔지 아니? 바로 광고 때문이지.

얼마 전에 유행하던 광고 중에 "쇼를 하라, 쇼!"라는 광고 기억 나지? 이 카피는 정말 우리 시대의 욕망을 정확하게 대변하는 말 같아. 햄버거, 커피, 자동차, 휴대 전화 등의 이미지란 바로 시각적 판타지이고 돈의 유혹이고 쇼이기 때문이야. 자신의 눈에 스스로 속아 넘어가도록 만든 자본주의의 정교한 마술이랄까. 그런 광고를 현대인들이 하루에 대략 오천 개쯤 보고 있다니 놀랍지 않니? 의식하지 못한 채 보고 있는 수천 개의 광고가 자유 의지가 발동하기도 전에 판단을 부추긴다는 주장이 이제 이해되지?

이쯤에서 햄버거 이야기로 시작한 내 의중을 알아차렸을 거야. 스스로를 시험대에 올린 영화감독도, 사료를 먹지 말라는 시인도 모두 한생각이야. 몸에 좋은 음식을 먹으라는 기본적인 충고뿐 아니라, 그 음식들을 지배하는 자본의 커다란 손길을 알아차려야 한다는 경고가 담겨 있어. "싫든 좋든 이미 배합된" 햄버거를 고르듯이 모든 것을 광고의 지시대로, 이미지의 속임수대로, 돈의 손길대로 선택하고 있음을 알아야 할 것 같아. 음식마저도 '제품'으로 가득한 우리의 식탁을 잘 살펴봐. 세계 각국의 다양한 재료들이 뒤섞인 글로벌한 식탁이야. 그러니 눈 밝은 시인은 햄버거가 종내 못마땅해서 사료라고까지 했겠지. 이것이 '사료'인데도 먹을 수 있겠느냐고 엄한 목소리로 묻고 있어.

어느새 햄버거를 내려놓았구나. 아, 이제 건강한 식사를 하려고 생각 중이라고?

죽은 영혼에 바치는 노래

어느 날 늘 오가던 길이 유난히 막혔던 적이 있어. 출퇴근 시간도 아니고 백화점 세일 기간도 아니고 사고가 난 것도 아닌데 차들이 무언가를 피해 가느라 서로 얽혀 있었지. 고개를 내밀어 봐도 밀린 차들 때문에 이유를 알 수가 없었고 그 상황은 오래도록 풀리지 않았어. 아주 한참을 기다린 후에야 겨우 옆 차선으로 천천히 움직일 수 있었는데, 그때 내가 무엇을 봤는지 아니? 도로 한가운데를 차지한 비둘기 두 마리였어. 처음엔 저것들 때문인가 싶어 화가 났지. 도대체 도로 위에서 뭘 먹겠다고, 라며 속으로 욕을 했지. 그런데 그 순간 내 눈에 비친 건 붉은 피였어. 자세히 보니 누워 있는 비둘기의 머리가 피에 흥건히 젖어 있었어. 도로 위로 번져 가는 핏물에 아직 온기가 남아 있는 듯 보였어. 죽음을 목격한 것만으로도 죄인같이 느껴졌지.

그런데 나를 더욱 떨리게 한 것은 또 한 마리의 비둘기였어. 죽어 가는 비둘기 옆에서 꼼짝 않고 붙어 있던 그 비둘기. 날개를 접은 채 그저 바라만 보던 그 비둘기. 차들로 아수라장이 된 지옥 같은 그곳에서 미동도 없이 다른 존재를 위해 마지막 시간과 공간을 만들어 주던 그 비둘기. 나는 그 모습을 오래도록 바라보았어. 저들은 어떤 관계일까 궁금했지. 어미와 어린 아들일까, 이제 막 아름다운 사랑을 시작한 연인일까. 그 무엇이든 간에 분명히 들리는 듯했어. 그 두 마리 비둘기가 마지막까지 함께하며 나누는 눈물과 안타까움이 말이야. 그리고 차를 운전하여 그곳을 벗어나면서 미안하다고 말했지. 그 후로도 오랫동안 내 머릿속에선 그 장면이 자주 정지 화면처럼 재생되곤 했어. 그럴 땐 시간과 공간이 사라지고 두 마리 비둘기만이 가득 차게 클로즈업되었어. 다음 생에서는 두 마리 비둘기가 더욱 아름다운 만남을 이루게 해 달라고 누군가에게 빌면서 애잔한 마음을 달랬어.

너도 이런 죽음을 본 적이 있겠지. 길거리를 가다가 동물들의 사체를 보고 고개를 돌려야 했던 끔찍한 경험이 있을 거야. 아스팔트에서 핏자국이 마르는 모습이나, 혹은 아무도 치우지 않은 주검이 납작하게 짓눌려 찢기던 모습을 피하지 못한 적이 있을 거야. 큰 도로에서든 작은 거리에서든 종과 나이를 불문하고 수많은 동물들이 처참한 죽음을 맞이하고 있어. 특히 대도시에서는 사람들이 주로 키우는 개나 고양이 같은 애완동물이 사고를 당하는 경우가 많지. 이처럼 동물들이 도로에서 차에 치여 죽는 것을 '로드킬

(roadkill)'이라고 해.

환경 단체의 통계에 따르면 로드킬로 죽는 불쌍한 동물들이 일
년에 이십삼만 마리가 넘는다고 하는구나. 더욱 걱정스러운 것은
멸종 위기의 동물들까지 자동차 바퀴에 속수무책으로 죽어 간다
는 점이야. 두꺼비나 새 같은 작은 동물뿐 아니라 고속 도로에서는
다람쥐, 고라니, 족제비나 노루와 같은 야생 동물의 사고가 많다고
하니 문명이 저지르는 죄가 아니고 무엇이겠니. 며칠 전에는 천연
기념물인 수달이 로드킬 당했다는 신문 보도가 있었지. 그 지역에
겨우 네 마리가 살고 있었다는데 그중 한 마리를 잃었으니 세상은
그만큼 가난해진 거겠지. 불빛을 피해 다리 밑으로 이동하다가 죽
었을 것이라는 기사에 무거운 마음이 일었어.

문명과 공생이라는 거창한 말도 생각해 보았지. 어찌 보면 지구
에서 삶을 영위한다는 사실은 다른 생명을 담보로 가능한 일일 거
야. 우리가 먹는 것만 보아도 그렇잖아. 그러나 문명과 발전이 거
스를 수 없는 역사의 물길이었다 해도 그것이 다른 생명체의 안식
처를 파괴하고 그들을 멸종 위기까지 몰고 가는 것을 정당화할 수
는 없어. 법의 심판을 받지 않는다고 도덕적 부채까지 사라지는 건
아니잖아. 희생물에 대한 미안함을 조금이라도 덜기 위해선 우리
가 자연에 미치는 영향을 최소화하고, 우리가 끼치는 피해를 명확
하게 인식하는 일이 필요한 것 같아.

그런 간절한 마음에서 영화를 찍은 감독이 있어서 시를 읽기 전에 잠깐 소개할게. 황윤 감독의 「어느 날 그 길에서」라는 영화야. 로드킬 당하는 동물들의 이야기를 찍은 독립 영화지. 감독은 길 위에서 죽어 가는 수많은 동물들의 실상을 조사해 사람들에게 로드킬의 비윤리적 죽음과 심각성을 말하고 싶었대. 10만 킬로미터가 넘는 자동차 길 위에서 소리 없이 죽어 가는 수많은 생명들을 다룬 이 영화는 마음을 단단히 먹지 않으면 끝까지 보기조차 힘들어. 그중에서도 특히 고속 도로에서 죽은 어미 고라니를 볼 땐 슬픔을 넘어 무릎을 꿇어야 했어. 어미의 배 속에서 자라던 새끼들이 어미의 죽음과 함께 배 밖으로 튀어나와 고속 도로에 널브러져 죽은 모습은 처참했어. 탄생도 없이 죽음을 맞이해야 하는 운명이라니. 그 외에도 상상할 수 없을 정도의 비참한 죽음을 보여 주며 감독은 말한단다. "우리는 이곳을 길이라 부르고, 이들은 이곳을 집이라 부른다."라고. 누군가의 집을 부수는 인간의 폭력과 이기심에 대해 생각하며 꼭 한번 이 영화를 보았으면 해. 지금은 시 한 편을 읽어 줄게. 슬픔이 온몸의 힘을 누르기 전에 작별 인사를 해야 할 누군가가 또 있단다.

개

조동범

    도로 위에 납작하게 누워 있는 개 한 마리.

    터진 배를 펼쳐 놓고도 개의 머리는 건너려고 했던 길의 저 편을 향하고 있다. 붉게 걸린 신호등이 개의 눈동자에 담기는 평화로운 오후. 부풀어 오른 개의 동공 위로 물결나비 한 마리 날아든다. 나비를 담은 개의 눈동자는 이승의 마지막 모퉁이 를 더듬고 있다. 개의 눈 속으로, 건너려고 했던 저편, 막다른 골목의 끝이 담긴다. 개는 마지막 힘을 다해 눈을 감는다. 골목 의 끝이, 개의 눈 속으로 사라진다. 출렁이는 어둠 속으로

    물결나비 한 마리 날아간다.

    납작하게 사라지는 개의 죽음 속으로

    물결나비 한 마리가 한가롭게 날던 평화로운 오후에 느닷없이 사고가 났어. 개 한 마리가 배가 터져 버린 채 도로 위에 누워 있 어. 짧은 비명도 없이 삶이 끝나는 순간이야. 똑바로 쳐다보지 못 할 만큼 처참하고 슬픈 죽음이지. 개가 마지막으로 눈 속에 담았던

허공과 나비가 사라지면 몸이 식어 가겠지. 말라 가면서도 향기를 날리는 꽃과는 다르게 피가 굳고 살이 찢기며 사라져 갈 테지. 주 검의 곁으로는 여전히 자동차가 달리고 사람이 지나갈 테고.

죽기 전에 개의 눈이 향했을 저 길 너머로 마음이 먼저 달려가. "건너려고 했던 저편, 막다른 골목 끝"에는 뭐가 있었을까. 혹 그 개를 기다리는 어린 강아지는 없었을까? 그렇다면 삶을 놓기가 얼마나 슬프고 무서웠을까? 죽어 가던 개는 이런 말을 하진 않았을까? 눈을 감으니 더 잘 보여. 이 마지막 숨이 끊어지기 전에 인사를 할래. 나의 예쁜 아이들아 안녕! 어제 새로 만난 친구야 안녕! 매일 보던 놀이터 나무야 안녕! 모두 안녕!

나는 개가 가려던 골목으로 가서 개를 기다리고 있을 무엇에게 그만 어디로든 가라고 말해 줘야 할 것 같았어. 기다려도 오지 못 한다고, 그러니 따뜻한 곳을 찾아가라고. 그러나 그런 곳이 있기나 할까? 문명이 닿지 않는 곳이 지구 위에 있을까? 깊은 바닷속이나 구름 위라면 모를까 땅 위에서 잠을 자야 하는 동물들에게 평화로 운 안식처는 없는 거였어. 이 사실이 무척이나 미안해서 밤길에 문 득 길고양이라도 만나면 잠자리가 걱정이 되곤 해.

지금 이 순간에도 "마지막 힘을 다해 눈을 감는" 세상의 영혼들 이 다음 생에서는 부디 깨끗하고 질긴 새 옷 한 벌을 입고 아름답 게 살다 가기를 간절히 기도해 주고 싶은 밤이야.

손과 손을 잡으면

 광장이 있고 촛불이 밝혀졌어. 서울 광화문과 시청 앞에서, 부산에서 대전에서 광주에서 사람이 사는 곳이면 어디든 촛불을 들고 사람들이 모였어.

 2002년 주한 미군의 장갑차에 치여 사망한 두 소녀를 추모하기 위해 시작된 촛불 집회는 그 후 2004년 노무현 대통령 탄핵 사건 때도 있었고, 2008년 미국산 쇠고기 수입 반대 운동 때도 열렸지. 특히 십 대 여학생들이 미국산 쇠고기 수입을 반대하는 촛불 문화제를 처음 연 뒤로 많은 시민들이 수입 조건 재협상을 외치며 자발적으로 참여하면서 집회가 전국으로 확산되었어. 2008년의 촛불 집회는 이전과는 달리 이른바 주도 세력이 없는 자발적 개인들의 모임이라는 점이 가장 큰 특징이었어. 중고생부터 대학생, 직장인, 유모차를 끄는 젊은 주부들까지 다양한 개인들이 자기 의사에 따라 거리로 나와 비폭력적인 방법으로 자신들의 주장을 폈어. 그때 촛불을 들고 광장을 다녀온 친구 얘기를 너도 했으니까 촛불로 얼마나 많은 국민들의 뜻을 밝혔는지 알 수 있을 거야.

촛불은 자신의 몸을 불살라 주위를 밝게 비춘다는 점에서 희생을, 약한 바람에도 꺼지지만 여럿이 모이면 온 세상을 채운다는 점에서 결집을, 어둠 속에서도 빛을 잃지 않고 새벽을 기다리는 불꽃이라는 점에서 꿈과 기원을 상징한다며 촛불 집회에 의미를 부여한 기사를 읽은 적이 있어. 참 정확하게 짚었구나 생각했고, 내가 처음으로 집회 장면을 목격했던 대학 1학년 때가 떠올랐어. 그리고 앞선 세대들이 살아간 이야기와 촛불을 드는 사람들의 마음을 이해하는 데 도종환의 「담쟁이」라는 시가 제격이라는 생각이 들었어.

1980년대의 마지막 해에 대학 신입생이 된 나는 처음으로 민중가요라는 것을 들었지. 선배들로부터 그 당시 금서였던 사회 과학 서적 몇 권과 「임을 위한 행진곡」, 「광야에서」, 「타는 목마름으로」 같은 노래들을 배웠어. 그리고 최루탄 가스와 화염병이 넘쳐 나는 거리를 두어 번 지나갔지. 내 행동에 대한 어색함과 분명하지 않은 가치관들로 인해 가슴 한편엔 두려움의 그늘이 무척 컸어. 6월 항쟁의 승리로 인해 민주화 운동이 어느 정도 수그러들어 예전 같은 격렬한 투쟁은 없었지만 처음 겪는 그 일들은 여전히 큰 비밀을 숨긴 듯했거든. 부모님이나 선생님으로부터 들어 보지 못한 새로운 사실들에 놀라움과 의문이 함께했던 때였어.

며칠 전 신문에서 김제동 씨의 인터뷰를 읽다가 고개를 끄덕였지. 이십 대 초반까지도 '광주 민주화 운동'을 빨갱이들이 벌인 줄 알고 살았다는 그의 솔직한 얘기처럼 나도 정말 그랬으니까. 고등학교 선생님께 고민을 적은 편지를 몇 번 보내고 답장을 받으면서 나는 한 걸음씩 물러나고 있었어. 독재 타도나 민주주의, 진보라는 단어를 몸에 새기기엔 나는 용기가 없었고 그 모든 게 남의 일인 듯했고, 지금 생각해 보면 무엇보다 가슴속에 정의가 없었던가 싶어. 나는 조금씩 해방 춤의 순서를 잊으면서 그 대신 부끄럽게도 화장품 바르는 순서를 익혔던 것 같아. 해방 춤이라는 말, 처음 들어 봤지? 문화 집회나 노동 현장에서 농민가에 맞춰 추던 4박자 춤이야. 아무튼 나는 광장에서 사람들이 모이면 에둘러 갔고, 백화점에 사람들이 모이면 고개를 들이미는 평범한 여대생의 길을 선택했어. 왜냐하면 그것이 불안함 없이 즐겁게 사는 방법이었거든. 따로 모여서 무슨 어려운 책을 공부할 필요도 없었고 마음의 혼란을 느끼지 않아도 되었으니까. 내 한 몸 쉴 곳을 찾아다닐 뿐 누군가의 그늘이 되어 주려고 하지 않았던 거지. 거대한 역사의 물결에 동참하기보다는 모래알 같은 일상을 쌓는 일을 나의 꿈으로 삼았지.

그로부터 십수 년이 지난 어느 해 촛불이 밝혀지는 것을 보다가 「담쟁이」라는 시가 문득 떠올랐고 여전히 행동하지 못하는 내가 조금 부끄러웠어. 가슴속에 미안함으로 남아 있던 청춘의 도피가 다시 되살아나는 것 같았어. 교복을 입은 어린 학생들의 뜨거운 마음 앞에서는 더욱 초라해지더구나. 흔들리는 촛불이 한 자루씩 켜지면서 번져 가는 광경은 감동이었어. 그것은 마치 담쟁이가 서로 몸을 이어 벽을 타 오르는 모습과 같다는 생각이 들면서 가로막은 벽을 넘는 담쟁이들의 투혼이 촛불과 오버랩 된 것이지. 그리고 담쟁이처럼도 기어오르지 못하는 내 손을 보았지.

담쟁이

도종환

저것은 벽
어쩔 수 없는 벽이라고 우리가 느낄 때
그때
담쟁이는 말없이 그 벽을 오른다
물 한 방울 없고 씨앗 한 톨 살아남을 수 없는
저것은 절망의 벽이라고 말할 때
담쟁이는 서두르지 않고 앞으로 나아간다
한 뼘이라도 꼭 여럿이 함께 손을 잡고 올라간다

푸르게 절망을 다 덮을 때까지
바로 그 절망을 잡고 놓지 않는다
저것은 넘을 수 없는 벽이라고 고개를 떨구고 있을 때
담쟁이 잎 하나는 담쟁이 잎 수천 개를 이끌고
결국 그 벽을 넘는다

우리가 "저것은 벽"이라고 할 땐, 대부분의 사람들이 상식적으로 느끼는 일이 가로막혔을 때야. 국민적 공감과 정서를 얻지 못한 일들 말이야. 그러면 사람들은 모일 수밖에 없어. 한 사람의 힘으로는 "어쩔 수 없는 벽"이지만 모두가 함께 밀고 나가면 그것은 또 무너지는 벽이 되니까.

담쟁이가 흙 하나 없는 벽을 오를 때, 내 손 위에 네 손을 붙이고 그 위에 또 저 손을 붙여 "한 뼘"씩 같이 나아가는 것을 보았을 거야. 도로의 방음벽이나 돌담도 무성하게 뒤덮는 담쟁이를 보면 그 꿋꿋한 기운에 마음이 든든해지지. 제아무리 단단하고 무서운 "절망의 벽"도 붙잡고 놓지 않는다면 언젠가는 넘을 수 있다는 것도 믿게 되고. 그렇지만 나는 여전히 용기가 없었어. 심상에 심장을 잇대어 기어오르는 담쟁이처럼 그저 촛불 하나를 밝히고 저들의 손을 잡으면 되는 거였는데 그것을 하지 못했어. 우리 모두가 저것은 벽이라고 느끼는 순간에 누구는 말없이 거리에 나왔는데 나는 신발 끈만 묶었다 풀며 발만 동동 구르고 말았어. 아, 나의 비겁함이여. 언제쯤이면 나도 담쟁이가 되어 사람들 손을 잡고 벽을 넘을 수 있게 될까?

불꽃은 사라지고 광장은 다시 빈터로 남았지만 몸이 다 닳도록 기어간 흔적들은 사라지지 않을 거야. 설혹 그 열기는 식었다 해도 함께 손잡았던 힘과 믿음이 다시 촛불을 들게 하고 담쟁이처럼 벽을 넘게 할 거야. 그 시대와 역사 속으로 쉽게 합류하지 못하고 나처럼 한 걸음 비켜서 있는 사람에게도 담쟁이의 푸른 벽은 희망의 다른 이름이야.

그러나 행동하지 못한 아쉬움과 부끄러움이 겹칠 때면 난 나희덕의 이 시를 다시 읽곤 해.

뜨거운 돌

나희덕

움켜쥐고 살아온 손바닥을
가만히 내려놓고 펴 보는 날 있네

지나온 강물처럼 손금을 들여다보는
그런 날이 있네
그러면 내 스무 살 때 쥐어진 돌 하나
어디로도 굴러가지 못하고
아직 그 안에 남아 있는 걸 보네

가투 장소가 적힌 쪽지를 처음 받아 들던 날
그건 종이가 아니라 뜨거운 돌이었네
누구에게도 그 돌 끝내 던지지 못했네
한 번도 뜨겁게 끌어안지 못한 이십 대
화상(火傷)마저 늙어 가기 시작한 삼십 대
던지지 못한 그 돌
오래된 질문처럼 내 손에 박혀 있네

그 돌을 손에 쥔 채 세상과 손잡고 살았네
그 돌을 손에 쥔 채 글을 쓰기도 했네
문장은 자꾸 걸려 넘어졌지만
그 뜨거움 벗어나기 위해 글을 쓰던 밤 있었네
만일 그 돌을 던졌다면, 누군가에게, 그랬다면,
삶이 좀 더 가벼울 수 있었을까

오히려 그 뜨거움이 온기가 되어
나를 품어 준 것은 아닐까 생각해 보기도 하네

오래된 질문처럼 남아 있는 돌 하나
대답도 할 수 없는데 그 돌 식어 가네
단 한 번도 흘러넘치지 못한 화산의 용암처럼
식어 가는 돌 아직 내 손에 있네

"가투 장소가 적힌 쪽지를 처음 받아 들던" 그때 나는 겨우 열아홉이었어. 시인처럼 그건 조그만 종이쪽지가 아니라 무겁고 "뜨거운 돌"이었지. '가투'는 '가두 투쟁'을 줄인 말인데, 거리에서 하는 시위를 뜻해. 그래서 시위 장소가 어딘지 아는 것이 참 중요했고 시위가 시작되기 전에 장소가 경찰들에게 알려지면 안 되었지. 그런 쪽지를 받아 든 거였어. 심장이 두근거렸지. 마치 사랑 고백을 받은 양 심장이 뛰기 시작했어. 친구들이 수군거리고 나는 망설였어. 주먹을 꼭 쥔 채 내 손만 응시하고 있었어.

나는 그날 집으로 돌아오는 버스 안에서 거리에 있는 친구들을 보았어. 주먹으로는 여전히 쪽지를 움켜쥐고선 행여 눈이라도 마주칠까 두려워 고개를 돌렸지. 그 순간 손은 불을 쥔 듯 뜨거웠어.

그렇지만 손 안에서 타고 있는 종이를 놓아 버릴 순 없었어. 그것마저 버린다면 난 양심조차 없는 사람일 듯싶었으니까. 시인도 그렇게 손에 화상을 입었던 모양이야.

그때 만약 내가 그 거리에서 돌을 던졌다면 어땠을까, 가끔 물어볼 때가 있어. 그랬다면, 손은 가벼워졌을까? 잘못을 잘못이라고 소리쳤다면 마음도 후련해졌을까? 이 시의 화자도 나처럼 뜨거운 돌 하나를 쥔 채 이러지도 저러지도 못한 세월을 보냈다는 뜨거운 고백을 읽으면서 나는 공감했어. 끝끝내 "흘러넘치지 못한 용암처럼" 손 안에 고여 있다가 지금은 식고 있는 돌. 아직도 손에 쥐고 있는 그 무거움 때문에 이 시의 화자도 세상을 향한 시선을 거두지 않고 있는 것이라고 믿고 있어. 세상에 대한 질문 하나쯤 이렇게 뜨겁게 쥐고 있는 것도 괜찮지 않을까. 던지지 못한 그 돌의 무거움으로 인해 내가 잘못된 길로 함부로 나아가는 일은 없을 거라고 믿으면서 말이야.

부자들의 시대

시다의 꿈

박노해

긴 공장의 밤
시린 어깨 위로
피로가 한파처럼 몰려온다

드르륵 득득
미싱을 타고, 꿈결 같은 미싱을 타고
두 알의 타이밍으로 철야를 버티는
시다의 언 손으로
장미빛 꿈을 잘라
이룰 수 없는 헛된 꿈을 싹뚝 잘라

피 흐르는 가죽본을 미싱대에 올린다
끝도 없이 올린다

아직은 시다
미싱대에 오르고 싶다
미싱을 타고
장군처럼 당당한 얼굴로 미싱을 다고
언 몸뚱아리 감싸 줄
따스한 옷을 만들고 싶다
찢겨진 살림을 깁고 싶다

떨려 오는 온몸을 소름치며
가위질 망치질로 다짐질하는
아직은 시다,
미싱을 타고 미싱을 타고
갈라진 세상 모오든 것들을
하나로 연결하고 싶은
시다의 꿈으로
찬 바람 치는 공단거리를
허청이며 내달리는

왜소한 시다의 몸짓
파리한 이마 위으로
새벽별 빛나다

'시다'가 누구를 가리키는 말인지 알게 된 건 이 시를 읽고 나서였단다. 『노동의 새벽』이라는 시집에 실려 있지.

남도의 소읍에서 중학 시절을 보낸 나는 가난한 친구들을 많이 보았지. 내가 지금 말하는 이 가난은 네 생각과는 무척 다르단다. 인기 가수가 광고하는 최신형 휴대 전화를 사서 친구들 앞에서 멋있게 자랑하고 싶은데 당장 바꿀 수 없는 정도의 아쉬움이 아니고, 예쁜 가방이 하나쯤 더 있었으면 좋겠는데 쉽게 사지 못하는 그런 부족함이 결코 아니야. 대학 간 오빠의 등록금을 마련하기 위해, 혹은 서너 명의 동생들을 중학교까지라도 교육시키기 위해 스스로 학업을 포기해야 하는 그런 가난이 있다면 너는 이해할 수 있겠니? 그리고 그 운명 같은 가난의 짐을 어깨에 올려놓을 수 있겠니?

1980년대 내 친구들이 짊어져야 했던 가난이란 그런 무게였단다. 한 반의 육십오 명의 여학생 중에서 '시다'가 된 친구가 십여 명이 넘었던 시절. 이제 겨우 열여섯 열일곱의 나이로 대구나 부산이나 인천의 공단으로 흩어져 가던 그 친구들이 '시다'였더구나.

유독 친하게 지냈던 짝꿍이 부산의 신발 공장으로 간다는 말을 하면서 흘렸던 눈물은 고향에 남아 있는 나를 참 미안하게 했던 기억이 생생해. 그렇게 떠난 친구들이 아주 가끔씩 피곤이 잔뜩 묻은 편지를 보내올 땐, 그 불편한 현실을 직접 읽는 것이 힘들고 무어라 답장을 해야 할지 몰라서 하루 이틀 미루었던 날들도 많았지. 그 편지들을 펼치면 시 속에서처럼 "드르륵 득득" 미싱 소리가 들리는 듯했어. 그림을 무척 잘 그렸던 짝꿍은 기숙사 방과 신발 가죽을 박는 미싱을 그려서 편지에 넣어 주었는데 그림 위에 친구의 부은 눈이 보이는 듯도 했지. 그러나 졸음을 억지로 참아 가며 그렸을 그 그림 속에 친구의 잃어버린 꿈과 세상의 아픔이 숨어 있다는 것은 미처 알아채지 못했어.

고등학교 3학년이 되던 해 명절에는 짝꿍이 자기가 만든 운동화 한 켤레와 유안진의 수필집을 들고 우리 집을 찾아왔어. 열심히 공부해서 좋은 대학에 가라며 선물이라고 주고 갔지. 자기도 이제 야간 고등학교에 다니게 되었다고 웃던 그 얼굴은 주고 간 하얀 신발보다 더 깨끗했는데, 그것이 마지막이었구나. 다행히 조금 덜 가난했던 나는 하굣길에 친구들이랑 떡볶이를 사 먹으며 새로 온 총각 선생님 얘기를 하고, 여대생이 되면 키가 큰 남학생이랑 미팅을 해 봐야지 하면서 설레는 사춘기를 보냈지만, 그 소박한 바람마저도 그저 꿈일 수밖에 없던 친구. 그 친구를 그렇게 보내지 말았어야 했는데 후회가 되는구나.

지금 생각해 보면 내 짝꿍의 속 깊은 배려로 편지는 중단되었고 나는 대학에 와서 이 시를 만나는 순간까지 책상 대신 미싱 앞에 앉은 친구들을 까맣게 잊고 지냈더구나. 가족과 나라의 "찢겨진 살림"을 깁기 위해 저임금과 장시간 노동의 비참한 현실을 온몸으로 견딘 노동자들이 바로 내 친구들이었는데 말이야.

박노해의 시집 『노동의 새벽』은 이미 내게 도착해 있던 친구들의 편지와 다를 바가 없었어. 그래서 이 시집을 읽는 일은 몇 해 전 끊어졌던 짝꿍의 편지를 새로 받아 든 것처럼 뜨거운 부끄러움을 다시 느끼게 했지. 책을 덮고 미안하고 궁금한 마음에 짝꿍의 옛 주소로 여러 번 편지를 보냈지만 봄이 가고 가을이 오도록 답장이 없었고 나는 나대로 도시 속으로 빨려 들어가선 이제 소읍에서의 추억에는 먼지만 쌓이고 말았지. 이렇게 일부러라도 이 시를 꺼내 읽지 않으면 친구들이 더 이상 떠오르지도 않게 내 마음은 퇴화되었구나.

급속도로 발전한 자본주의의 이면에는 이윤의 분배에서 소외된 노동자들의 피땀이 있다는 것을 알리고자 했던 시인 박노해. 그가 시 속에 세운 주인공은 가까운 이웃의 누이였고 어린 딸이었고 옆자리의 친구였어. 화가가 되고 싶어 했던 내 짝꿍의 "장미빛 꿈"도 신발 가죽으로 세상에 뿌려지고 낡아 갔겠지. 그러다 아무 미련도 없이 쓰레기통에 버려지는 신발처럼 그 누구도 그들의 꿈을 빼앗은 것에 대해 미안함도 책임감도 가지지 않았겠지. 미싱이 돌아가는 속도만큼 사회는 빠르게 변화했지만 그 속도를 따라오지 못한 그들은 지금 어디에 있을까? 그때로부터 이십여 년이 더 지난 지금, 대학 진학률이 80퍼센트를 넘는 지금, 세상은 누구에게나 공평하고 훨씬 더 행복한 곳이 된 걸까? "갈라진 세상 모오든 것들을 하나로 연결허고 싶"었던 시다의 꿈은 이루어졌을까? 이제 아무도 가난에 대해 얘기하지 않는 평화로운 시절이 온 것일까? 아니라고 생각해. 나이가 조금 더 들고 세상을 보는 눈이 조금 생겨서인지 이제 이 시를 읽으면 예전과는 다른 슬픔과 분노가 생겨. 여전히 바뀌지 않은 세상 앞에서 한없이 초라한 내가 보여.

가난을 원하는 사람은 없을 거야. 오죽하면 새해 덕담으로 '부자 되세요.'라는 말이 유행하겠니? 그만큼 우리 사회의 모든 가치가 돈으로만 판단되고 있다는 증거겠지. 부자들을 위한 민주주의라는 말까지 나올 만큼 불평등한 분배와 불합리한 제도로 부자는 더 부자가 되고 가난한 사람들의 삶은 더 어려워졌어. 오래전 서정주 시인이 말하던 가난은 더 이상 없는 거야. "가난이야 한낱 남루(襤褸)에 지나지 않는다 / (…) / 우리들의 타고난 살결 타고난 마음씨까지야 다 가릴 수 있으랴"(「무등을 보며」)라고 했던 그런 가난. 가난이란 불편한 것일 뿐, 가난이 우리의 이상과 천성을 바꿀 수는 없다고 시인은 믿었다는데……. 가난이 그런 대접을 받던 시대는 그래도 좋았다는 생각이 드는구나. 이제 가난은 창백한 미래를 만드는 무서운 힘을 휘두르게 되었으니 말이야. 이 지점에서 현실을 다시 본다면 아직도 시다의 노래가 끝나지 않았음을 알게 될 거야. 아니, 오히려 이재무 시인의 말처럼 가난은 "생활의 중증 장애자, 구차한 천덕꾸러기 되어/몰매 맞는 가련한 왕따"(「가난에 대하여」)가 되어 우리를 더욱 옥죄고 있는 것 같아.

꿈과 인권을 박탈당한 사람들의 아픔을 담보로 사회가 발전한다면 이것은 모래 위의 성 같다고 생각해. 모래 위에는 튼튼한 성을 세울 수 없는 것처럼 세상의 불균형 위에는 어떤 행복도 제대로 세워지지 않을 거야. 부자와 가난한 자의 간극이 더욱 심해지고 있는 현실에서, 이제는 부의 대물림이 거의 모든 것을 결정하는 현실에서, 시 속의 슬픈 '가난'과 인간의 존엄에 대해 한 번쯤은 진지하게 생각해 봤으면 해. 시인이 대신 노래한 '시다'들의 꿈이 얼마나 아픈 것인지 우리가 다 짐작하진 못하겠지만, 이런 것에 대해 생각해 보는 것만도 충분히 가치 있는 일이라고 생각해. 이처럼 사회의 가장 아프고 어두운 곳을 끌어안는 게 문학의 큰 역할이야. 경제적 잣대로는 잴 수 없는 삶의 가치들을 끝까지 지키고자 하는 것이 바로 시니까 말이야. 그래서 시는 때때로 저항의 에너지를 품기도 하나 봐.

그나저나 나는 더 늦기 전에 내 짝꿍의 소식을 찾아봐야겠어. 그녀도 지금은 나처럼 두 아이를 키우는 엄마이기를, 미싱 대신 청소기를 돌리는 평범한 아줌마가 되어 있기를 바라면서.

강, 모성의 다른 이름

오비디우스의 『변신 이야기』 중에 '천지 창조' 대목을 잠깐 소개해 줄게. 태초에 하늘과 땅이 생겨났어. 하늘로부터는 땅을, 땅으로부터는 물을, 대기로부터는 맑은 하늘을 떼어 놓았어. 신은 이들을 떼어 내고는 서로 다른 자리를 주어 평화와 우애를 누리게 했지. 이어서는 강이 제각각 다른 방향으로 흐르기 시작했어. 강 가운데에는 흘러가다 대지 속으로 빨려 들어가 버리는 강도 있었고, 멀리 흘러가 이윽고 망망한 바다의 품에 안겨 초록빛 강변 대신에 낭떠러지의 바위를 씻는 것도 있었대. 그다음에 신은 땅을 골라 평지를 만들고 골짜기를 파고 험한 산을 세우기도 했다네.

그 태초의 강이 지금도 흐르고 있어. 수만 년간 도도히 그 자리를 흐르고 있었어. 저 먼 원시 시대 사냥에 쫓기던 사슴의 발자국도, 전쟁터를 달리던 고구려 때의 말발굽도, 임을 배웅하던 아낙의 눈물도 섞여 흐르던 강이 있었어. 강이 있으면 생명이 생기고, 강이 있으면 사람들이 모여 살고, 강이 있으면 그곳이 그대로 역사가 되는 것이었지.

그런데 그 강이 앓고 있어. 이 시대에 우리가 태초의 강물을 마음대로 바꾸고 각자의 자리에서 평화를 누리고 우애를 다지라고 했던 신의 말을 어기고 있는 거야. 포클레인으로 강의 바닥을 다 긁어내서 강뿐만 아니라 강이 품고 있던 수많은 생명들을 모두 앓게 만들고 있구나.

나는 여전히 가로등이 환한 산책로보다는 반딧불이 보이는 어둠의 강가가 더 좋고, 반듯하게 흘러가는 물길보다는 굽이를 지으며 산과 바위를 둘러 가는 강물의 흐름이 더 좋단다. 마음이 평화로워지는 풍경이란 그런 것이라고 믿기 때문이야. 왜, 너도 그랬잖아. 경기도 시골 어디께로 학교 수련회를 갔던 날, 태어나서 처음으로 그렇게 많은 별을 봤다고. 친구들과 평상에 누워서 바라본 밤하늘이 너무 예뻤다고. 더 많은 별을 보려고 휴대 전화도 끄고 손전등도 껐다고. 처음으로 풀벌레 소리랑 개울물 소리도 들었는데 시끄럽지 않고 마음이 편안했다고. 네 말을 들으며 내가 얼마나 대견해했는지 아직 말 안 했지? 단 한 번이라도 자연의 흐름과 풍경에 위로를 받고 온 것이 또한 얼마나 감사했는지도 말이야. 내가 생각하는 자연이란 그런 모습이고 존재여야 하는데, 그런데 지금은 이런 강의 모습을 다 잃어버렸으니 무엇보다 물을 우주로 삼은 물속의 생명들은 누가 보듬어야 할까? 생명을 키우지 못하는 강의

아픔은 과연 누가 감싸 줄 수 있을까? 우리는 또 어디서 고요함을
배울까?

강의 이마를 짚어 주는 저녁 어스름

배한봉

물고기에게 물은 살과 피, 아니 먼 조상들, 아니 물고기에게
물은 연인, 아니 아니 물고기에게 물은
달을 품고 있는 우주

나는 한 번도 물속에서 살아 본 적이 없다
물고기만큼 물을 사랑하고, 물과 키스하며
안과 밖이 맑은 물로 채워진 세계가 되어 본 적 없다

　지금도 강변 모래사장을 잃은 물이 뿌우연 침묵으로 아우성
치는 시간

　자궁을 긁어내고 혼절한 여자처럼

원치 않던 바닥을 긁어내고 누워 있는 강

나는 한 번도 물에서 살아 본 적 없다고 세 번 부정하지만
내가 사는 세계의 안과 밖에는 물이 가득 차 있다

그러니까 나나 당신이나 물이 아픈 세계에서는 살 수 없는
우주의 물고기

과거의 나에게, 아니 아니 미래의 우리에게
보(洑)를 풀어 달라 아우성치는,
지금은 뿌우옇게 아픈 강의 이마를 저녁 어스름이 짚어 주
는 시간

물속의 물고기가 아니라도 물은 모든 생명을 탄생시키고 키우
는 어머니이지. 생명이 처음 시작된 곳이라고 다윈이 믿었던 곳 또
한 '따뜻하고 작은 연못'이었어. 과학적으로 증명된 바로도 생명
탄생에 필요한 모든 기본 조건에는 반드시 물이 들어 있지. 우리가
생명을 키웠던 곳도 엄마 배 속의 양수이고 말이야. 물, 그래서 물
이 흐르는 강은 생명을 품은 어미의 몸처럼 느껴지는 것이지.

그런데 그 강의 자궁이 상처 입었다면 말이야, 더 이상 건강한 생명을 키울 수 없다는 말이나 다름없어. 자궁이 없는 어미를 생각할 수 없듯이 모래사장과 튼튼한 바닥을 잃은 강은 자궁을 잃은 것과 같으니까. 너도 텔레비전에서 봤지? 중장비가 쉴 새 없이 강바닥을 긁어내고, 수천 년 동안 강의 일부였던 모래를 강둑 너머로 퍼내어 마치 피라미드를 옮겨 놓은 것 같았잖아. 이 처참한 모습을 시인도 보았던 게지. 말문이 막히고도 남았겠지만 우선은 고개를 돌려 외면하고 싶어 했어. 너무 비참한 일을 보면 그 슬픔을 감당하고 싶지 않아 모른 척하고 싶어지잖아. 비겁하지만 슬픔을 감당하는 게 버겁고 싫어서 말이야. 그래서 시인도 내가 한 일은 아니니까 내 잘못은 아니야,라고 했어. 그래도 강인데 어떻게든 살아나겠지, 그럴 거야, 믿고 싶었던 거지. 슬픔의 힘에 붙잡히고 싶지 않아서 나는 "물에서 살아 본 적 없다고" 세 번씩이나 부정하잖아. 하지만 우린 다 알지. 내 몸의 안과 밖, 지구의 안과 밖 모두 물이 가득 찬 곳이라는 것을. 강의 아픔이 곧 나의 아픔이라는 것을. 내가 한 번도 물고기처럼 물과 키스해 본 적 없어도 혼절한 강물에게 무엇을 해 주어야 하는지는 다 알지. 결국 시인도 "혼절한 여자처럼" 누워 있는 강에서 노을이 질 때까지 자리를 뜨지 못하잖아.

그래서겠지. 이 시를 읽고 나면 강의 애원이 들려. 딱딱하게 막아 놓은 "보(洑)를 풀어 달라"는 강의 목소리. "미래의 우리"도 아플 것이라는 강의 염려. 이 땅의 자손들을 위해 앞으로도 수만 년 흐르고 싶은 강의 간절한 소원. 그 모두를 듣고 달려와 강의 이마에 손을 짚어 주며 위로하는 저녁 어스름이 정말 서럽고도 눈물겨워. 사람이 만든 강의 상처를 오직 자연만이, 그것도 노을을 품고 휴식을 내리는 저녁만이 위로할 수 있다니…….

우는 강아, 우는 강아.

어찌 엄마를 이토록 애타게 불러야 하는지.

소녀들을 위한 평화의 기도

지금 이 순간에도 세상 어딘가는 전쟁 중이란다. 네가 학교에서 공부를 하는 동안에도, 집에서 편안히 잠을 자는 동안에도 어느 땅에서는 폭탄과 비명 소리에 숨죽인 아이들이 있단다. 그들은 포연 속에 살며 폭력과 테러와 가난과 죽음이 일상인 아이들이란다. 학교 대신 전쟁터에서 펜 대신 총을 든 아이들이란다. 정의롭지 않은 역사의 짐을 진 네 또래의 친구들이란다.

그런데도 전쟁 속의 아픈 그들에게 깊은 관심을 보인 적이 없던 것 같아. 역사와 종교와 이념의 차이가 무엇이든 간에 이유 없이 무참히 희생되는 수많은 사람들이 있다는 걸 평소에는 생각지도 않았어. 아프가니스탄이나 레바논이나 파키스탄, 이란, 이라크, 이스라엘 등의 소식은 텔레비전 뉴스나 신문 기사로만 존재하는 것이라고 밀쳐놨었나 봐.

역사책에서나 배운 수많은 전쟁은 내게 그저 역사 이상은 아니었어. 가장 가까이 부모님 세대가 겪은 육이오 전쟁마저 나는 지나간 과거로만 생각할 뿐이었어. 여전히 세계 유일의 분단국가에 사는 처지인데 전혀 위험을 느끼지 않는다는 게 생각해 보면 이상하지. 서해에서 우리의 젊은 군인들이 전사하는 것을 보아도 잠깐 슬픔이 일다가 사라지면 이내 모든 건 잊혀지고 말았어. 전쟁이란 내 삶에 닥칠 일이 아니라는 어리석은 믿음 때문이었을까. 지금까지 베트남 전쟁 영화를 보거나 『태백산맥』 같은 소설을 읽어도 몸에 느껴지는 두려움은 그리 크지 않았어. 그러다가 우연히 읽은 소설책 한 권에서 전쟁의 공포를 처음으로 진지하게 생각해 보았고, 좀 무거운 이야기지만 네게 하기로 한 거야.

할레드 호세이니가 쓴 『천 개의 찬란한 태양』이라는 책이 었어. 그는 아프가니스탄에서 태어나서 미국으로 망명한 의사이며 작가였지. 그의 두 번째 소설인 이 작품은 전쟁과 역사의 소용돌이 속에서 빠져나오지 못하고 아프간에서 살아남기 위해 발버둥 치는 여성들의 이야기라는 점에서 더욱 가슴이 저몄던 것 같아. 네가 소녀이고 내가 엄마여서 그 이야기들이 더 아프게 전해졌을 거야. 전쟁 상황에서 약자인 여성으로서 견뎌야 하는 생의 무게와 그 속에서 새로 태어난 여자아이를 지키려는 피나는 노력에 가슴이 뜨거웠지. 엄마가 되고 생명을 키워 보았기 때문에 이제야 새삼 전쟁의 공포와 비참함을 느낄 수 있었던가 봐. 소설의 마지막 장을 덮으며 우리의 일상에 전쟁의 공포가 없는 게 얼마나 큰 축복인지 뼈저리게 느꼈어. 그리고 아직도 그곳에 남아 있는 수많은 소녀들의 미래가 소설 속과 다를 것이 없다고 생각하니 마음이 막막했지. 무엇을 도와줄 수 있을까, 한번 깊게 고민해 보기도 했어. 여전히 전쟁이 일어나는 나라가 있는 한 이 이야기는 멈추지 않겠구나 싶었고. 그러나 그 소녀들을 걱정하는 사람들이 있고, 나 같은 이에게도 시나 소설, 사진이나 그림으로 그들의 참상이 조금씩 전해지고 있어서 그나마 다행이야. 그렇지 않았다면 오늘 너에게 이런 이야기를 전하기는 쉽지 않았을 테니까 말이야.

소녀들
박후기

1

레바논 국경 시모나의 이스라엘군 포진지를 찾은 이스라엘 소녀들, 제 키만 한 포탄에 글씨를 쓴다. 사랑을 담아 보내노라고, 탄두에 제 이름과 함께 쓴다. 한여름 한낮에 사랑이 담긴 포탄이 베이루트 주택가를 향해 날아간다. 사랑의 이름으로, 또 다른 소녀들이 건물 잔해에 깔리거나 불에 타 죽어 간다.

2

　팔레스타인에서는 죽은 자도 검문소를 통과해야 비로소 죽음에 닿을 수 있다. 포탄에 맞아 이마가 함몰된 도로를 우회하는 것은 산 자나 죽은 자 모두에게 익숙한 일이다. 앰뷸런스는 죽음보다 늦게 도착하고, 소녀는 무너진 발전소를 지나 집으로 간다. 살랑거리는 촛불을 사이에 두고 동생과 숙제를 하는 밤은 행복하다.

　두 소녀가 등장해. 한 명은 이스라엘 소녀이고, 또 한 명은 팔레스타인 소녀야. 첫 번째 이스라엘의 소녀는 전쟁 중인 레바논의 수도 베이루트 주택가로 날아갈 포탄에 이름을 새기고 있어. 지상의 모든 것을 녹여 버릴 듯한 중동의 한낮에 그보다 더한 폭격을 준비 중이야. 이 땅에서 수십 명 수백 명의 이름을 지워 버릴 포탄에 자신의 이름 하나를 박아 넣고 있는 거야. 시를 읽고 놀라 사진도 찾아봤어.

저 천진난만한 표정의 소녀들을 봐. 또박또박 이름을 새겨 넣는 모습을 말이야. 이것이 전쟁의 실상이었어. 폭탄에 축복 사인을 하는 소녀들이 지금 이 세계의 현실을 단적으로 보여 주고 있어. 이보다 더 분명하고 정직하게 전쟁의 참상을 고발할 수는 없을 거야.

그렇다면 제 키만 한 포탄이 어디로 날아가서 누구를 죽이고 말지 이름을 새겨 넣는 저 이스라엘의 어린 소녀는 알고 있을까? 만약 안다면 정말 그것이 "사랑의 이름"이 될 것이라고도 믿을까? 내 이름이 적힌 폭탄을 맞고 나와 똑같은 소녀가 마지막 인사도 없이 사라지는데, 슬픔보다 증오를 먼저 가르치는 역사는 누구를 위한 것일까? 이 죽음을 이해하고 용서할 수 있는 이는 과연 누구일까? 시는 끊임없이 질문을 하고 그곳을 정면으로 바라보기를 원했어. 나와 먼 이야기가 아니라 우리의 이야기임을 느끼라는 거야. 과연 이 땅의 소녀들과 전장의 소년병들이 다 함께 평화를 누리는 날이 올 수 있을는지 생각해 보라고.

두 번째 소녀는 이스라엘과 전쟁 중인 팔레스타인의 소녀야. 집으로 돌아가는 중이야. "무너진 발전소"와 불타는 건물을 피해 가며 위태로운 걸음을 옮기고 있어. 당장 오늘 저녁의 안부도 확신할 수 없을 정도로 공포로 가득한 곳에서 소녀가 자신을 기다리는 동생에게로 가고 있어. 폭탄이 떨어지기 전에 도착해야 하는 멀고 무서운 길을 가고 있는 거야. 그곳은 주검마저도 검문하는 참혹한 땅이래. 죽은 사람이라 해도 허가를 받아야만 마침내 이생을 떠날 수가 있는 그런 땅이라니, 산 사람의 생활이 어떨지는 우리의 상상 이상이겠지. 그러나 이스라엘 소녀의 이름이 적힌 포탄은 이곳으로 날아왔어. 마을이 온통 불타고 있어. 안전한 곳이라고는 없어. 생명을 이송해야 할 앰뷸런스가 죽음보다도 늦게 도착하는 곳이라잖아. 정말 우리가 아는 모든 신들의 이름으로 기도해야 간신히 살아남을 듯한 곳이야. 그곳에서 하루를 살아남아 집으로 돌아온 소녀, 그 소녀의 귀가는 축복보다 큰 것일 거야. 목숨처럼 위태

롭게 살랑거리는 촛불 앞에서 늘 마지막일지도 모르는 그 밤에 동생과 숙제를 하는 일은 뼈저리게 행복할 거야. 내일도 모레도 살아 있다면 그다음 날도 계속해서 목숨을 걸고 소녀는 학교를 다닐 테지. 죽음의 길을 걸어서 말이야.

시를 읽으면서 무너진 세상을 온힘으로 살아 내는 소녀들에게는 무사한 귀가보다 큰 행운은 없구나 하는 생각이 들었어. 너무나 평범해서 그것이 일상인 줄도 모르는 귀가가 누군가에겐 신의 축복과 같은 것이라니. 역사와 운명의 맨 아래 엎드린 소녀들의 비극적 삶이 하루라도 빨리 끝났으면 좋겠어. 두 소녀 모두 고요한 세상에서 그저 부챗살 같은 웃음을 지으며 조용한 일상을 보내는 날이 오면 좋겠어. 소녀들이란 그런 맑고 순수한 시절을 보내야 하는 건데. 너희들처럼.

시와 사진이 생생하게 증언한 진실을 보며 지금 내 삶을 소중하게 여겼기를 바라. 이것들이 단지 연민이나 동정을 유도하려는 것은 아니었거든. 그 소녀들의 삶을 간접적으로나마 체험하게 함으로써 지금의 나를 돌아보기, 즉 먼 나라의 소녀들을 보면서 고요하고 평범한 하루가 얼마나 큰 행복인지 느꼈다면 시를 제대로 이해한 걸 거야. 그리고 내 이름을 적어 날려 보내는 것이 폭탄이 아니고 친구에게 보내는 편지인 것이 얼마나 다행인지도. 재잘거리는 참새 떼처럼 친구들과 어울려 집으로 돌아오는 길에 만나는 것이 총알과 피울음이 아니고 바람과 라일락 향기인 것도 얼마나 큰 행복인지 깊이 느꼈기를 바라. 마지막으로 저 먼 나라의 딸들과 이 땅의 딸들을 위해 기도하고 싶다.

세상의 소녀들아,

부디 꽃 피우고 열매 맺으며 늙어 가기를!

작품 출처

강은교 「물길의 소리」,『시간은 주머니에 은빛 별 하나 넣고 다녔다』,
　　　　문학사상사 2002

고두현 「밥에 관한 생각」,『늦게 온 소포』, 민음사 2000

김기택 「풀벌레들의 작은 귀를 생각함」,『소』, 문학과지성사 2005

김영승 「초제(醮祭)」, 김기택 정끝별 외 지음『별은 시를 찾아온다』,
　　　　민음사 2009

김현승 「아버지의 마음」, 김인섭 엮음『김현승 시전집』, 민음사 2005

김행숙 「소녀들―사춘기 5」,『사춘기』, 문학과지성사 2003

나희덕 「뜨거운 돌」,『그곳이 멀지 않다』, 문학동네 2004

도종환 「담쟁이」,『당신은 누구십니까』, 창비 1993

마종기 「우화의 강」,『그 나라 하늘빛』, 문학과지성사 1991

문태준 「이별이 오면」,『그늘의 발달』, 문학과지성사 2008

박노해 「시다의 꿈」,『노동의 새벽』, 풀빛 1984

박후기 「소녀들」,『내 귀는 거짓말을 사랑한다』, 창비 2009

배한봉 「강의 이마를 짚어 주는 저녁 어스름」,『문학사상』 2011년 6월호

복효근 「목련꽃 브라자」,『어느 대나무의 고백』, 문학의전당 2006

서정춘 「첫사랑」,『물방울은 즐겁다』, 천년의시작 2010

서홍관 「민들레와 개나리」,『지금은 깊은 밤인가』, 실천문학사 1992

손택수 「나무의 수사학 1」,『나무의 수사학』, 실천문학사 2010

신경림 「길」,『쓰러진 자의 꿈』, 창비 1993

안도현 「빗소리」,『간절하게 참 철없이』, 창비 2008

안오일 「장래 희망」,『그래도 괜찮아』, 푸른책들 2010

오세영 「햄버거를 먹으며」,『아메리카 시편』, 문학동네 1997

유미애 「초경」,『손톱』, 문학세계사 2010

유용주 「스승 김인권」,『가장 가벼운 짐』, 창비 1993

윤동주 「자회상」, 홍장학 엮음『정본 윤동주 전집』, 문학과지성사 2004

이기철 「따뜻한 책」,『가장 따뜻한 책』, 민음사 2005

이선영 「초경」,『포도알이 남기는 미래』, 창비 2009

이수익 「결빙(結氷)의 아버지」,『불과 얼음의 콘서트』, 나남 2002

이태관 「모녀」,『사이에서 서성이다』, 문학의전당 2010

이해인 「나를 키우는 말」,『외딴 마을의 빈집이 되고 싶다』, 열림원 2002

정   겸 「까치밥」,『공무원』, 한국문연 2010

정한용 「소풍 가는 날」,『흰 꽃』, 문학동네 2006

정호승 「윤동주 시집이 든 가방을 들고」,『이 짧은 시간 동안』, 창비 2004

조동범 「개」,『심야 배스킨라빈스 살인 사건』, 문학동네 2006

진은영 「무궁화꽃이 피었습니다」,『일곱 개의 단어로 된 사전』,
      문학과지성사 2003

최영미 「선운사에서」,『서른, 잔치는 끝났다』, 창비 1994

허수경 「어느 날 눈송이까지 박힌 사진이」,『내 영혼은 오래되었으나』,
      창비 2001

SIDE STORY | KNIGHT FALL AFTER

나이트런 나이트폴 | 13

2025년 9월 8일 초판 1쇄 발행

원 작 김성민
편 집 이열치매, 최지혜
디자인 김애린, 김예은
마케팅 이수빈
펴낸이 원종우

펴낸곳 ㈜블루픽
주소 경기도 과천시 뒷골로 26, 2층 **전화** 02-6447-9000 **팩스** 02-6447-9009
메일 edit@bluepic.kr **웹** bluepic.kr

ISBN 979-11-6769-409-6 07810 (13권) / 979-11-6769-249-8 (세트)
정가 17,800원

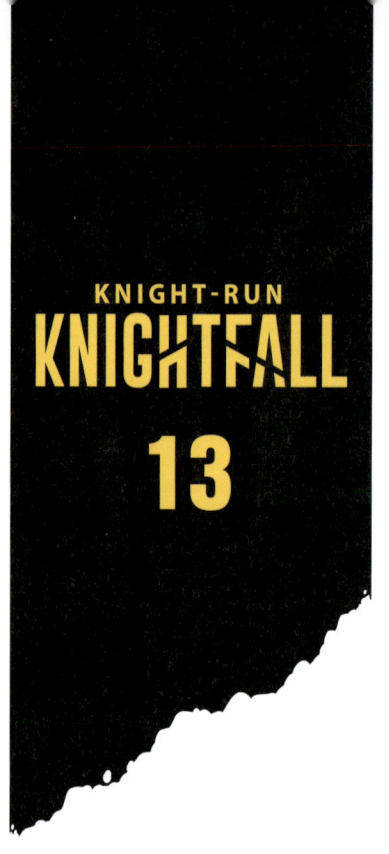

SIDESTORY | KNIGHT FALL AFTER

CONTENTS

Knight Run

SIDE STORY | KNIGHT FALL AFTER

16화

이 세계는 분명 악의로 가득 찬 불구덩이다.

그쪽은 안 돼!!

수녀님을 찾아야 해!!

그건 인간이 어떻게 할 수 있는 게 아니야.

지키지… 못한다…

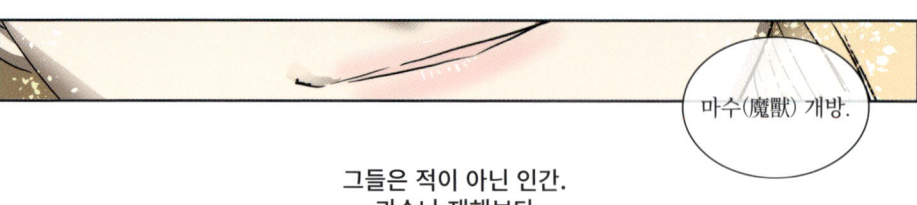

마수(魔獸) 개방.

그들은 적이 아닌 인간.
괴수나 재해보다

언제나 인간의 악의로부터 인간을 지키는 것이 가장 어렵다.

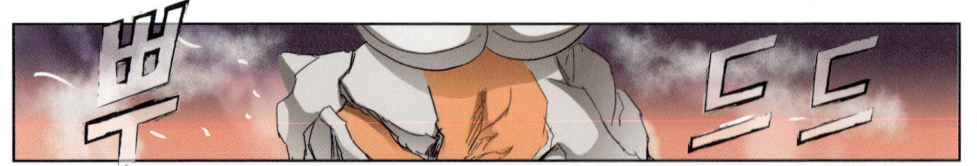

'마녀의 손'이라 불리는 두 마리의 뱀은
왕국과의 계약에 따라 무기에 깃들게 된 인공 다차원 생명체이다.

그것은 기사단이 빼앗으려고 했던
각지에 흩어진 로스트테크놀러지 중 하나였다.

神劍
신검

罪斬
죄베기

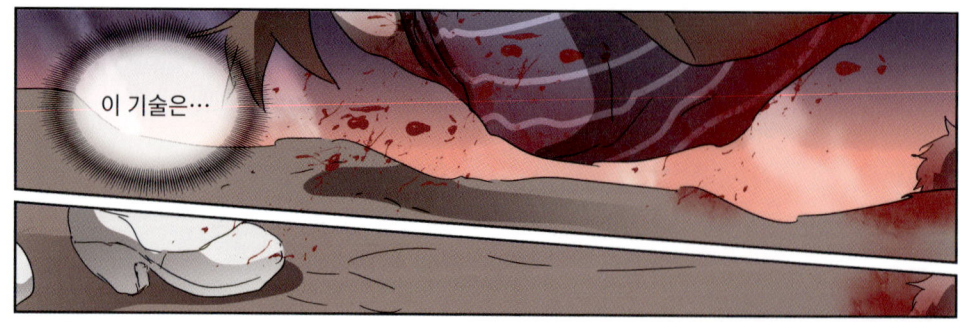

이 기술은…

안녕, 가짜.

복수의 명분은 우월감에서 비롯된 정복욕,
광기어린 살의로 너무도 쉽게 변질된다.
그저 힘을 가진 쪽이 가지지 못한 쪽을 죽이는 입장의 변화에 불과한 것이다.

인간은 너무나 나약하다.
선의는 언제나 충동에 패배하고,
그럴 때마다 우리는 떨어진다.

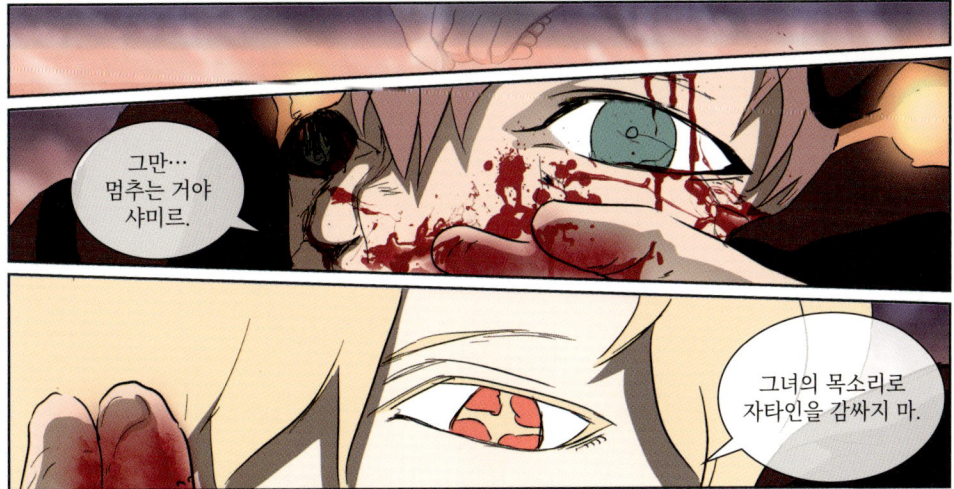

그만…
멈추는 거야
샤미르.

그녀의 목소리로
자타인을 감싸지 마.

안⋯돼⋯

구원받았다고 생각했다.
멈추려고도 생각했다.

그녀를 망가뜨린 트리거는

녀석들에게
또 빼앗겼어.

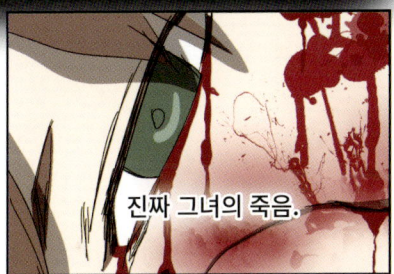

진짜 그녀의 죽음.

녀석들을
죽일 거야.

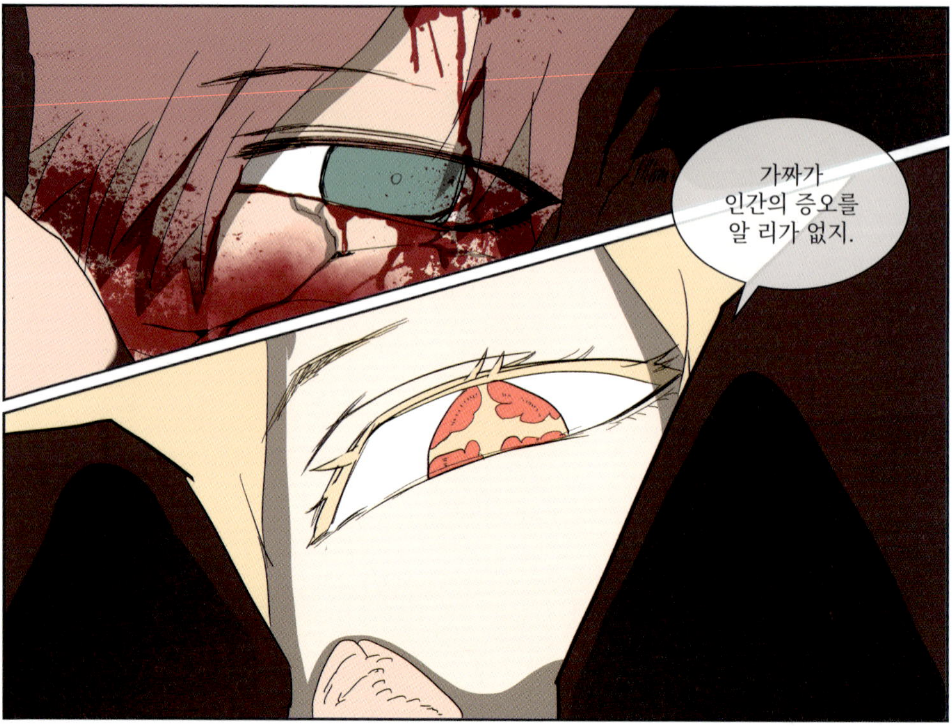
가짜가
인간의 증오를
알 리가 없지.

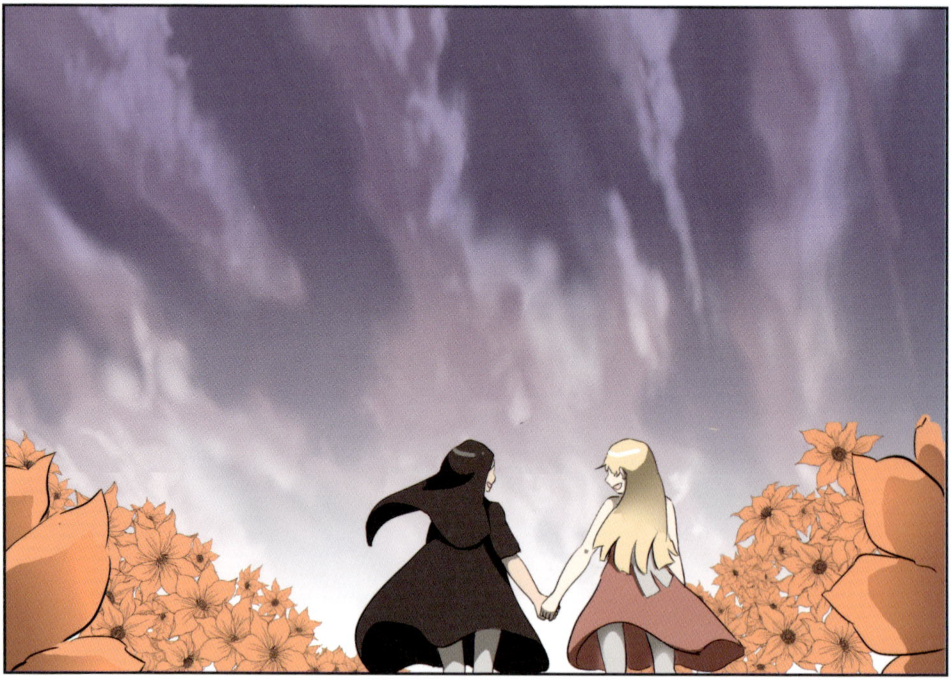

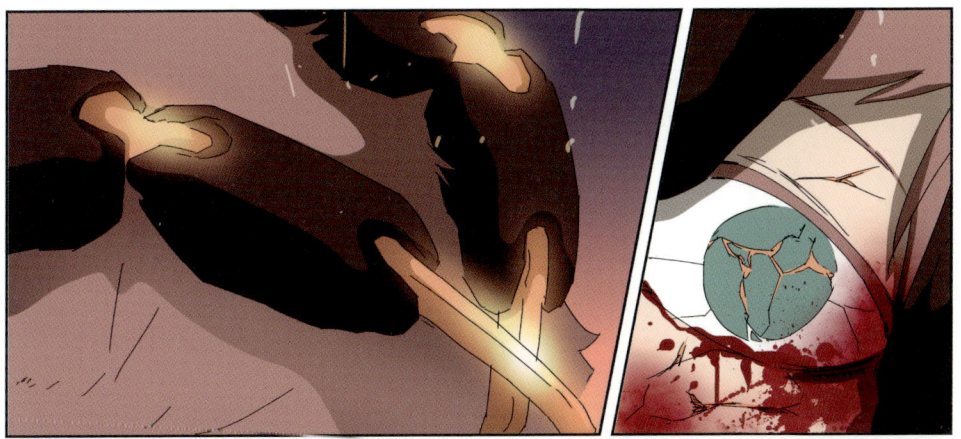

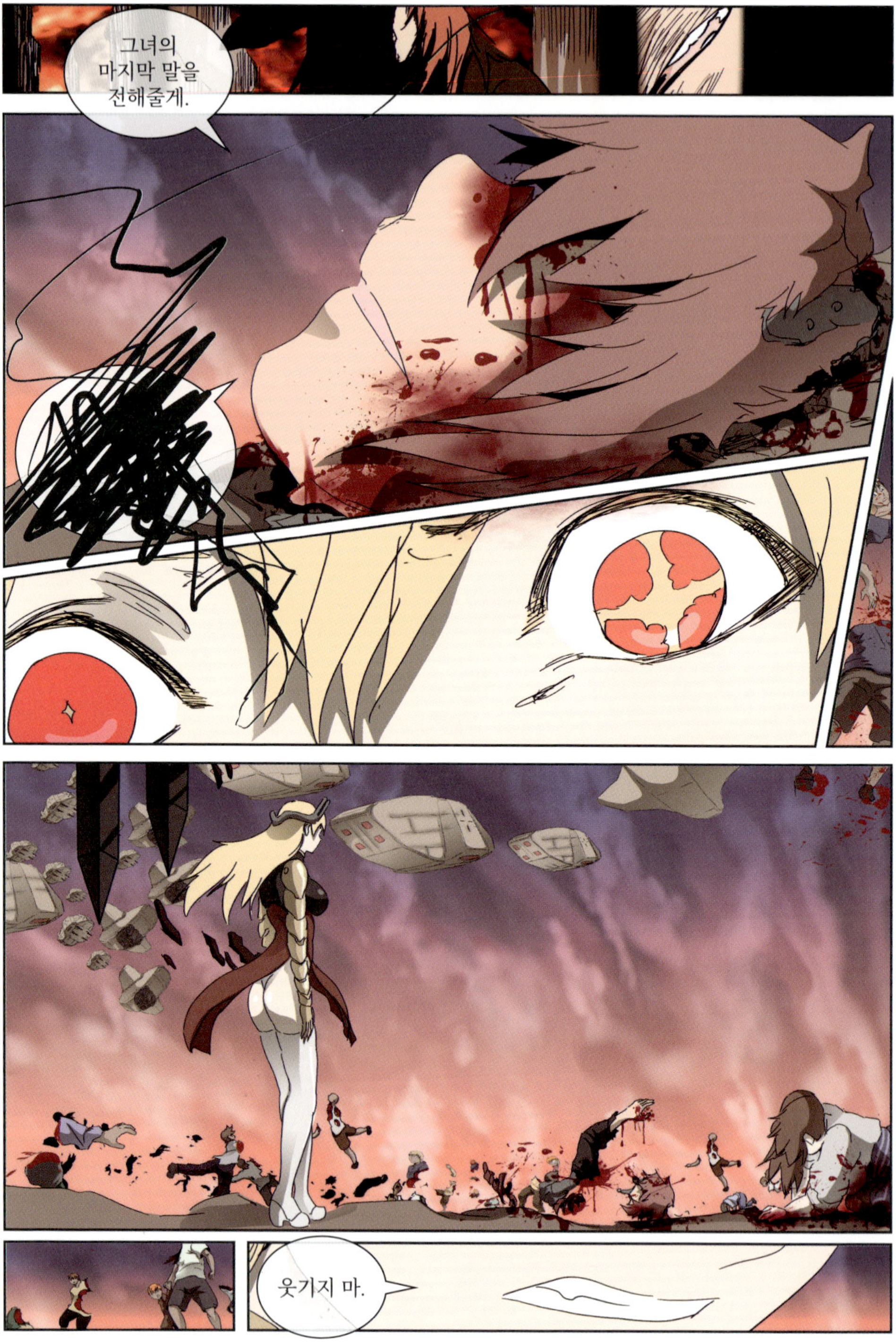

그녀의
마지막 말을
전해줄게.

옷기지 마.

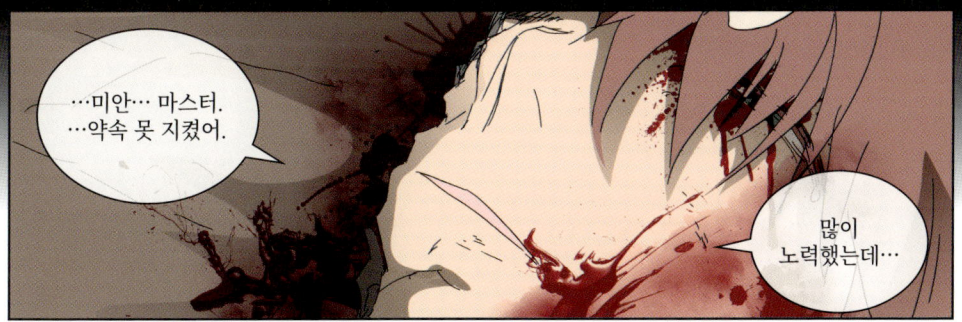

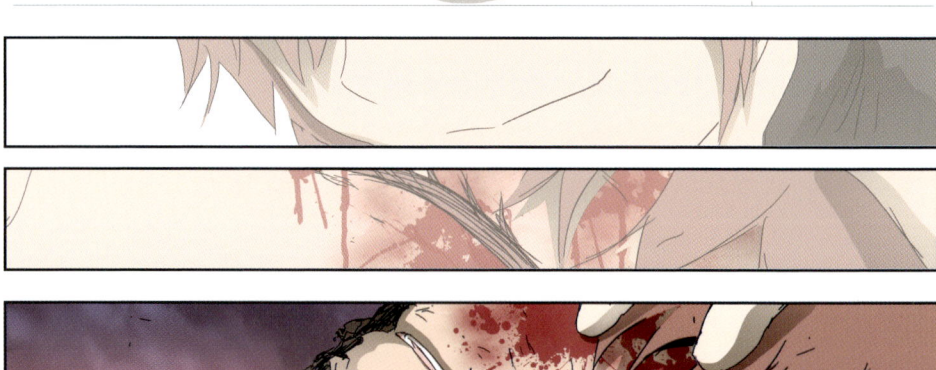

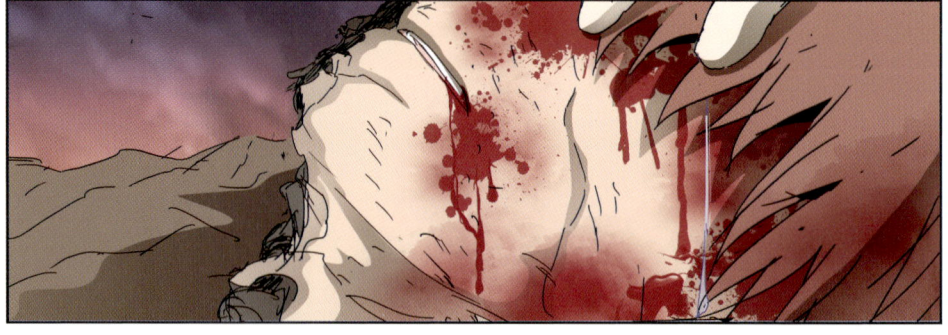

part 16. falling |끝|

SIDE STORY | KNIGHT FALL AFTER

17화

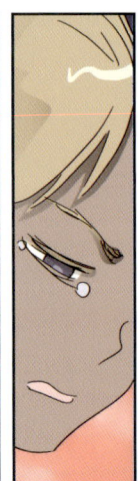

이…이거

어떻게
쓰는지
알려줘.

수고…
하셨어요.

다음은 제가
어떻게든 해볼게요.

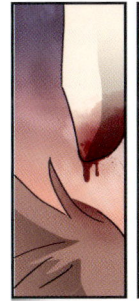

…자신이 잃은 걸
똑같이 갚겠다고
힘을 휘두르면

똑같이
변질될 뿐이야.

아이들을
지켜…!!

투

투

연막탄!!

퍼 퍼 퍼 펑

우린 지금 대체
무엇과 싸우고 있는 거지…

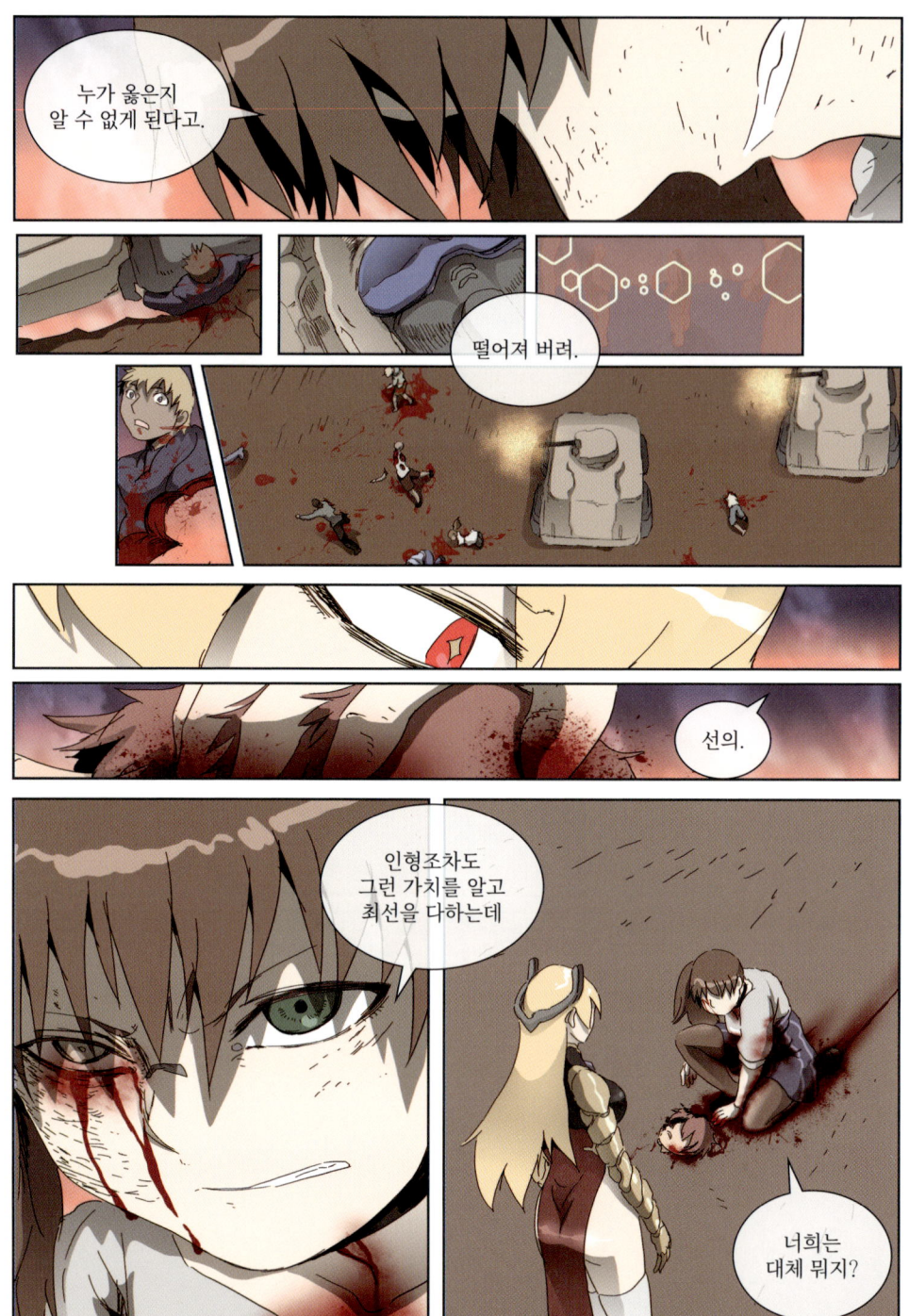

인간이잖아.

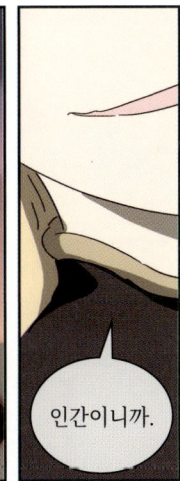

인간이니까.

인간이니까
인간을 죽여.

녀석들이
친구도 가족도 동료도
죽였는데 왜 참아야
하는데?

잃은 만큼…
아니 그 이상으로
복수하지.

그건 너무도
자연스러운 거야.

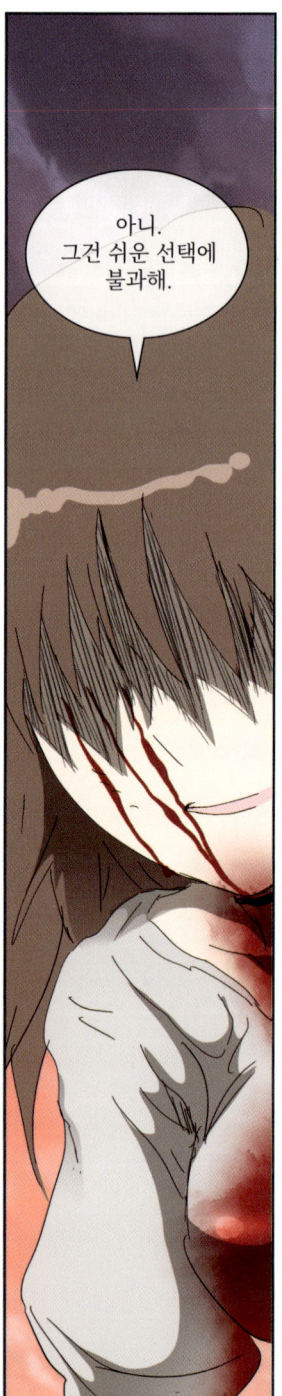

아니.
그건 쉬운 선택에
불과해.

인간이 지금까지
쌓아온 것을
무너뜨리는 짓이야.

짐승에게는 충동과 폭력이 자연스러운 것일지 몰라도

인간은 합의와 선의라는 부자연스러움으로 평화를 추구할 줄 아는 존재다.

충동 따위에 굴복한 패배자.

너희는 패배해 꼬리를 만 개들이야.

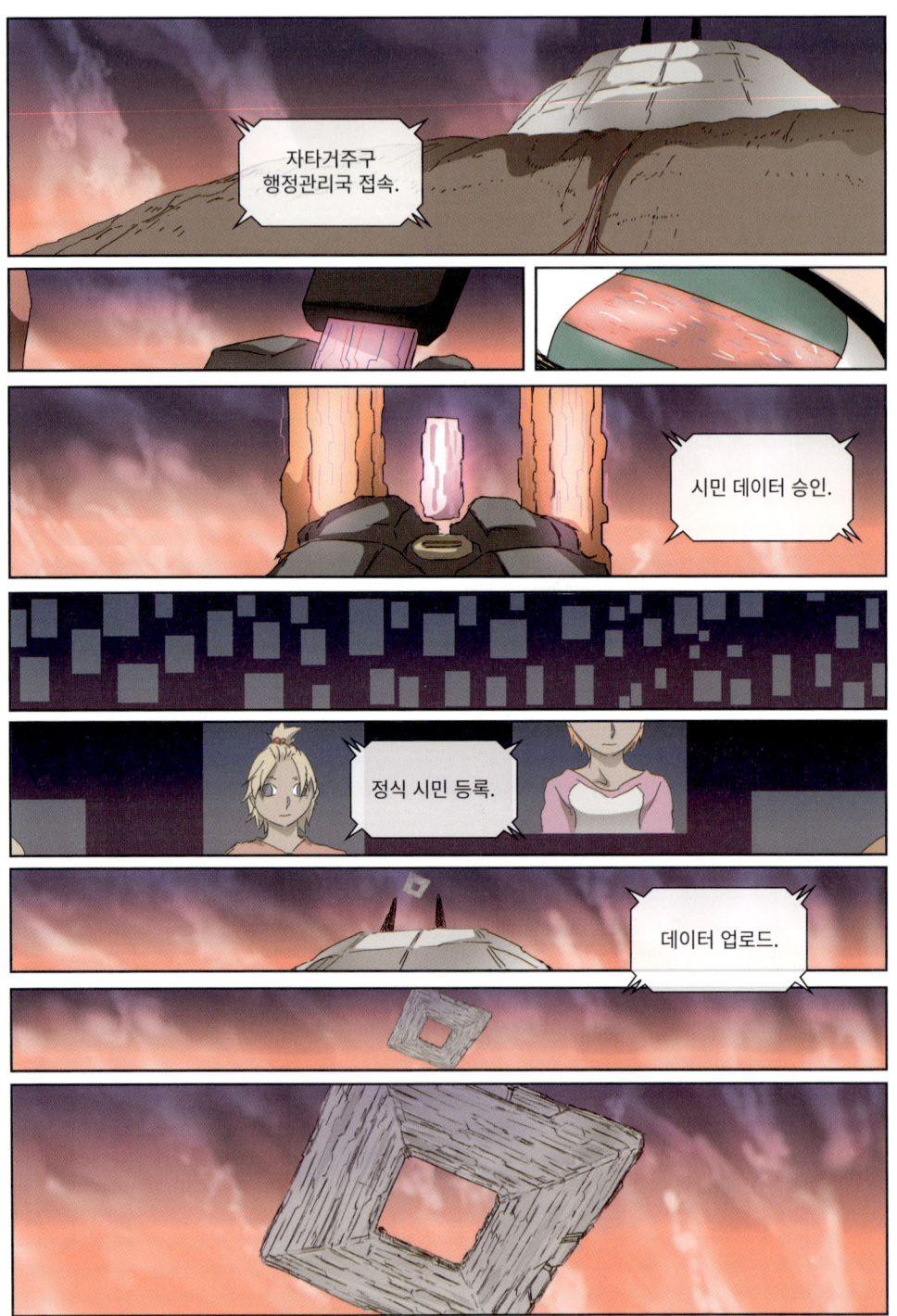

자타거주구
상공 도착.

비행…기?

시민 등록 완료.

정규군에 의한
미등록 작전 행위
확인.

대규모 비무장 시민
사상자 발생 중.

AL 데이터베이스
확인 중…

불법 작전으로 규정.
개입 필요.

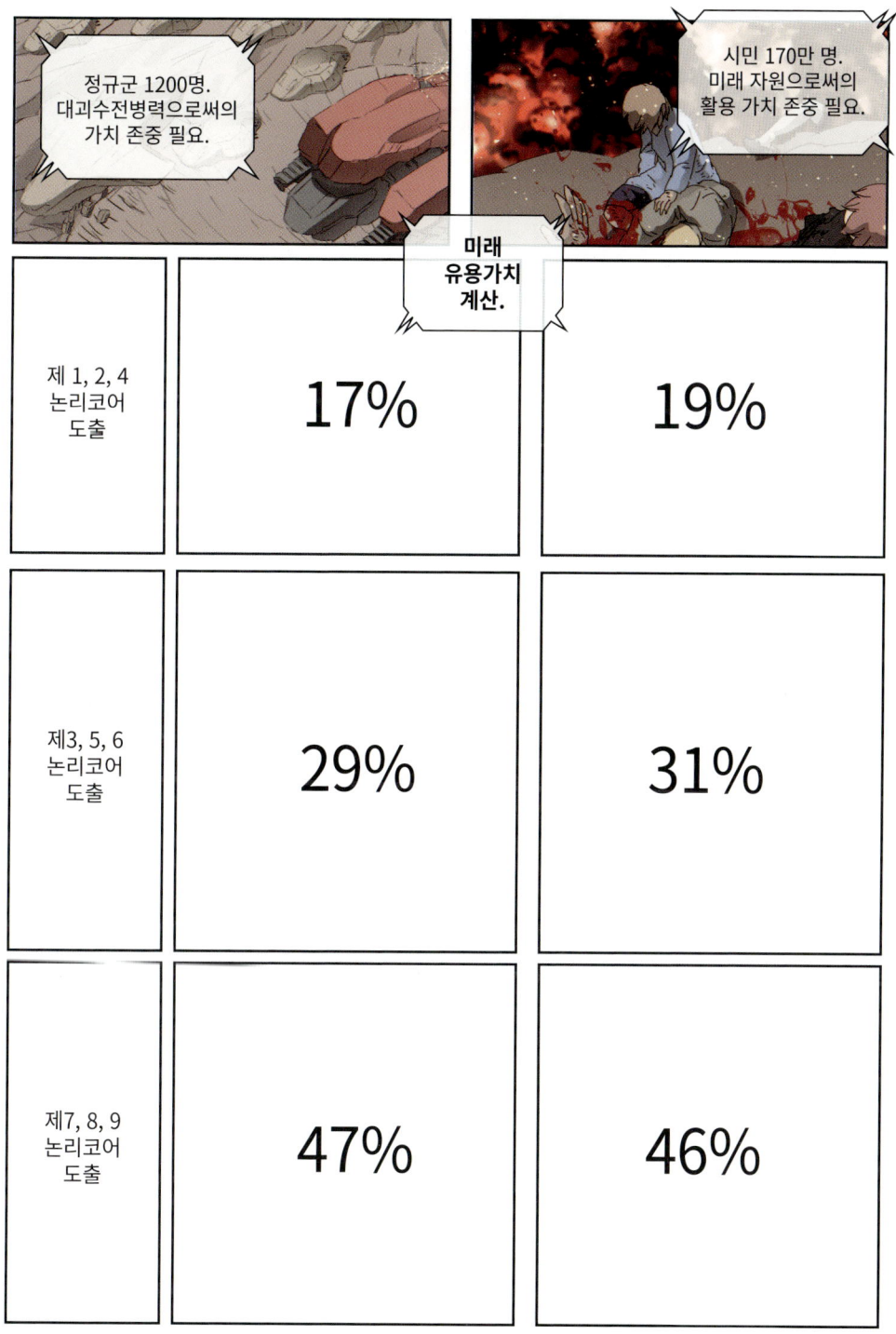

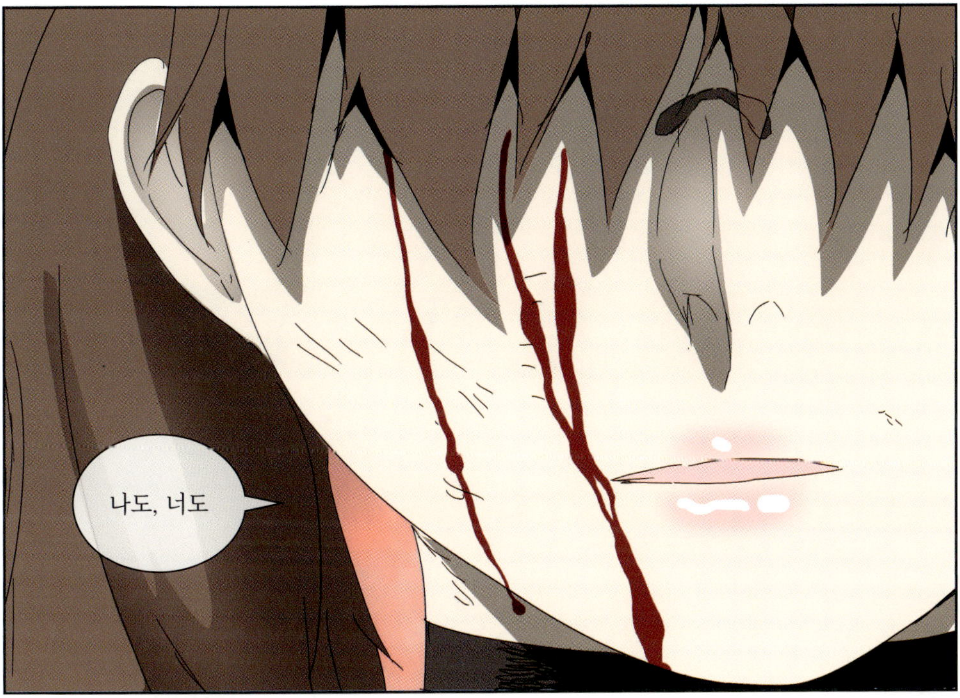

나도, 너도

인간이 진 거야.

10번 논리코어 도출 합산.

49.89%	50.11%

적 기동성평가 D,
대인병기 위험 랭크 C.
소규모 정밀 폭격으로
기기 무력화 가능.

범위 한정 폭격
목표 100기.
군 사망 추산율 78%.
제압 시작.

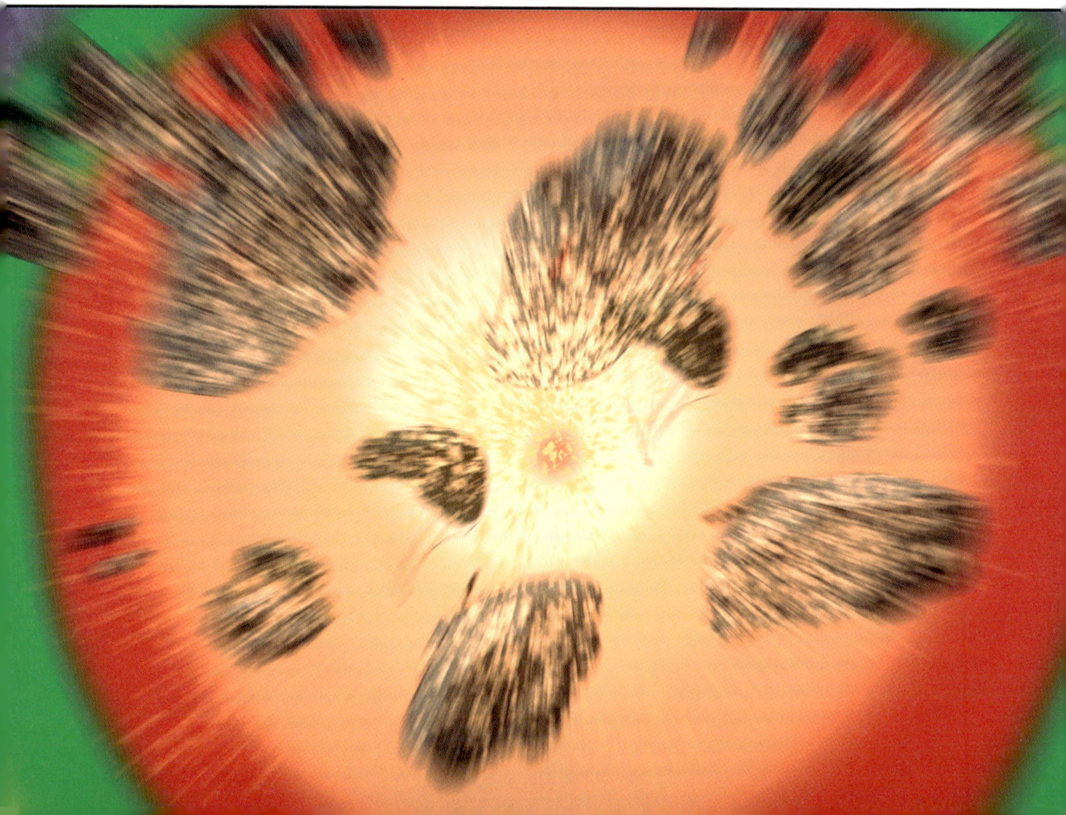

기계는 인간의 우행과 악의를
무어라 판단하는가.

감정이 없는 그것은
어리석은 인간을 어떻게 바라보는가.

살인의 죄까지 기계에게 떠넘긴 채

인간은 분노와 악의와 연민과 선의 사이를 헤매며
어느 것도 자신이 해결하지 못하고 책임도 지지 않다가

결국 하늘의 철에게 심판을 받는다.

이것은 결코 승리가 아니다.
충분한 선의를 쌓지 못한 인간의 패배이며

인간이 조금도 나아지지 않았다는 분명한 증거다.

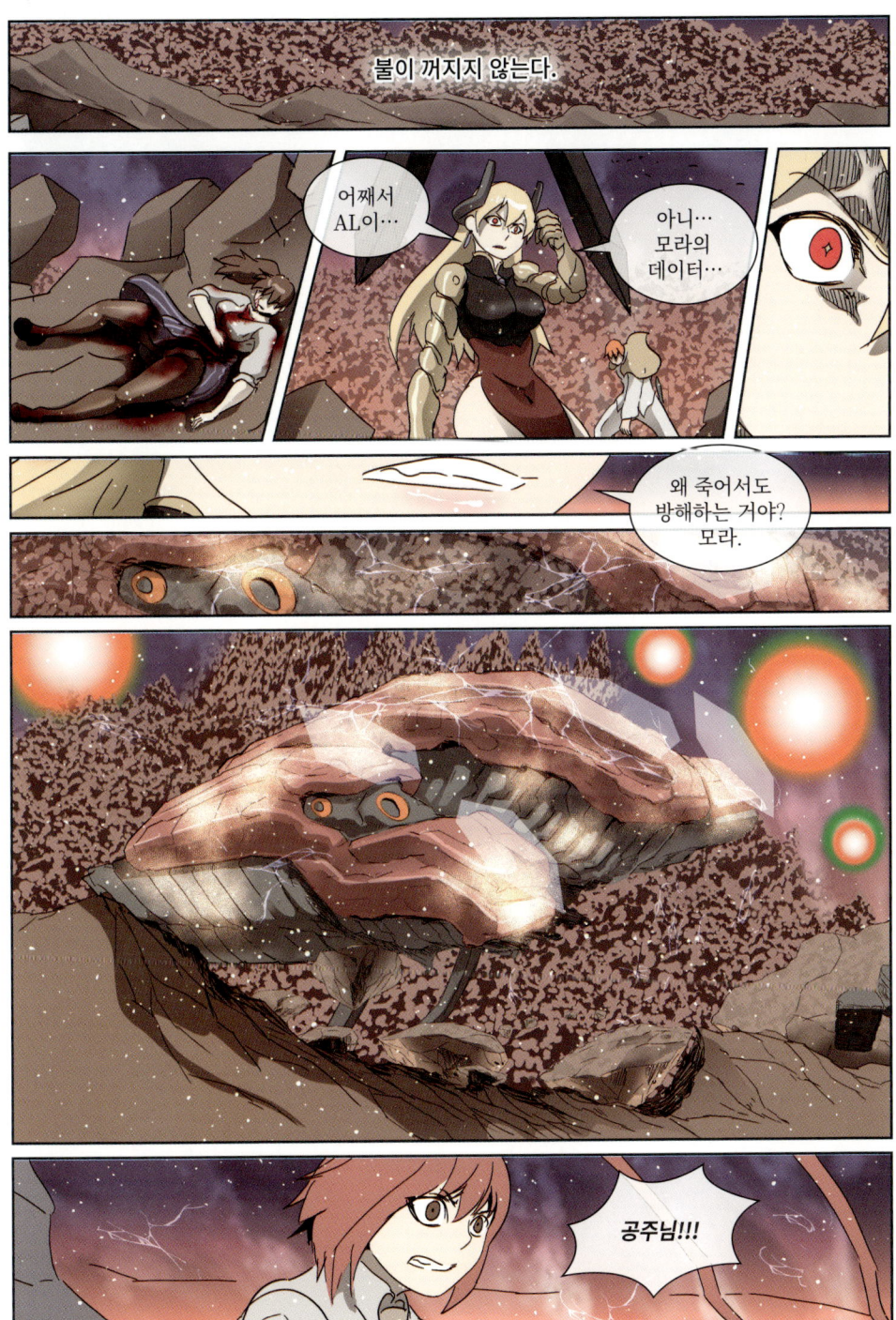

罪斬
죄베기

감속!!!

내 것을 빼앗은 것들이
전부 저기에 있어.

전 시가지
인구 밀집 지역
광역 폭격
준비 완료.

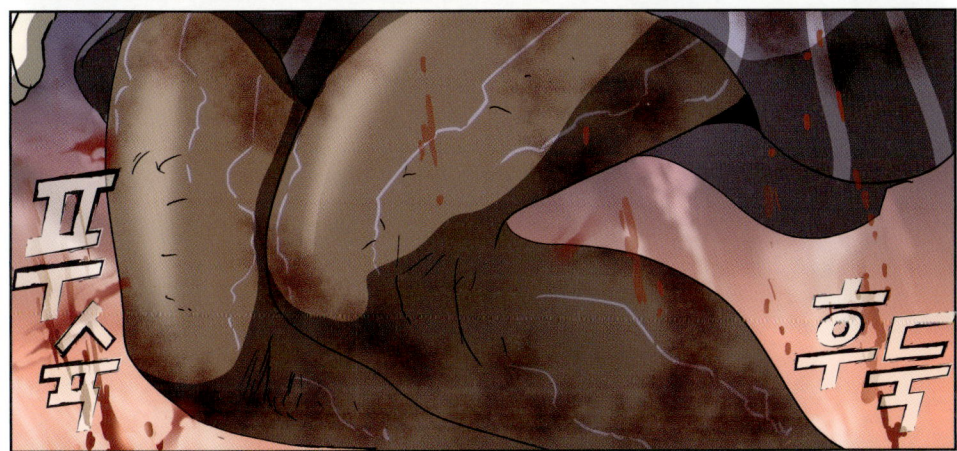

줄리아!!!!

네 얼굴
기억했다고 했지.

part 17. 패자들의 전쟁 |끝|

SIDE STORY | KNIGHT FALL AFTER

18화

하부 장갑 융해.
시스템 오류.
화기관제시스템 오류.

무슨…

삐 삐

삐

삐

여기까진가…

고도 하강.
화기관제시스템
이상.

미사일 조준이
불가능합니다!

상관없어.

전진.

하지만 조준
시스템이…

적이
눈앞이다.

시가지에서
노심을
융해시킨다.

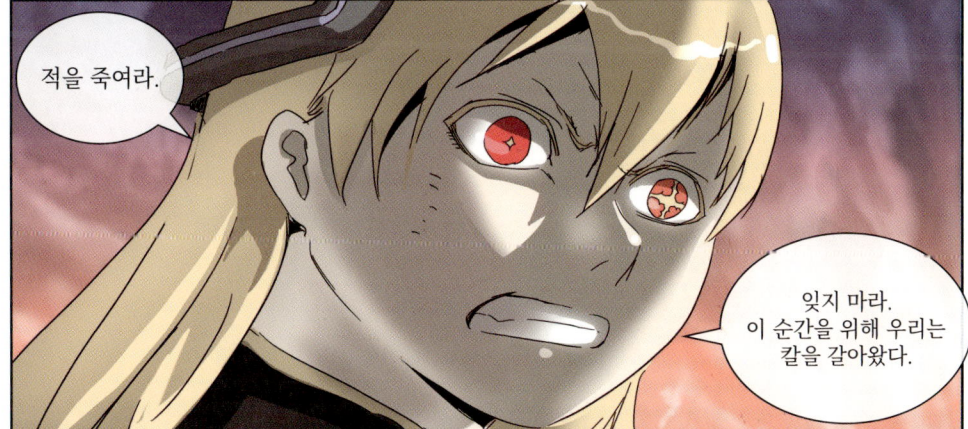
적을 죽여라.

잊지 마라.
이 순간을 위해 우리는
칼을 갈아왔다.

예스 마이 로드!

KNIGHTFALL
©김성민 / NOT FOR SALE

knight
Run

KNIGHT
FALL

MAIN EPISODE-2

여.

罪斬
죄베기

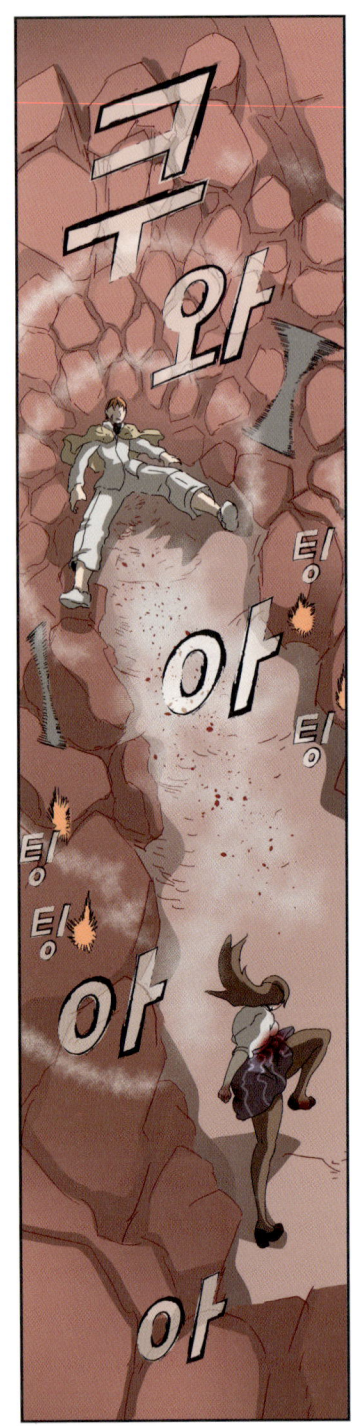

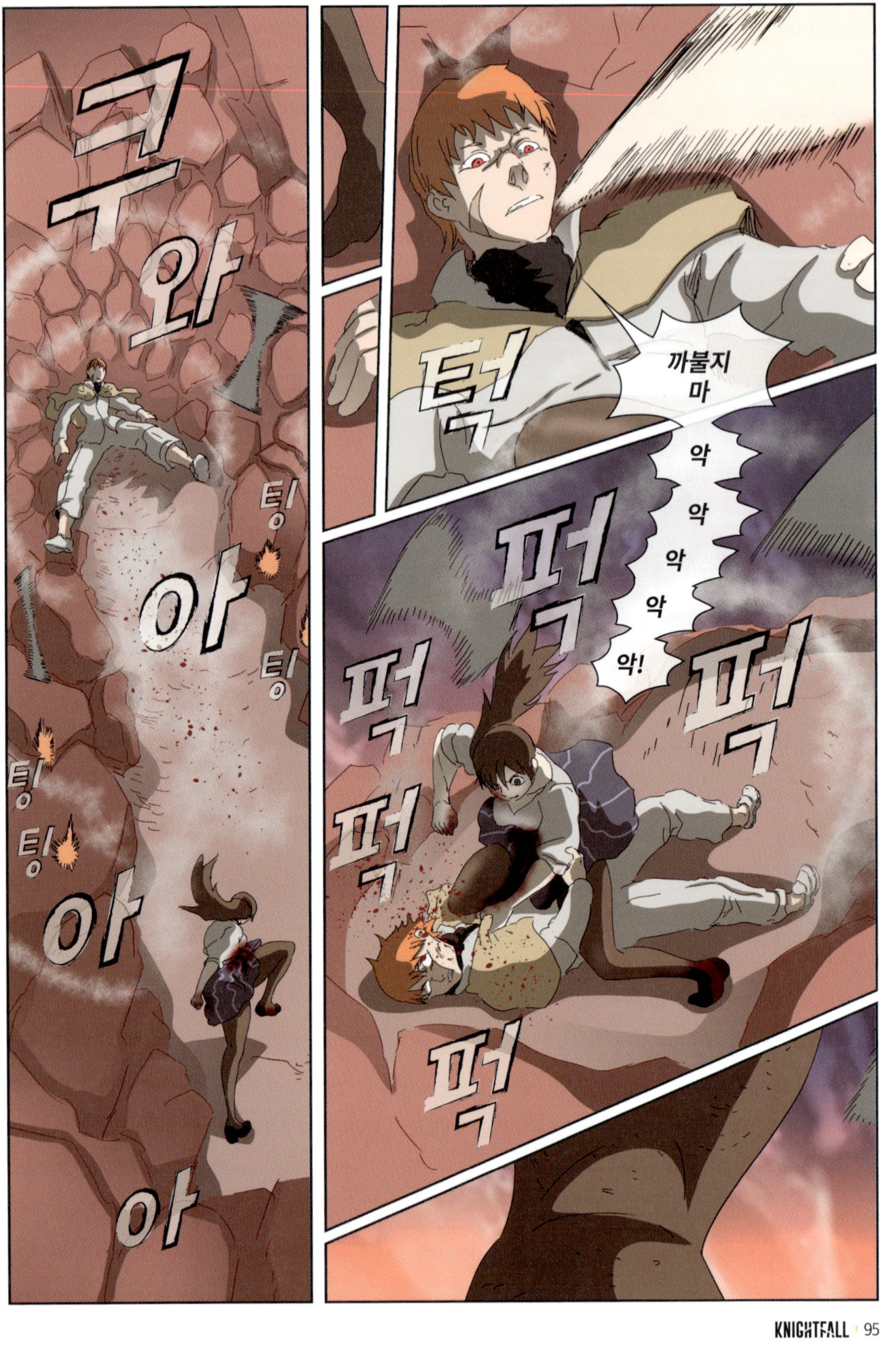

까불지
마

악
악
악
악!

신검도 옛날에 비해 질이 떨어졌군. 나한 정도는 익혀 오라고.

이 검만 있었어도 괴수전에서 그 고생 안 했잖아.

이 몸과 눈으로는 발도 정도인가.

황금갑
바스테트.

혈검
아누비스.

무장.

뱀, 갑주, 그리고
기사단과의 계약을 통해
AB소자를 더해 개수된
제국의 혈검까지.

기사단도 탐내던
제국의 무장 3종을
모두 가지다니…

넌 뭐야?

모라네
알바.

멈출 생각은 있나요?

가족도 친구도 살해당했는데

갚아주지 말라고?

어째서 그래야 하지?

네가 말하는 건 공허한 이상주의에 불과하다는 걸 너도 잘 알 텐데.

마음이 부서져서 견딜 수가 없는데?

내 뜻으로 멈출 수가 없는데?

그래… 기사단과 자타가 처음 잘못을 저지른 건 맞다. 당했는데 참으라는 건 불합리하다.

그래서 그녀를 쓰러뜨려야 한다는 것도 불합리하지만 할 수밖에 없다.

그렇군요…

똑같은 일을 반복하게 둘 순 없으니까.

불행히도 이 세상에서는 이미 벌어진 불합리한 일은 또 다른 불합리한 일로 끝낼 수밖에 없게 되어 있는 것 같다.

이미 이런 상황이 된 것 자체가 우리의 패배다.

증오를 시작하는 건 언제나 쉽지만
시작점으로 돌아가는 건 불가능하다.
구겨져 버린 종이가 결코 완전히 펴지지 않는 것처럼.

우리는 너무도 쉽게 떨어지려고 한다.

상처 입고
상처 입히고
망가지고
망가뜨리며

괴물을 만든다.

자 살인 게임을
시작하지.
자타인의 목숨을 걸고!!

하지만 그녀를 괴물로 만든 건 누구일까?

왕국의 견제를 원한 기사단일까?
왕국군과 샤미르의 가족을 죽인 자타 용병일까?

기사단파인 자타인이 성가신 나머지
왕국에 힘을 실어주고 보복을 묵인한 AL일까?

힘에 취해 복수에 동조한 왕국군일까?

무관심을 넘어 분풀이를 원한 왕국 국민일까?

탄압에 테러로 답하며 증오를 부추기는
자타인 테러리스트일까?

모라를 죽인 왕국과 자타의 강경파일까?

혹은 그 모든 것일까?

…하지만 이제 이유 따위는 상관없다.
괴물이 되어버린 자는 쓰러뜨릴 수밖에 없으니까.

마이어식 발도

풍인
風刃

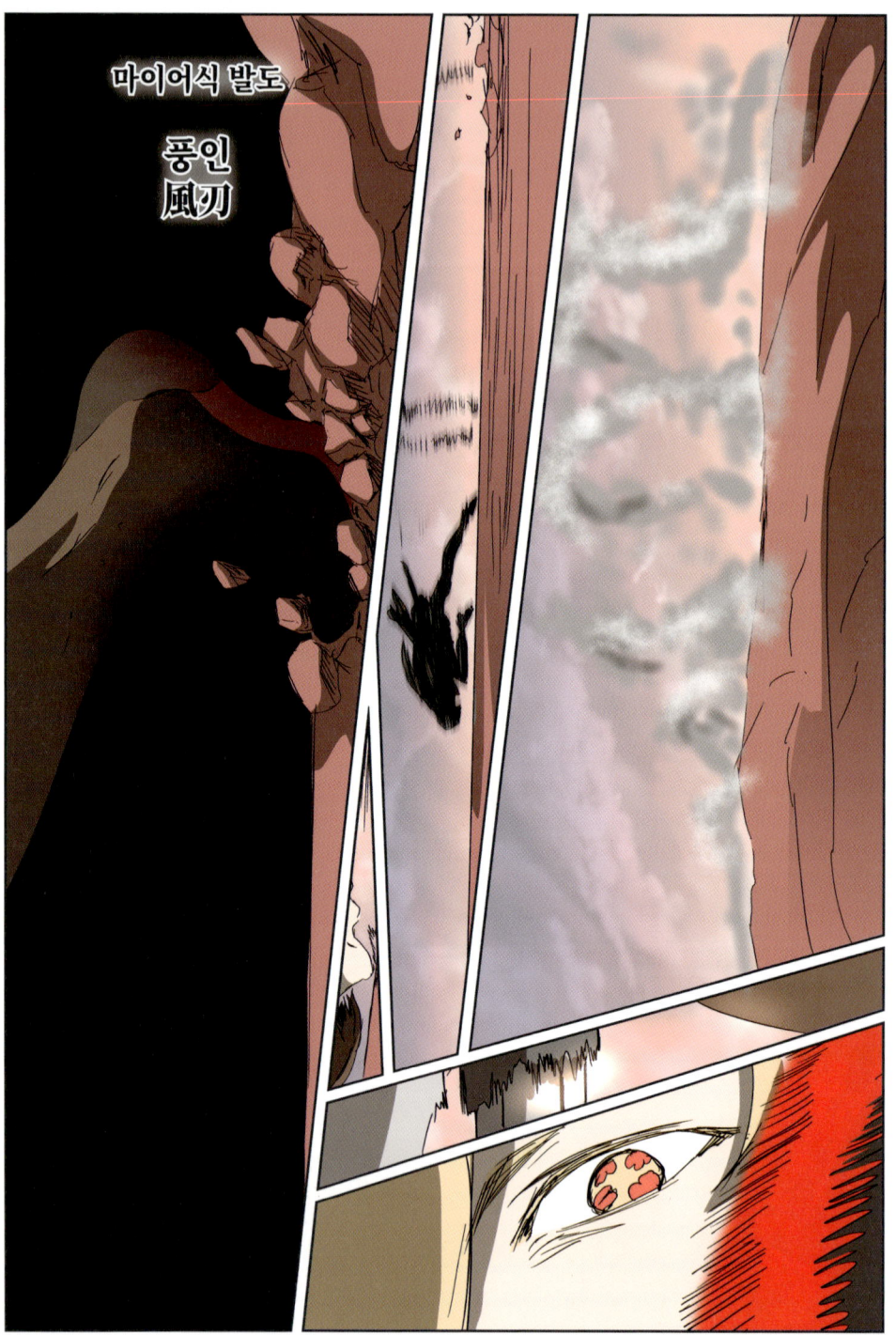

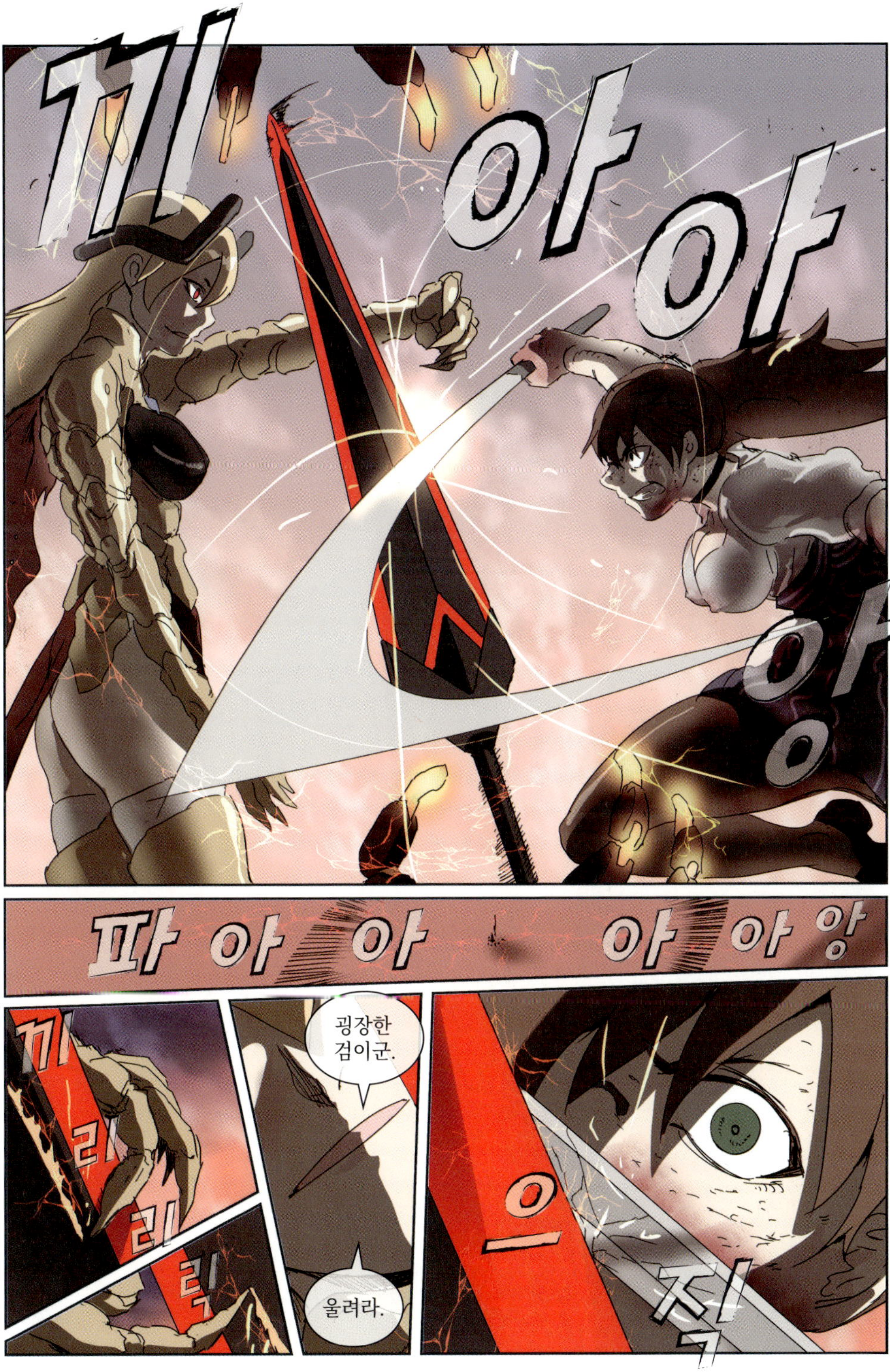

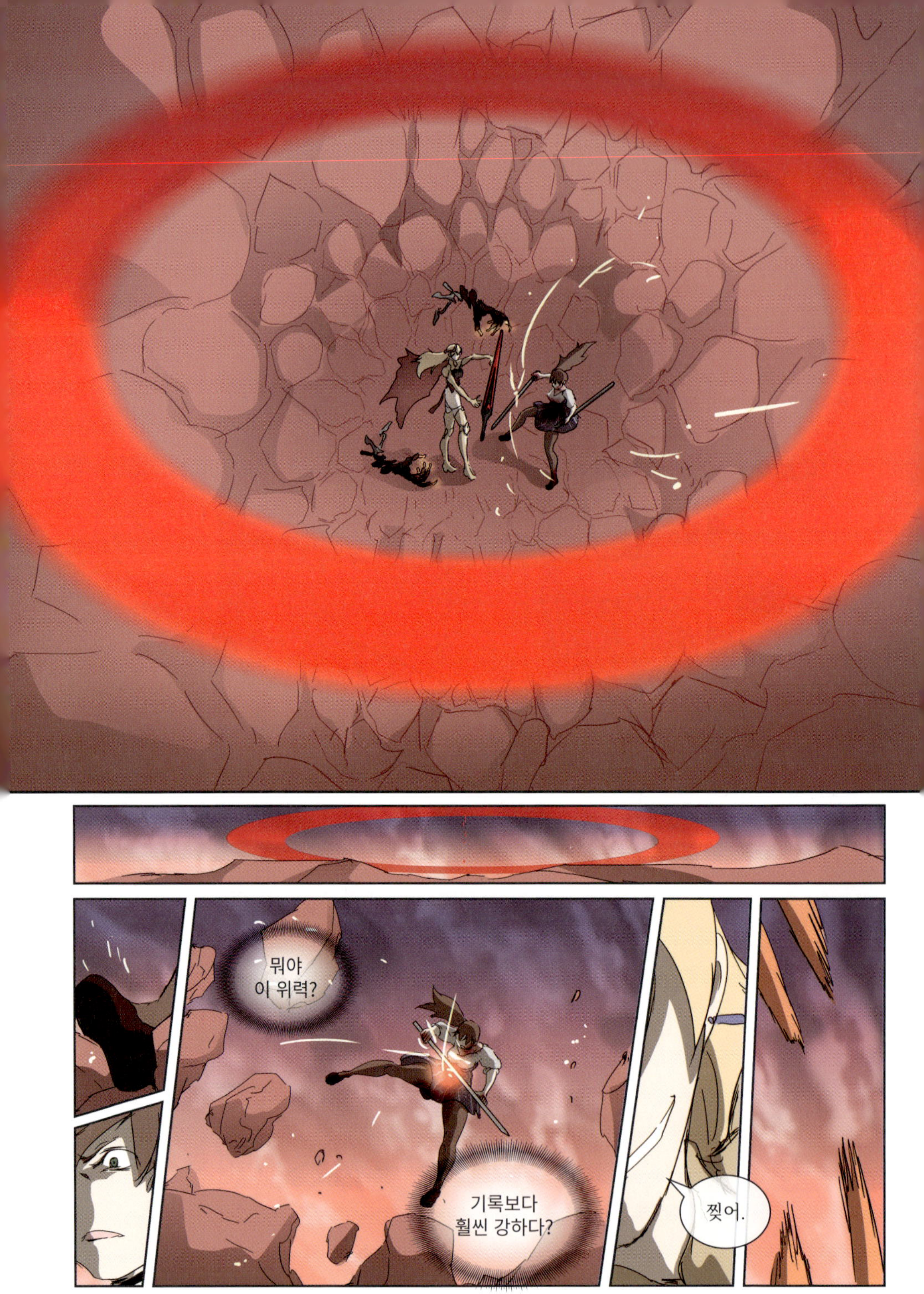

뭐야
이 위력?

기록보다
훨씬 강하다?

찢어.

짓이겨라.

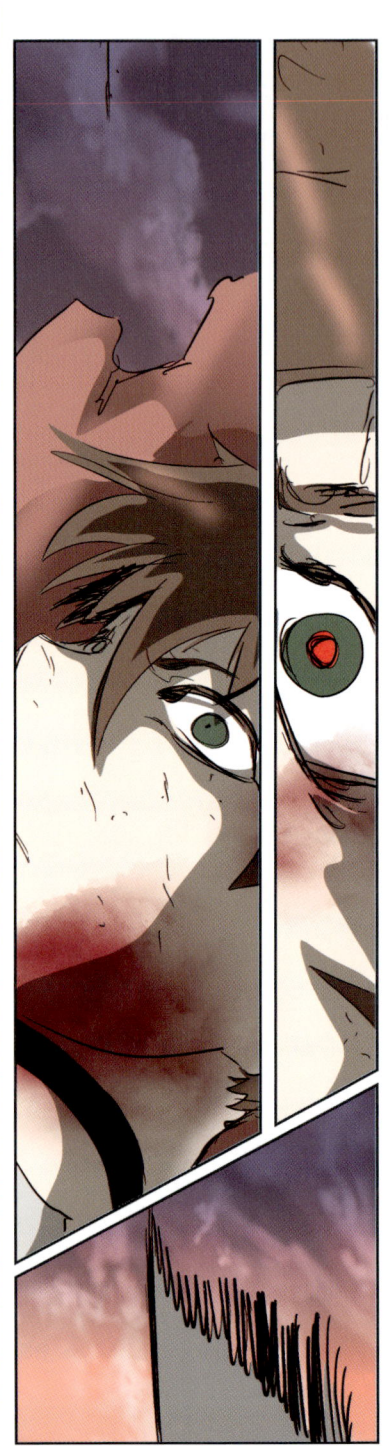

part 18. 떨어지면서 싸우다 |끝|

SIDE STORY | KNIGHT FALL AFTER

19화

기체에
손상이…

공주님…

게다가
안티배리어 효과로
실드가…

쿠아아아앙차아아아아

무슨
위력이…

뭐지 저건…

잘 보니 기록과
모양도 다르다.

레벨 2?

쿠

고작
기사 따위가
날 막을 순
없어.

저게
소문의
…

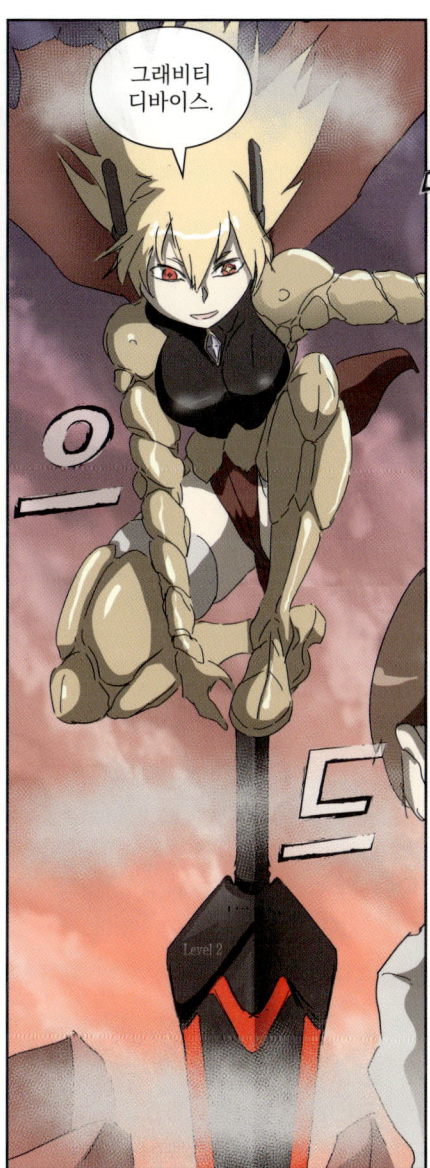

그래비티
디바이스.

으

드

Level 2

콰

충격파
만으로도…

기사단이
탐하고 노렸던
하이클래스 무장들과
육체의 특수능력.

아아

아아아

기사도 아닌데
힘만으로는 이미
기사를 초월한 강자.

이게 레벨 2…
B가 아니라 A급.

잘하면
영웅급에 준할지도
모른다…

이것이
루인과 AL의
'레벨 2' 계획…

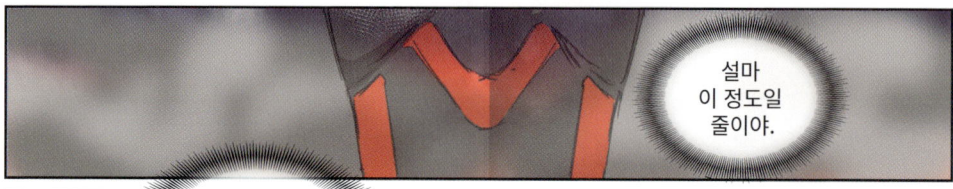

설마
이 정도일
줄이야.

하지만 아무리
힘이 강해져도
분석하면 돼.

그리고 눈.

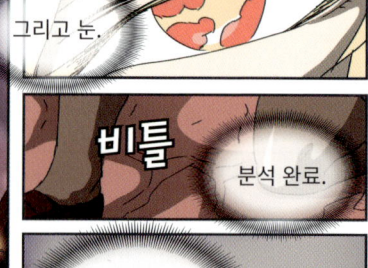

비틀

분석 완료.

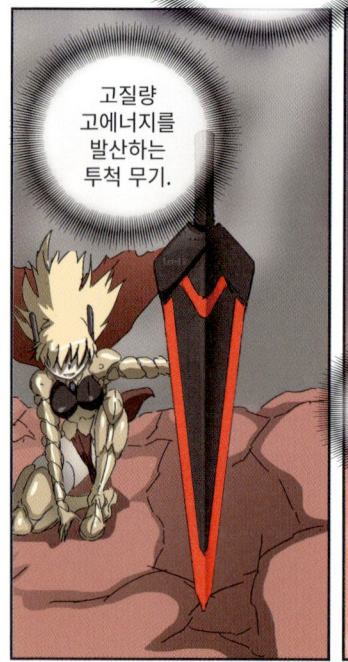

고질량
고에너지를
발산하는
투척 무기.

검을
움직이는 건
두 마리 뱀.

혹은 뱀의
전자유도레일을
이용한 투척.

왠지 모르게
컨디션이
돌아온다.

훅

그걸 쓸 수
있나…

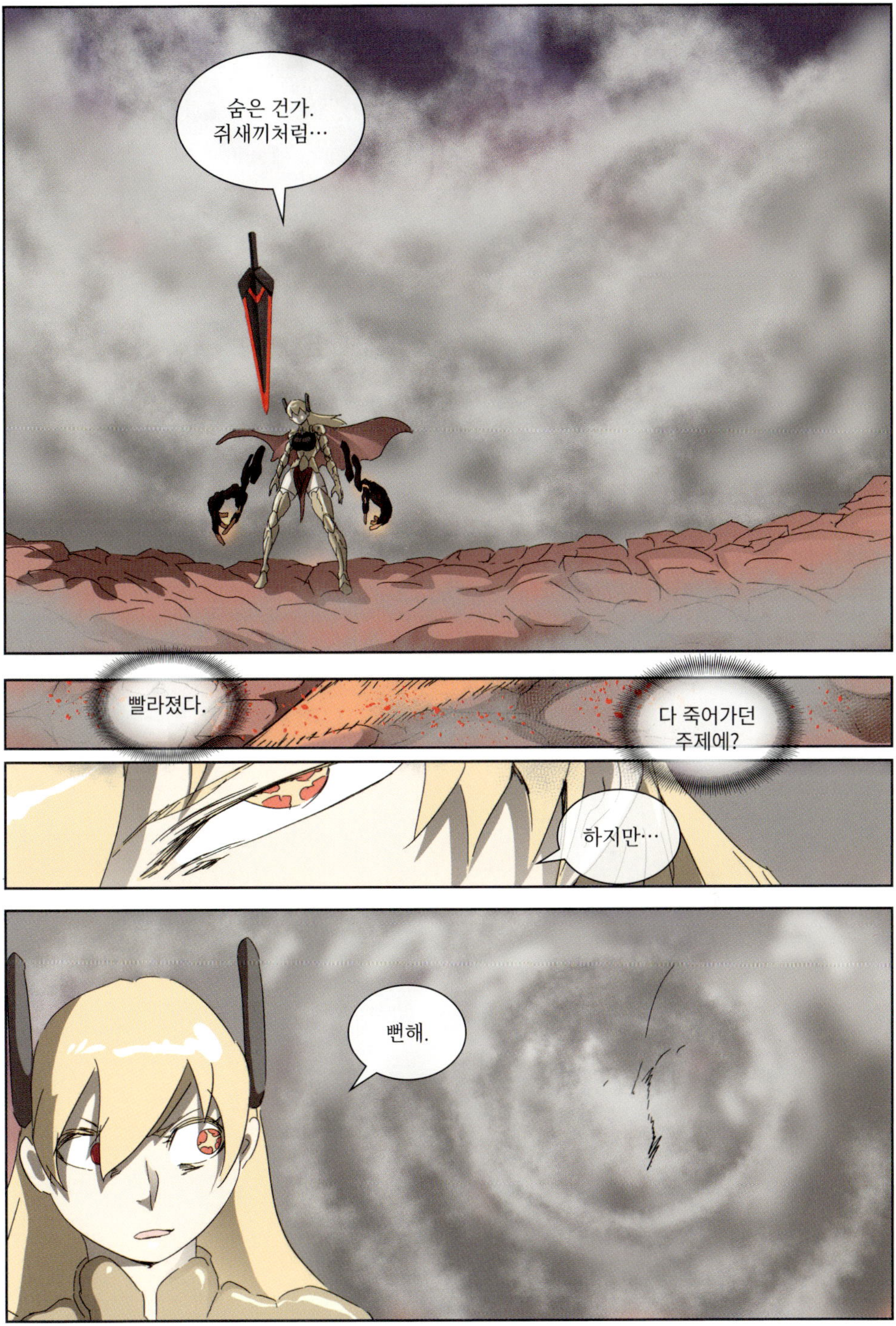

숨은 건가.
쥐새끼처럼…

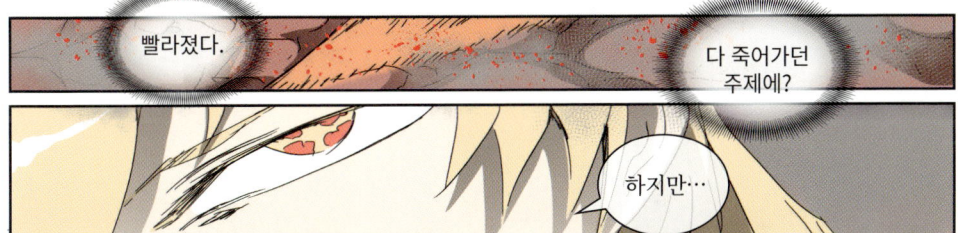

빨라졌다.

다 죽어가던
주제에?

하지만…

뻔해.

고대 유물
따위에…

감히!!!

무슨…

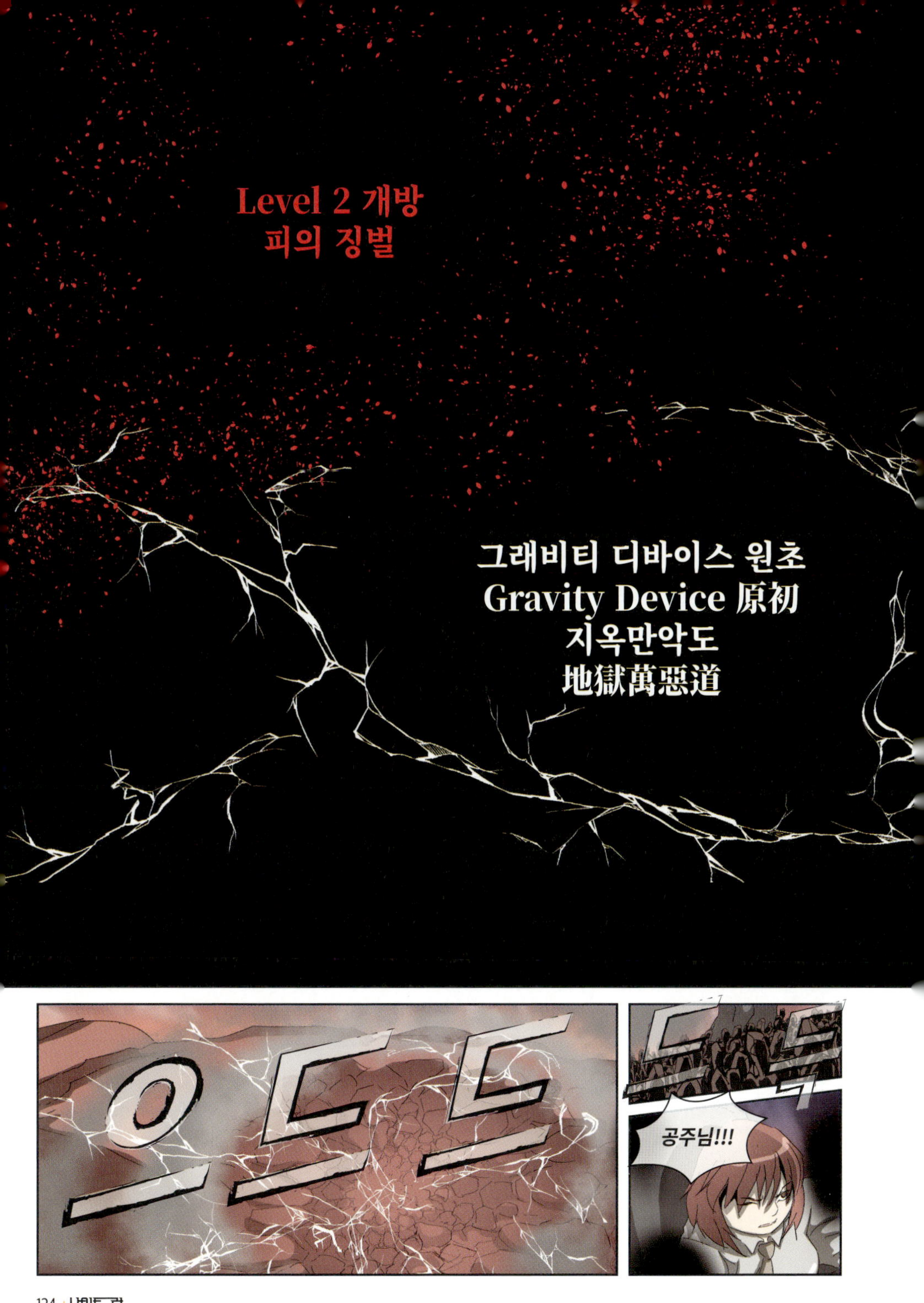

Level 2 개방
피의 징벌

그래비티 디바이스 원초
Gravity Device 原初
지옥만악도
地獄萬惡道

공주님!!!

이제 흘릴 수 있다.

원초···
낡았다고도 해.

고중력검은
두 뱀의 보조 없이
휘두르기엔 그다지
좋은 무기가 아니지.

나를
보았겠다.

부정안
蜻廷眼

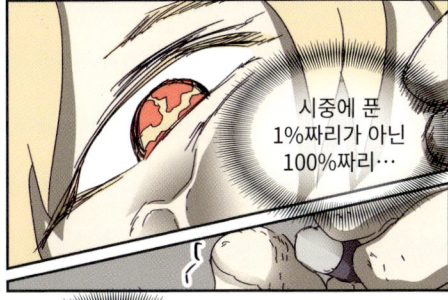
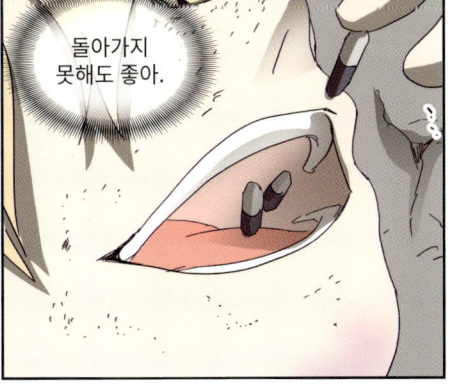

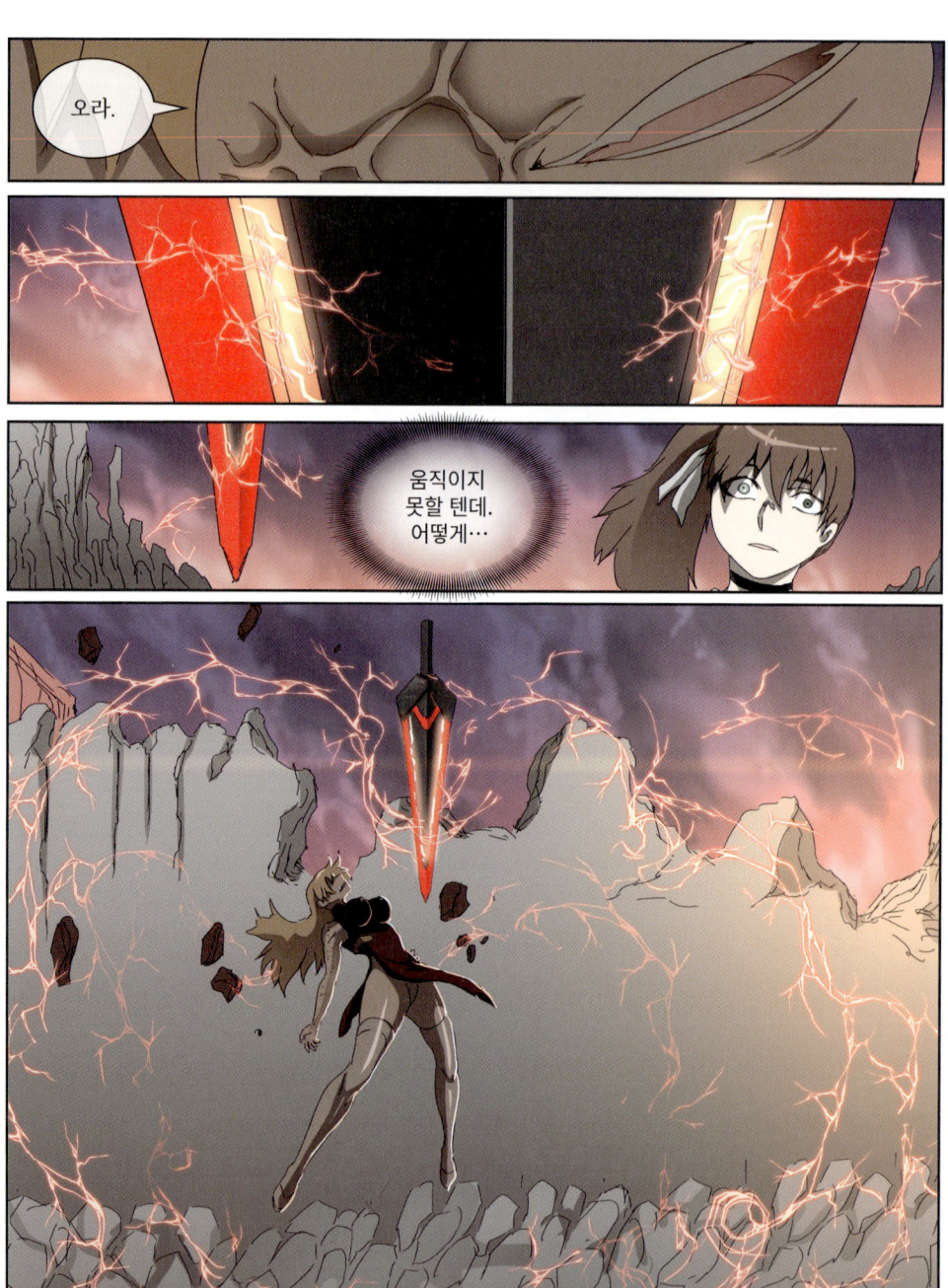

오라.

움직이지
못할 텐데.
어떻게…

저건···
왕국이 풀었던
약.

녀석들을···

죽여야 해.

역시 루인의
물건이었나···

일종의
키메라화···

아니.
인간은 키메라가
될 수 없다.

잠깐 동안
이형융합으로
키메라의 한 가지
특성을 발휘하게
해주겠지.

키메라의 피가 주는 특성은
힘이 아닌 단순한 폭주.
왕가 안에 잠든 원래의 힘을
폭주로 전부 끌어낸다.

그럼 원래의 모습으로
되돌아가지 못한다.

돌아가지 못해도 상관없어…

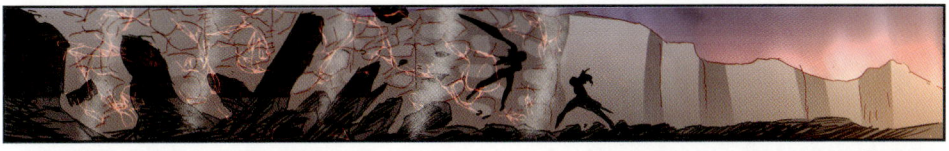

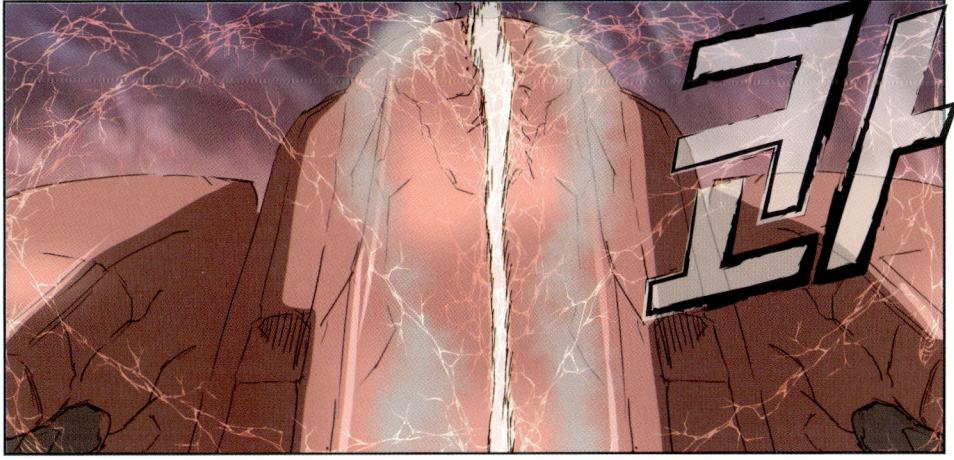

마이어식 유술 목죄어부수기

크아아악!

좀 더
한계를 넘어…

뱀을 몸에 두른다.

날 죽이지 않으면
끝나지 않아!!!

죽는 건가…

뭐… 상관없나.

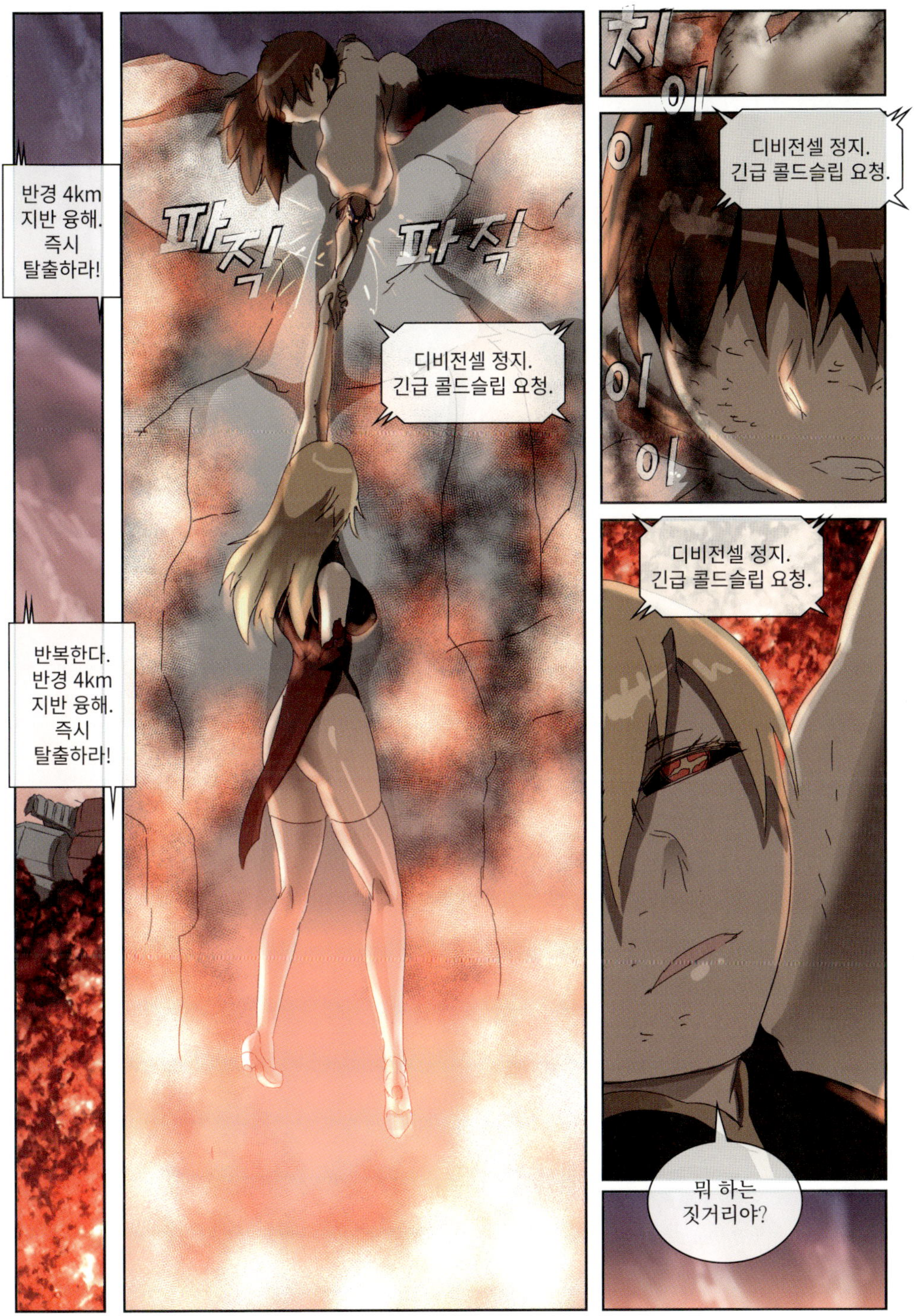

누군가를
죽이는 결말 따위
이제 질색이야.

이제 아무도
없는걸.

…아무도…
없어…

그 가짜라도
죽이지 말고
남겨둘 걸 그랬나.

미워하기를
멈출 수 없는데…
이제 그것도 지쳤어.

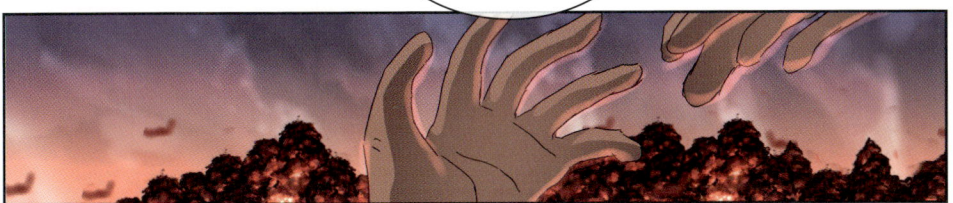

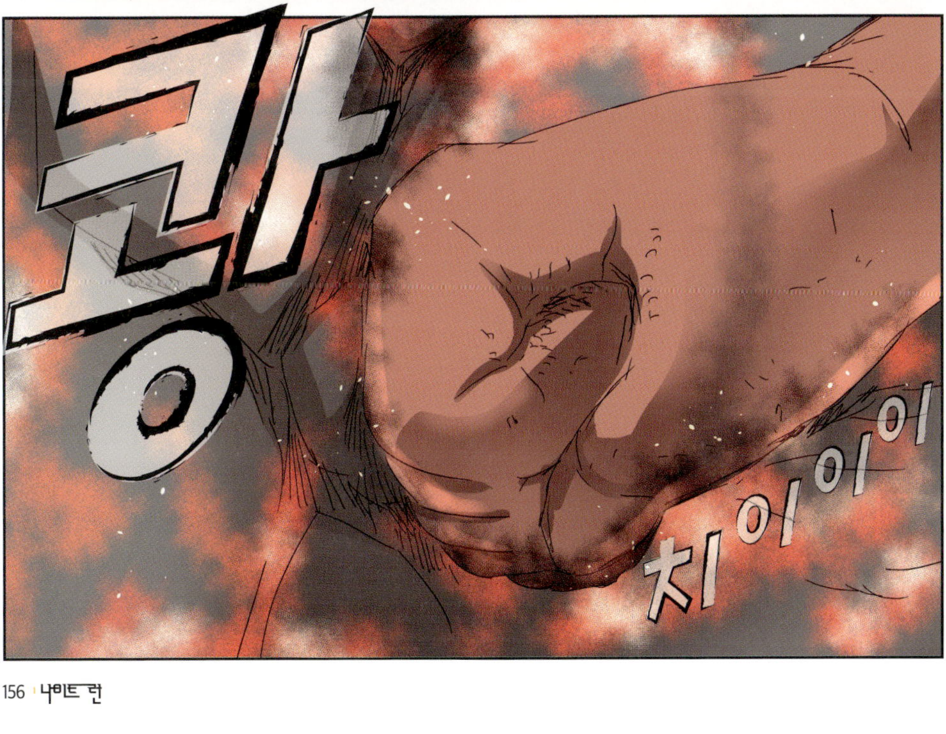

쾅

치이이이

part 19. 그리고 아무도 없었다 |끝|

SIDE STORY | KNIGHT FALL AFTER

20화

KNIGHT
FALL
MAIN EPISODE·2

사부가 죽겠어.
아니 그 전에 내가
먼저 죽겠지만.

이 코드는…

긴급 탈출.
좌표 지정 요망.

이렇게
빨리 오다니…
뭐 상관없나.
도망가야지.

나라도 살려면
그냥 빨리
여길 뜨자.

긴급 탈출
포드 사출.
…좌표는…

철

컥

이씨
에라 모르겠다.

퍼

엉

쿠

아

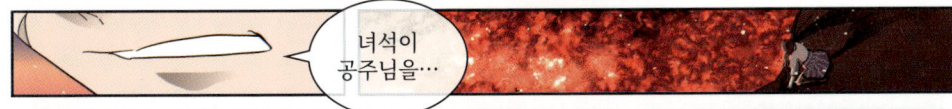

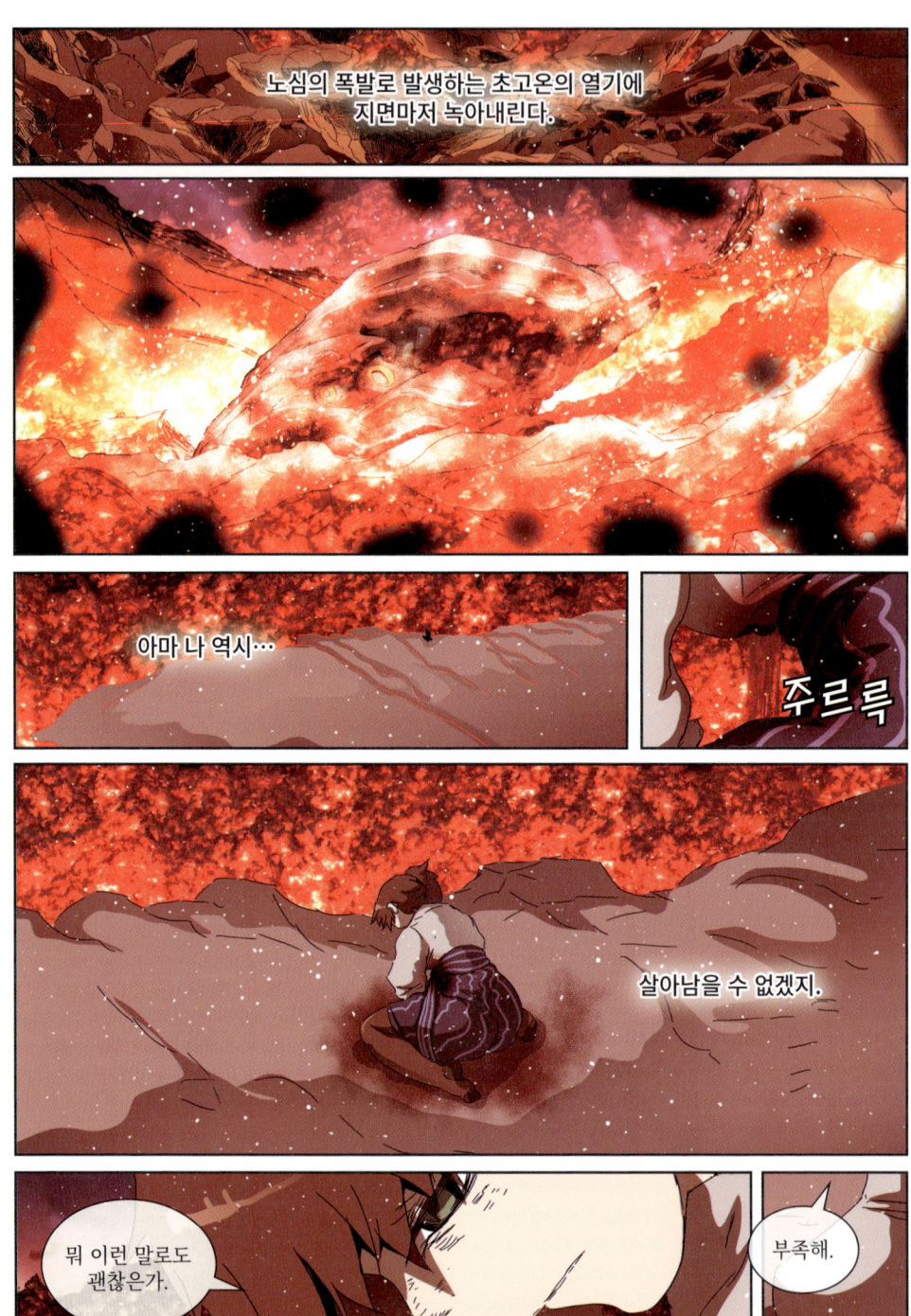

노심의 폭발로 발생하는 초고온의 열기에
지면마저 녹아내린다.

아마 나 역시…

주르륵

살아남을 수 없겠지.

뭐 이런 말로도
괜찮은가.

부족해.

까불지 마!!!

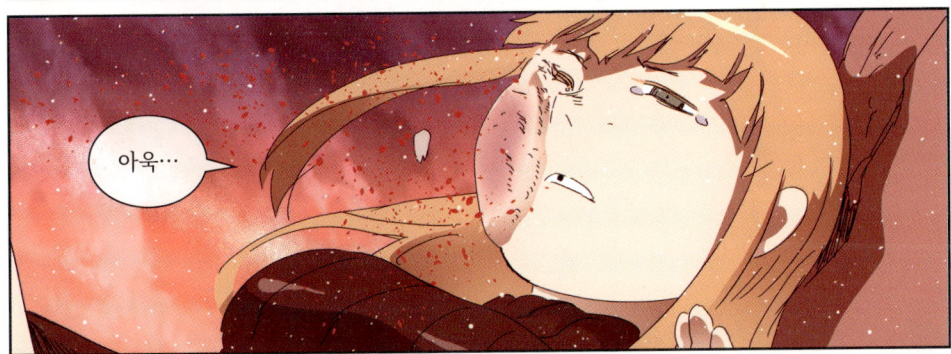

아욱…

별것도 아닌 게…

좌

?!

악

무…슨…

내가 비록
일반인이긴 해도
대충이나마 특수기를
익힌 몸이라고.

내 앞니…

카운터 발도만큼은
사부보다 잘하거든.

아이고
허리야.

사람 베는 건
꽃 같은 여고생이
할 짓이 아니라고.

사부 가자.

이곳
승무원은…

못 구해.

 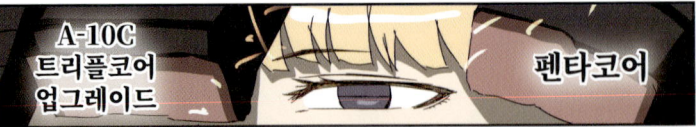

A-10C
트리플코어
업그레이드

펜타코어

퍼핏크로우 3, 4호기
원거리 특화형

고화력거점타격형 청색

Blue

고출력원거리저격형 적색

Red

철

컹

로더 7번,
로더 8번.

블루버드, 레드버드 장착.

긴급구조 모드.
제한적 살상 허가.

뭐야 저건
요격해!!

투 두 두 두

두 두 두

그 아이인가…

가무르성계

가리안성계

초 원거리
성계간 워프통신
스타트.

첫 성공인가.

실시간
워프통신 한계
3분.

에이미 뭐해?

인형 놀이요.

그럼

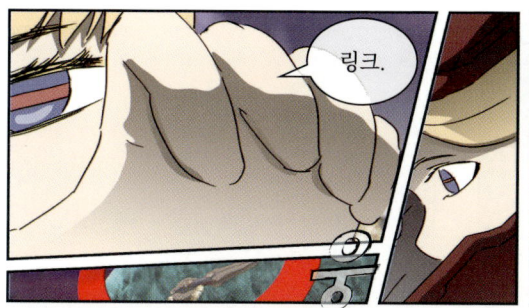

링크.

워프통신을 이용한
에이미의 자율판단
전투…

계획대로이긴
하지만…

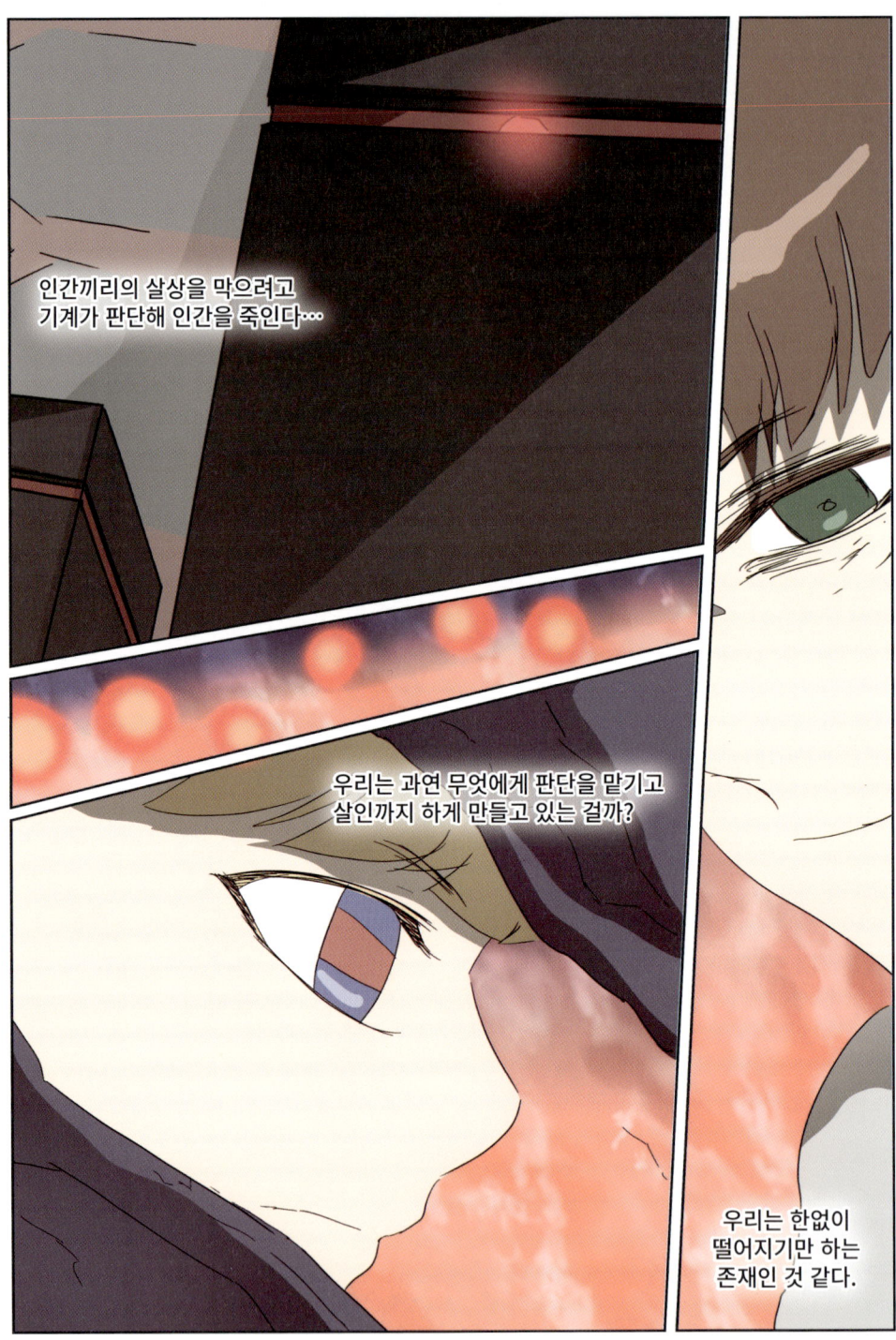

상대가 괴수였다면 이런 기분은 아니었겠지.

이모션 프로그램을 제외하면
스퀘어오브젝트에서 파생된 A계획과 유사한 무인워플랜.

두 개의 차이가 다른 미래를 그릴 수 있으면 좋겠지만

엄연히 자율적인 판단으로 인간을 죽일 수 있는 자아를 지녔다는 공통점이 있다.

이것을 어떻게 받아들여야 정답인 걸까.

이것은 시험이다.

이것은 진보일까, 후퇴일까?

응.
잘했어, 에이미.

오랜만이에요 언니.
평안하셨어요?

가요. 마스터.

지금은 결론을 내릴 수 없다.

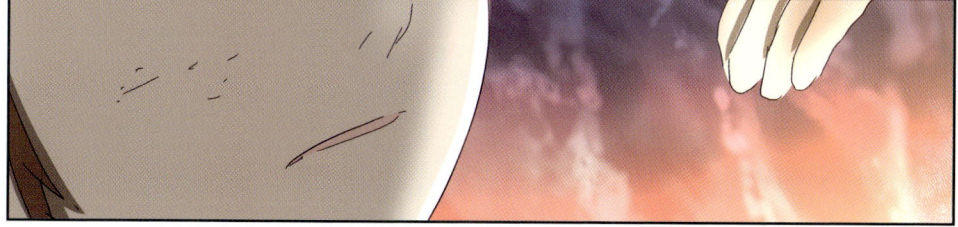

우우

웅

워프통신링크
종료 4초 전.

돌아오시길
기다릴게요.

오랜만이에요.

응.
잘 와줬어.

그리고

미안해요.

마리가
기다려요.

키

링크 종료.

우

우

삐—

오토파일럿모드로
전환합니다.

미안해요.
모라 수녀님.

결국 죽이고
끝냈어요.

이제…

AL군인가…

너무
늦는다고…

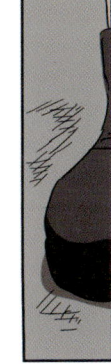

AL 따위에게
구원받은 건가…

끝난 건가요?

아니…
그건 아니야.

우린 실패했어.

이건 시작이지.

part 20. 잔향 |끝|

SIDE STORY | KNIGHT FALL AFTER

21화

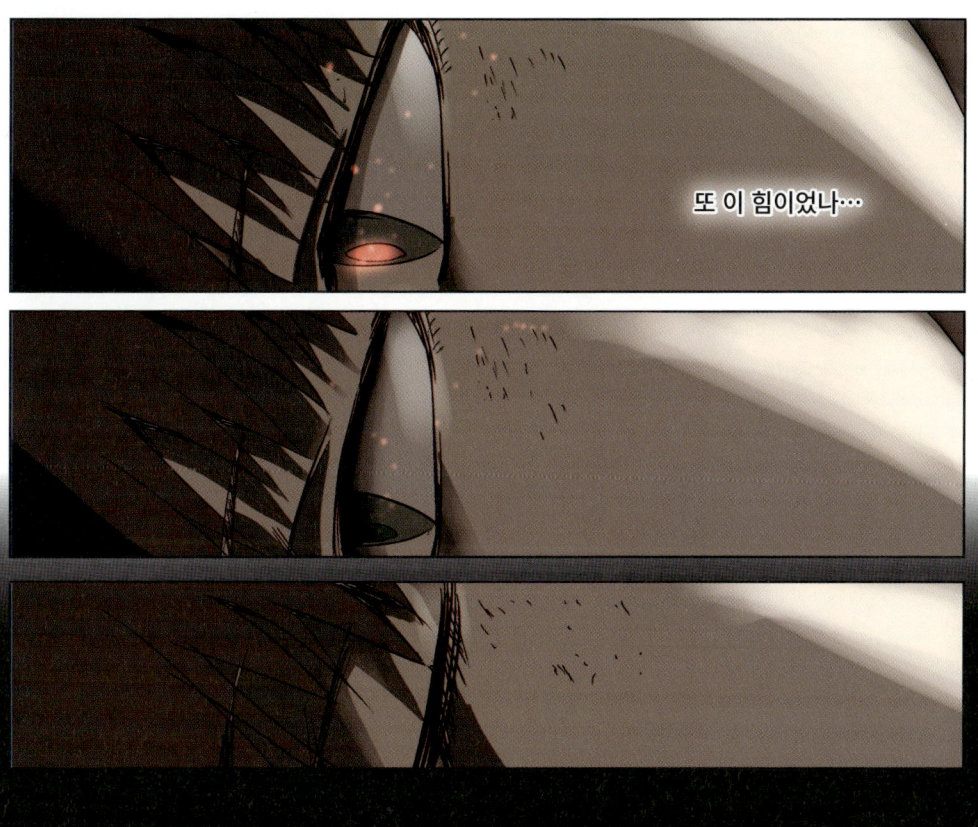

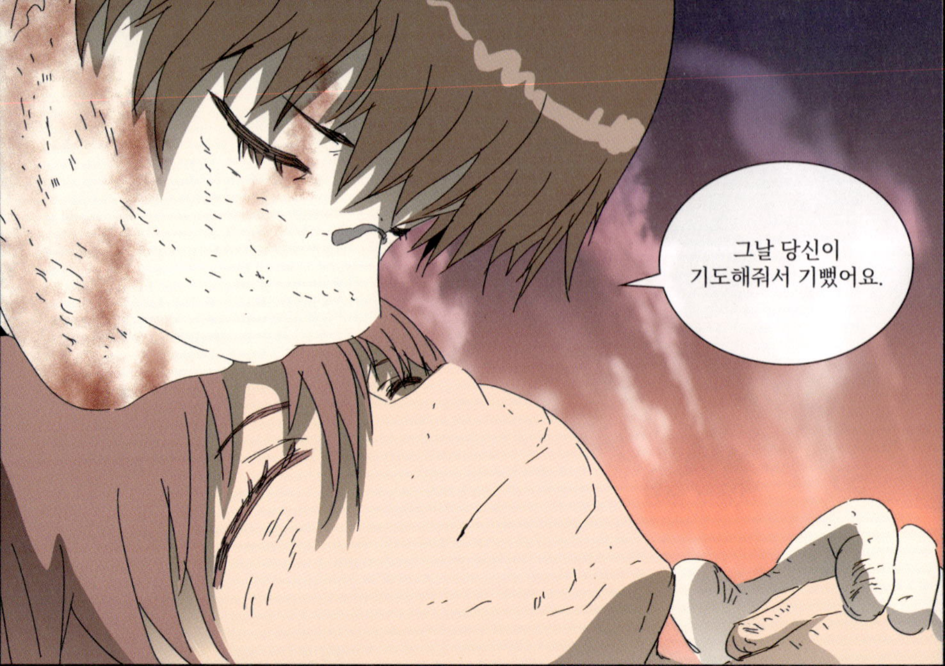
그날 당신이
기도해줘서 기뻤어요.

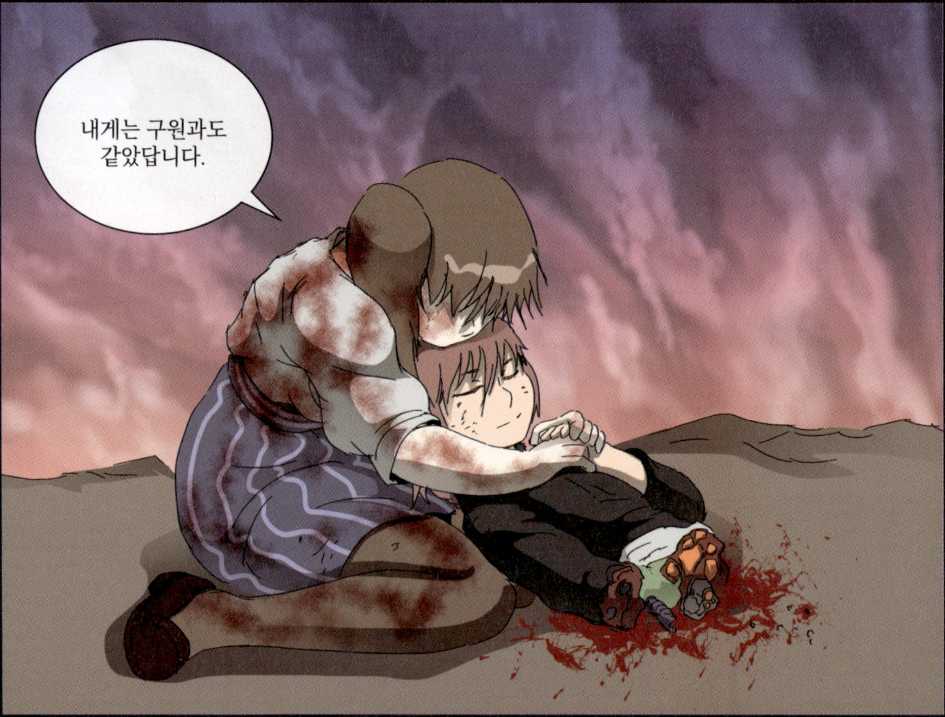
내게는 구원과도
같았답니다.

구원받았다고…
그렇게 생각했다.

좀 더
나아갈 수 있다고.

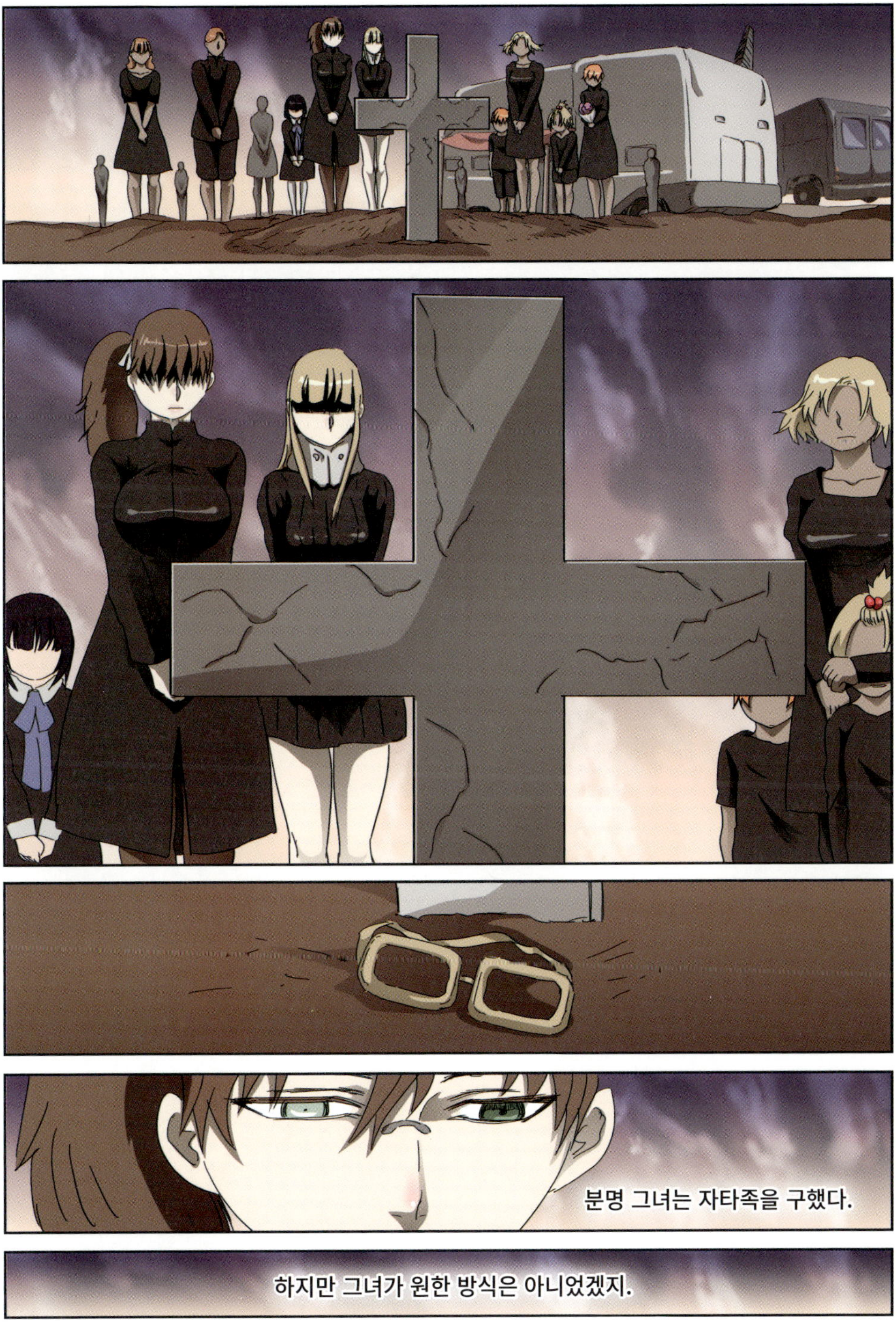

분명 그녀는 자타족을 구했다.

하지만 그녀가 원한 방식은 아니었겠지.

confiscated

압수물

confiscated   approach prohibition

접근 금지

다시 가져가려면 이거 다 써야 하나요?

예 꼭 당신 필적이어야 인증됩니다.

무기 반입도 모자라 정규군 살해까지…

이 정도면 많이 봐준 겁니다.

…AL 따위 망해버려라.

몇 시간 동안
서류 작성하느라
고생하셨습니다.

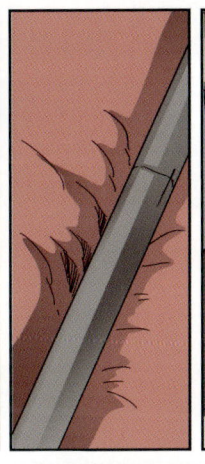

불법전투행위는
괴수전의 공을 인정해
눈감아 드리겠습니다.

이 행성엔 곧
모두의 관심이
쏠리겠죠.

당신은
성가신 존재가
될 테니…

이 행성에서
어서
나가주시죠.

괴수도
잡아줬는데
너무 박한 거
아닌가요?

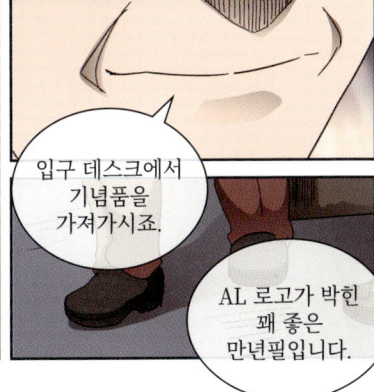

입구 데스크에서
기념품을
가져가시죠.

AL 로고가 박힌
꽤 좋은
만년필입니다.

국제 관계에서 실리보다
선의나 양심이 우선하는
경우는 거의 없습니다.

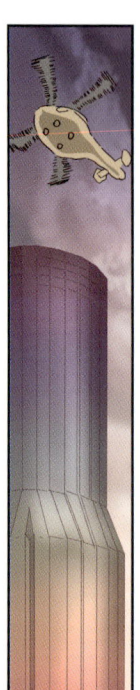

언론인가.

오키두섬에
복구지원팀을
보낸다.

비난은 왕국군
몫으로 넘기고
좋은 모습을 보여줄
때로군.

지금까지
왕국군이 뭘 하든
신경도 안 썼던
주제에.

저희는 비인도적이고
악질적인 인종차별을
좌시하지 않겠습니다.

AL대신
귀찮은 자타족을
압박하던 왕국을
용인해왔으면서

이제는
자타인 편인
척인가.

AL은 오키두섬 복구지원을 시작했다.

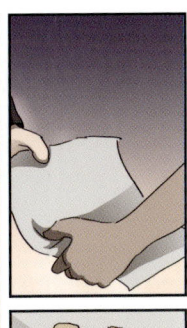

섬의 봉쇄는 부분적으로 풀렸고
오키두섬 주둔군은 왕국군에서 AL군으로 바뀌었다.

자타인들은 AL의 경제적 지원과 복구 물자 지원을
비교적 거부감 없이 받아들였고

그들은 점점 더 너그러워졌다.

반AL, 반왕국군 테러를 멀인 자타민족해방전선은
무력투쟁을 멈추기로 발표했다.

그리고 우리는 그저 그녀가 남긴 일을
계속하고 있다.

이 정도면
잘 마무리된 거
아닌가요?

결국
스퀘어오브젝트
만만세인 결말
이잖아요.

자타인이 AL을
받아들인 것도
그 때문이고.

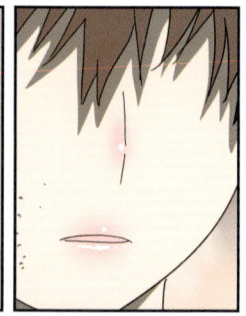

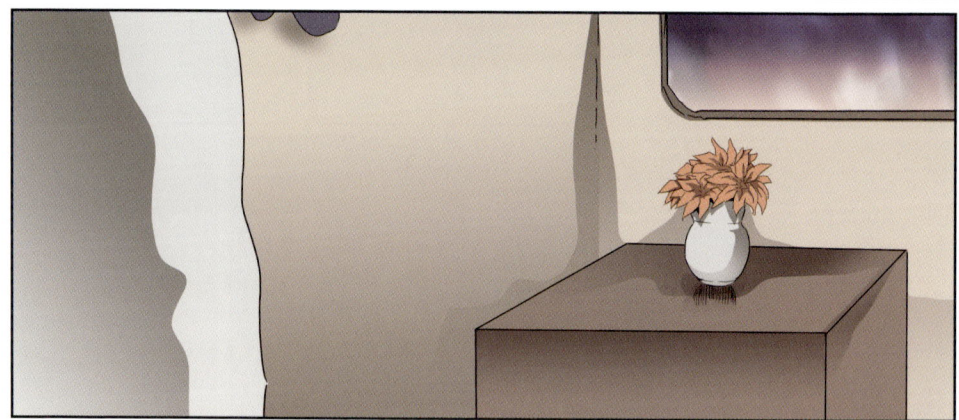

하지만 누군가를
죽임으로 낸 결말에
마침표는 없어.

왜 우릴
봉쇄하는
거야…

우리 공주님도
저 녀석들
때문에…

아군의
뒤통수를
치다니…

충돌
직전이라고
…

다 댁네 기계가
왕국군을
쏴 죽여버린
탓이잖아!

기계
탓이라고!!

게다가
공주님이 없다고
왕권을
무시한다니?

대장은
저렇게 됐고…

이대로
있을 겁니까?

저 녀석들 잘난 척은
다하면서 책임은 다
여기에 돌릴 셈입니다!

부관님…!!!

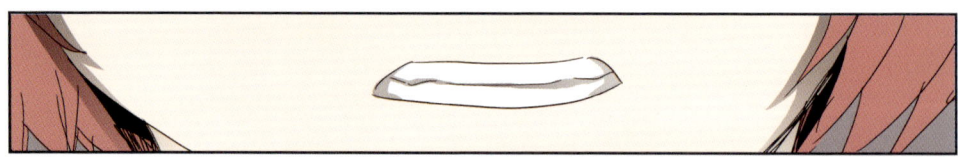

자, 보라 인간을…
반복되는 역사를.

왕족이 사라지자 내부의 파벌이 갈리고 있습니다.

왕족 과격파를 막는 힘들고 국제 여론도 좋지 않아요.

...

AL이 이런 변경에 지원군을 보낼 리도 없으니 이대로는 전망이 어둡습니다. 앞으로의 계획은 어쩌죠?

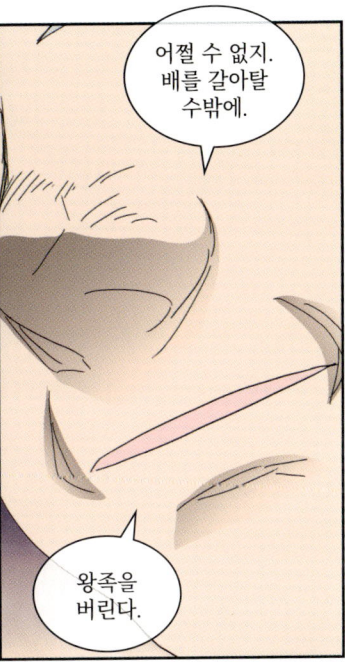

어쩔 수 없지. 배를 갈아탈 수밖에.

왕족을 버린다.

AL도 슬슬 뿌리를 내리고 있고 왕국 원주민은 인구의 20%에 불과해.

게다가 부유층이라 이민자들, 혼혈들의 반감도 있지.

여긴 애초에 너무 왕권이 강했어. 행정부에 권력을 돌려줘야지.

마침 개혁파가 여당인 상황이니 총리를 불러.

그런가요. 받아들이죠.

하지만 병력은…

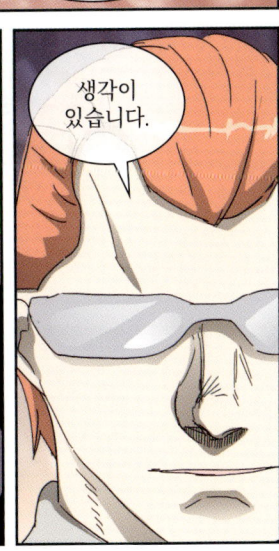

생각이 있습니다.

그저 복잡한 심경을 달래려 그녀가 남긴 자료 정리, 호적조사 등 갖가지 행정 업무를 마무리한다.

그 수녀님… 혼자서 잘도 이렇게 조사해놨네.

덕분에 자타족 행정 업무 인계 작업은 곧 끝낼 수 있지만…

넌 여전하구나…

그녀가 수년에 걸쳐 모은 인맥과 자료들이 있었기에 많은 일을 수월하게 진행할 수 있었다.

그녀가 무엇을 했고 얼마나 노력했는지 여실히 알 수 있는 자료들…

이건…

그리고 분명 이 싸움의 끝은 결코 쉽게 찾아오지 않을 테고

우리가 그 끝을 지켜보는 건 불가능하겠지.

상원의원들이 왕국을 배신했습니다.

우리 부하가 AL 공격에 죽었는데…

용서 못 해.

퍼 엉

이번엔 AL과 왕국, 행정부 사이에 균열이 발생하기 시작했다.

일부 과격파가 봉기하고

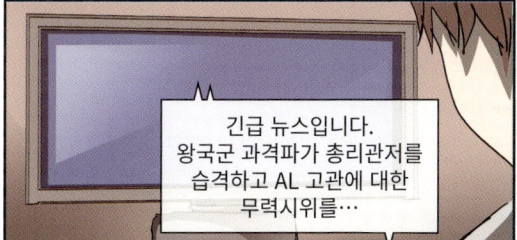

긴급 뉴스입니다. 왕국군 과격파가 총리관저를 습격하고 AL 고관에 대한 무력시위를…

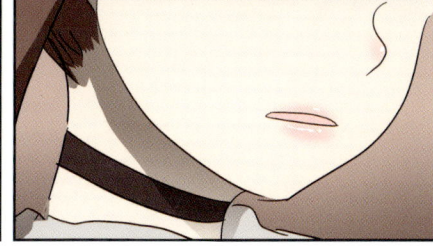

왕국군이 행정부를 제압하자 민심은 그들을 떠났다.

이것이
저희의 제안
입니다.

국제 관계를 의식해 오키두섬에 대한 지원 자원 확보와
자타인 실업 문제 해결이라는 골칫거리를 안고 있던 AL은

얼마 전만 해도 기사단의 숙련된 군인이었던
자타인들을 기용하는 데 망설임이 없었다.

왕국군 제3기지
제압 완료.

AL은 자타족을 정규군으로 기용했다.

AL 지상 병력의 부족, 왕국군의 파벌 갈등과 혼란은
도시의 치안 상황을 급격히 악화시켰고

시민들은 자타인을 받아들였다.

그럼
가볼게요.

기사를 지원해!

밖으로 데려다 줄게.

부탁이 있어요.

그저 희생자를 줄이려고 아이들과 기사를 도운 건데…

내가… 왕국을 망하게 한 건가…

저 자식 본 적 있어! 왕국군이다!

펙
펙

죽여버려! 살인자들!

난 너희를 구하려…

뭐라는 거야…

탕

왕국군 사냥이 시작되었다.

집단의 증오는 언제나 불합리하다.

강한 악의를 이겨냈다는 것이
선의가 승리했다거나 합리적인 세상이 되었음을 의미하지는 않는다.
어느 한 쪽의 잘못이 그 반대쪽의 옳음을 의미하는 건 아니니까.

그저 다른 형태의 악의가 반복된다.

이것이 인간의 약함을 보여주는 것이겠지.

인간은 타인을 죽이는 것은 강하기 때문이 아니다.
오히려 약하기 때문에 증오하고 차별하면서
우위를 점하고 공포를 떨쳐내려고 타인을 죽인다.

가자.

너희들이
우리 가족을
죽였어!!

타
탕

탕

살려…

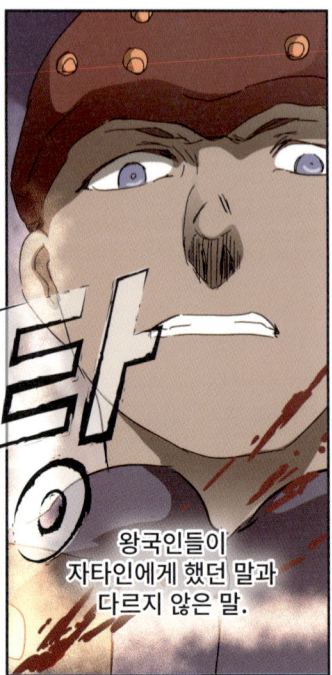

탕

왕국인들이
자타인에게 했던 말과
다르지 않은 말.

수녀님의 소원대로 그들은 받아들여졌지만

어이 어이…
적당히 하라고.

결국 위치가
바뀐 것뿐인가.

결국 원점으로 되돌아온다.

전부…
저 꼬맹이들
때문에…

빌어먹을…

세상은 변했다.

하지만…

인간은 진영을 막론하고 스퀘어라는 도구를 활용했을 뿐…

변한 게 없어.

그래도 스퀘어의
위력을 봤으니
어느 쪽도 큰일을
벌이지는 못하겠죠.

스퀘어
만만세

저건 단지 기계이자 도구일 뿐이야.

인간 대신 판단해주니 편리하지만

인간의 선의에 바탕을 둔 노력이나 제도, 교육의 뒷받침이 없다면

저게 무슨 의미가 있을까.

사상자를 줄인다는 명목으로 사람의 책임이나 의지조차 기계에게 떠넘기면

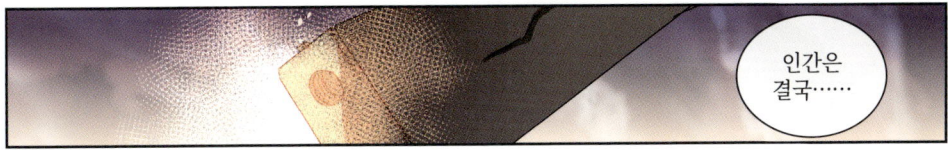

인간은 결국……

기지 제압 완료.

지휘관을
사살했다.

자타인의 학살을
용인한 AL은
물러가라!!

자타인을
수용소로
돌려보내라!!

또 왕족들
데모인가?

안 그래도
순혈주의니 원주민이니
따지면서 차별하던 놈들이라
재수 없었는데 누가
눈길을 준다고…

꼴 좋다.

자타인 학살을 방조한 일반 시민들은

수고했어요.

왕국 원주민의 피해에도 마찬가지였다.
자신에게 유리한 진영에 서서 정의를 가장한
무관심으로 일관할 뿐이었다.

예.

증오로 시작된 전쟁.
AL이 졌어도 세상은 크게
달라지지 않았겠지.

그저 숙청 대상이
북부가 아닌 AL로
바뀌는 것 외에는.

위치만 바뀔 뿐이다.

세상이 이렇게 된 건
옳고 그름을 헤아리기보다
전쟁이라는 행동을 앞세워
상대를 제거하려고만 했기 때문…

죽이면, 선을 넘으면
멈출 수 없다.

눈앞의 죄악은 벌해야 한다는 것을
부정할 수는 없지만

처벌의 악순환을 반복할 뿐이라면
우리는 떨어질 수밖에 없다.

여긴 왕국군이 도망쳐 숨어있는 곳이야.

여기 있는 녀석들 다 왕국군이라고!

이 자식들 때문에…

녀석들이 우리에게 한 짓 그대로…

그럼
안 되잖아요.

난…

그래.

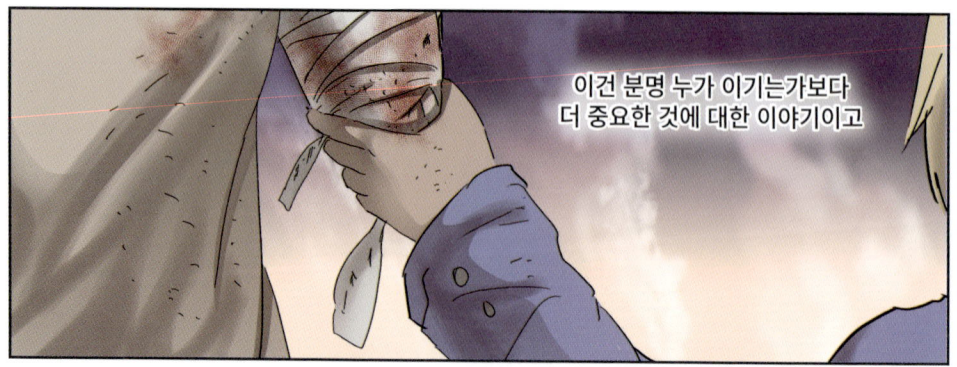

이건 분명 누가 이기는가보다
더 중요한 것에 대한 이야기이고

'그것'은 너무도 긴 시간과 노력을 필요로 하기에
많은 사람이 그토록 쉽게 포기하고 무관심해지는 것이겠지.

비록 수녀님은 죽었지만

증오심에 사로잡히지 않고
타인에게 호의를 베풀 줄 알며

여전히 웃을 수 있는
아이들이 있다는 사실에

조금 눈물이 났다.

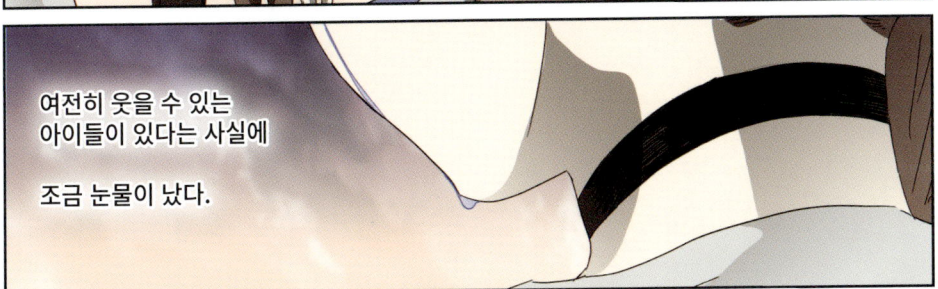

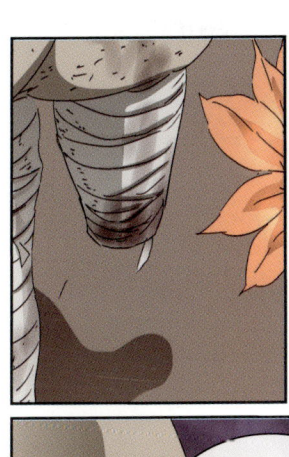

수녀님이 준
씨앗으로
학교 화단에서
키우고 있어요.

이걸로 캠페인
하려고요.

갈 데가 없으면
저희가 지낼 만한
곳을 알아요.

같이 가요.

난…

이거 수녀님이
좋아하던 꽃이에요.

꽃말은

'함께'.

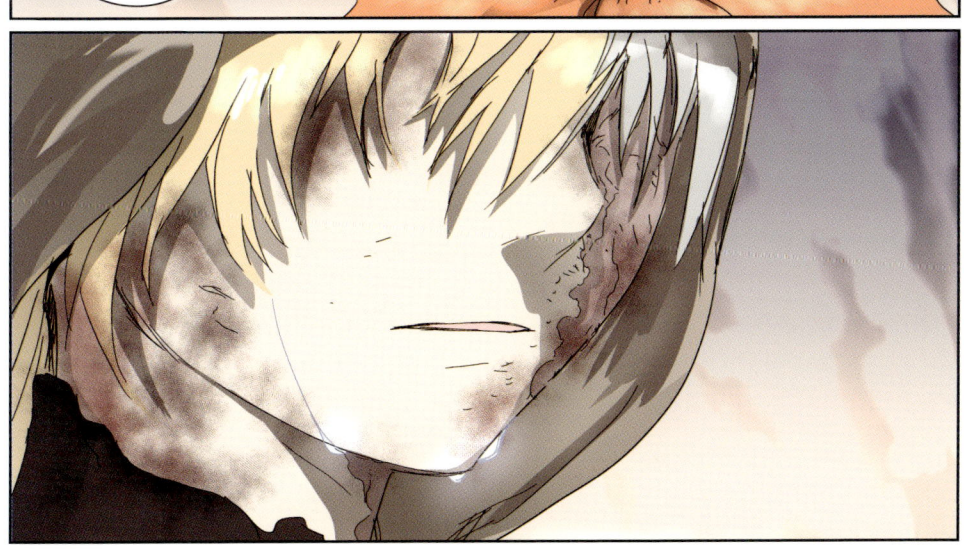

분명
같이 갈 수 있다고
믿고 있습니다.

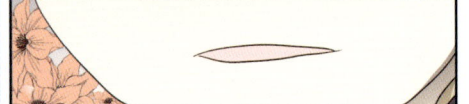

당신은…

왕수녀님! 한 사람 또 데려왔어!

…그럼 먼저…

이 아이를 위해 기도해 주실래요?

그래.

조금씩이라도
다시 올라가는 거야.

part 21. I Want to Believe |끝|

SIDE STORY | KNIGHT FALL AFTER

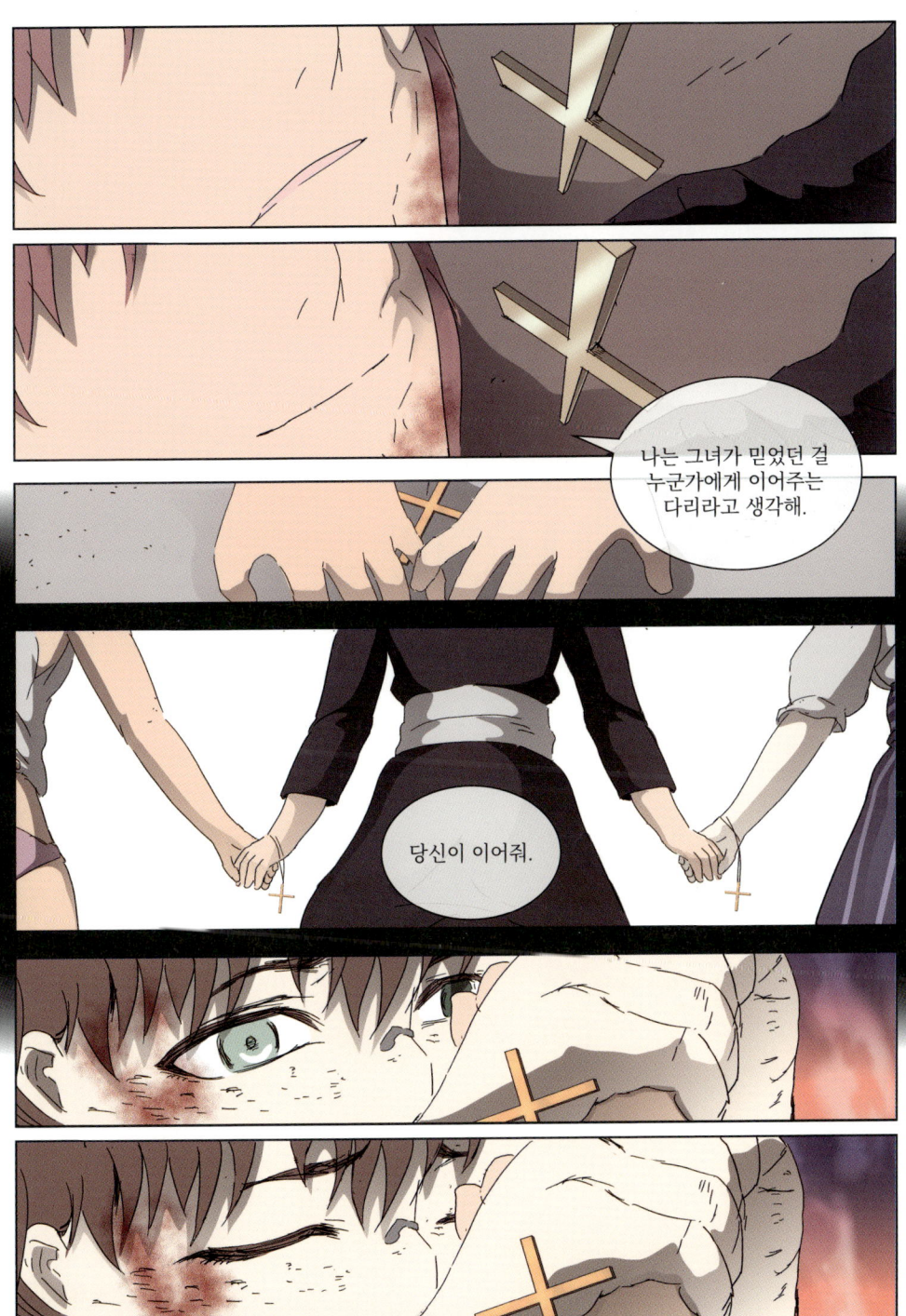

악의나 증오처럼
선의에도 연쇄 작용이 있다.

그러니까 분명…

왜 이리
서둘러?

아이가 기다려서
빨리 돌아가야 해요.

게다가 무서운
인형이 혼자서는
잘 시간도 없다고
성화여서.

환자 이송
서둘러!

계속 죽어나가는데
약은 왜 안 오는 거야?

괜찮아.

아직
힘낼 수 있어.

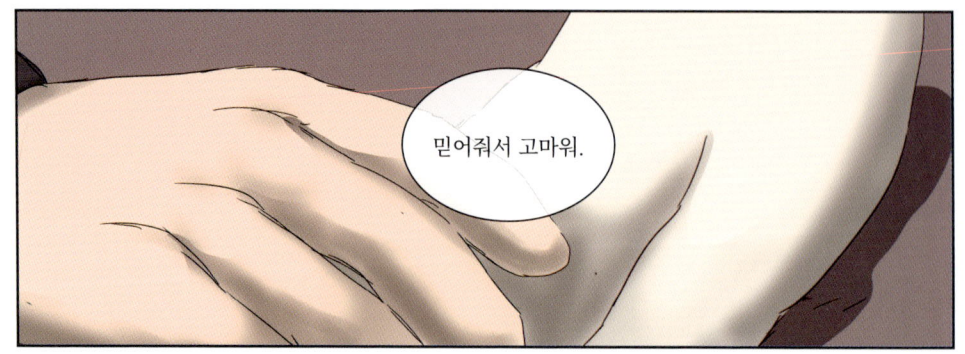

믿어줘서 고마워.

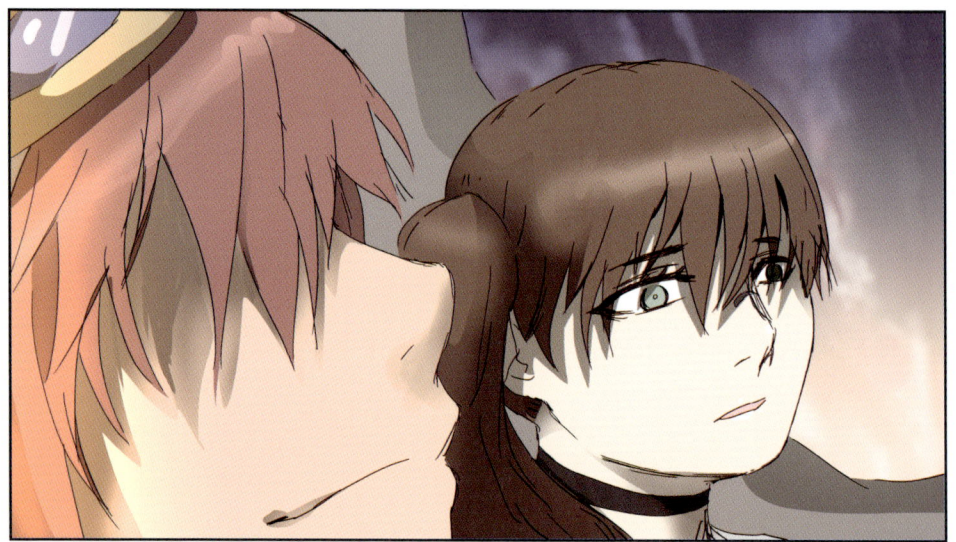

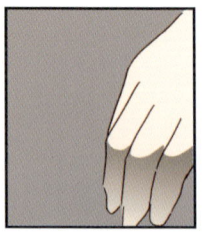

선의의 힘은 언뜻 보기에는
무척이나 무의미해 보인다.
세상의 불합리함과 증오, 악의에 가려져
잘 보이지 않을 때도 많다.

구원과도 같은 순간이 찾아올 때도 있지만
잃은 게 너무 많아 마냥 기뻐할 수도 없다.

그럼에도 분명,
세상을 이루고 지탱하는 건
포기하지 않고 이어온 선의라고 믿는다.

세상은 분명
아름다울 테니까.

예쁜 꽃이네.

아름다운 세상과 가치 있는 선의를 위해.

작가후기

나이트폴

캐릭터가 많아서 소화가 힘든 작품이었네요.

나오는 애들이 너무 많아…

캐릭터가 초반에 우르르 간지 내고 쏟아지면 초반에 기대감은 높아지는데…

서사를 다 이야기하다 보면 길어집니다.(…)

그래도 다 수습했네요. 보통 에피소드당 1, 2개이던 메인 배틀이 2, 3배가 늘어서 여러 종류

대결은 다 그려봤네요.

거기다 나이트런에서 손꼽는 배드 엔딩이라서….

누가 죽어도 감동으로 끝나는 스타일이 아니라 차갑고 씁쓸한 엔딩이다 보니 반응이…… 으음.

근데 전체 서사에선 해야 하는 이야기라…

뭐, 시원 섭섭한 이야기였습니다. 프레이 편 시온 편 전부 감정과 감동이 메인인 이야기라

다른 방향성을 해보고 싶기도 했고요.

거기다 디지털로 완전히 전환하던 때 작품이라 시행착오도 많이 겪고……

그리고 이때부터 마감을 안 어겨서 급여가 안 깎이던 기억이…

근데 결국 하고 싶었던 건 생각대로 다 마무리해낸 편이라 만족했던 이야기입니다.

나이트폴 애프터

시온 편이 정의를 위해 허용한 작은 악의들이 모여 결국 모두 떨어져 버린 이야기…

나이트폴에서 떨어져 내릴 수밖에 없었던 현실에 대한 이야기, 가해자가 아닌 피해자가 떨어지는

현실을 보여주는 이야기라…… 그런 것만 보여주다 보니 이런 것만 그리는 게 맞나?해서…

그럼 좋아진다는 것, 선의라는 건 어떻게 쌓고 나아지는 것인가를 주제로 선의에 관한

나름의 답이라고 할까, 나이트폴 편의 애프터서비스… 이야기입니다.

개인적으론 생각한 분량대로 생각한 방향대로 모두 계획대로 끝난 유일한 에피소드입니다.

개인적으론 제일 좋아하는 이야기입니다.

짧게 끝나서 그런 듯도.

길어지면 고통받다보니 그 에피소드에 애증이 생깁니다.

하려고 했던 이야기가 딱 맞게 들어간 에피소드.

KNIGHT
FALL

MAIN EPISODE-2

SECRET FILES

한 컷 나온 얼음의 마녀
'소피 비스타'의 과거 회상
해동 버전 복장 설정

책상 아래의 숨겨진 비밀…

뒤는 물론…

가이아 삼자매

사망
(전투 중 실종)

생존

사망
(전투 중 실종)

양산형 키메라
초기 디자인

노출이 많아서 패스.

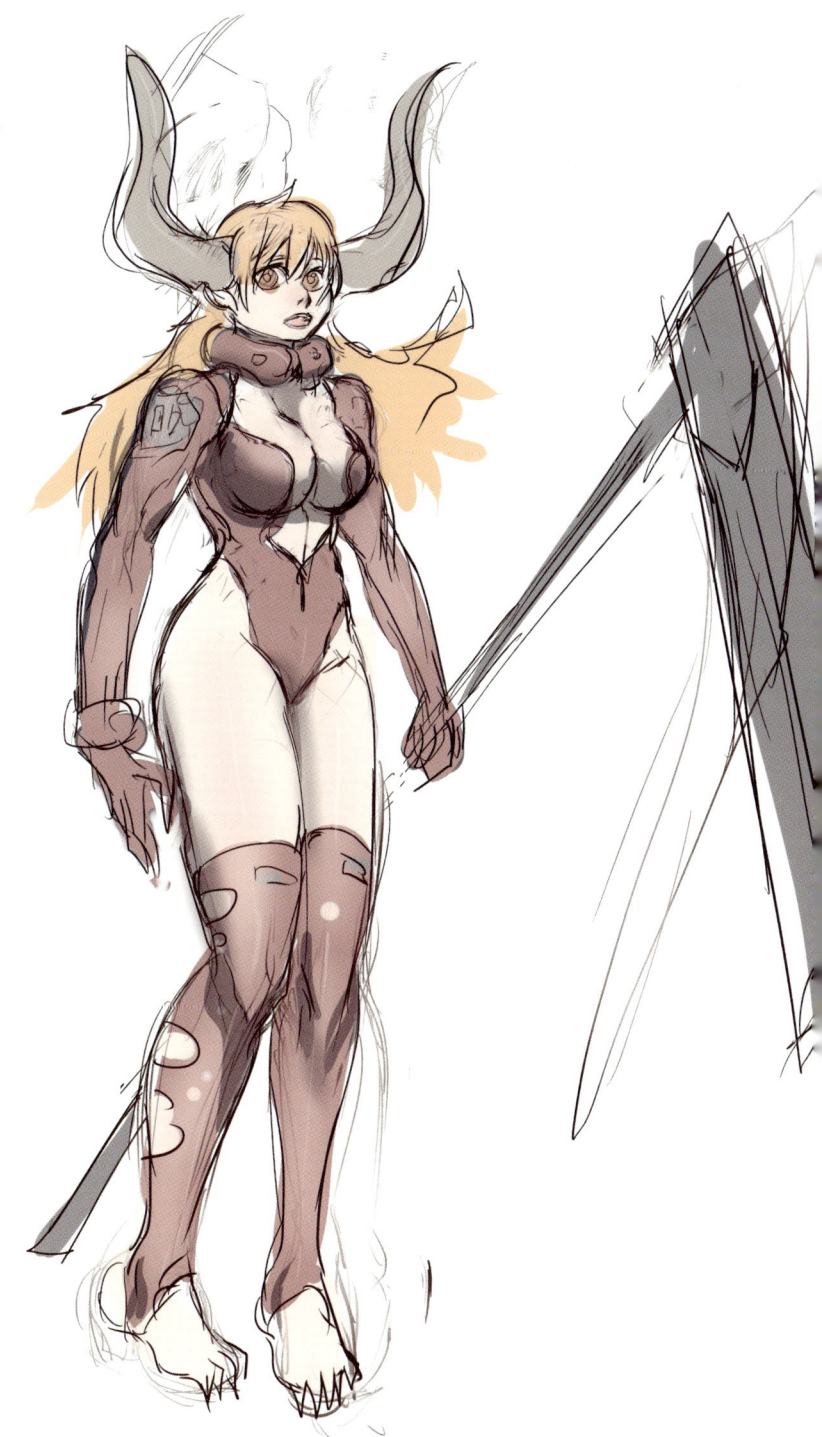

충성심이 강해
주인이라 생각하면
잘 달라붙는다.

기본은 '개' 같음.

하지만 일단 맹수라
수틀리면 주인이고
괴수고 나발이고 없다.

잘 문다.

4대 세력 시절 신인류혁신동맹과 루인의
일시적 동맹에 의해 만들어진 생체 병기라
적으로 싸운 적이 있는 이노베이션 엠파이어,
휴먼얼라이언스 세력 영웅은 그다지
좋아하지 않는다.

넌 친구
아냐!

저리 가!!

네가 있는 마을 엔딩 B

괴수화되지 않은 시온이
히페리온 채터박스 와장창 먼치킨 해피 엔딩.
원래 시온이 A-9에게 받은 슈츠는 금속 부분이 떨어져 나가며
엉덩이 훌러덩이 가능한 바람직한 기믹이 있었는데
시온이 괴수화되면서 사라진 안.

여하튼 이쪽 엔딩에선 고생, 근성 히페리온 그런 거 없고
그냥 짱 센 시온이 각성해서 묘지, 채터, 히페 와장창 끝.

힉!

비올레와 파올로

설정 단계에서는 둘 중 하나가
여자인 러프화도 있었다.

비올레의 어린 시절 머리 스타일은
여성 버전에서 온 것.

반대도 있고 그쪽이 더 유력했다.

나이트런에서는
드문 작은 가슴.

과거 연맹의 적 '만시'

꽤 펑키한 스님이었다.
예전엔 꽤 호쾌한
청년이었던 듯.

황제에게도 이 승려와 같은
계통의 피가 조금 흐른다.
결계와 황제 여동생의 상어 이빨도
여기서 나온 특성.

관련 스토리는 언젠가…

카페 주인장 시절.
스트레스로 인한 폭식으로 기도전쟁 이후의
앤은 뱃살을 감당하지 못하고 거들로
똥배를 숨기던 시기가 있었다.

기적의 뱃살 빼는 머신이 올 때까지
앤은 똥배를 달고 다녔던 것이다.

그래도 첨단 과학의 힘으로
뱃살만은 뺐다.

짝
짝
짝

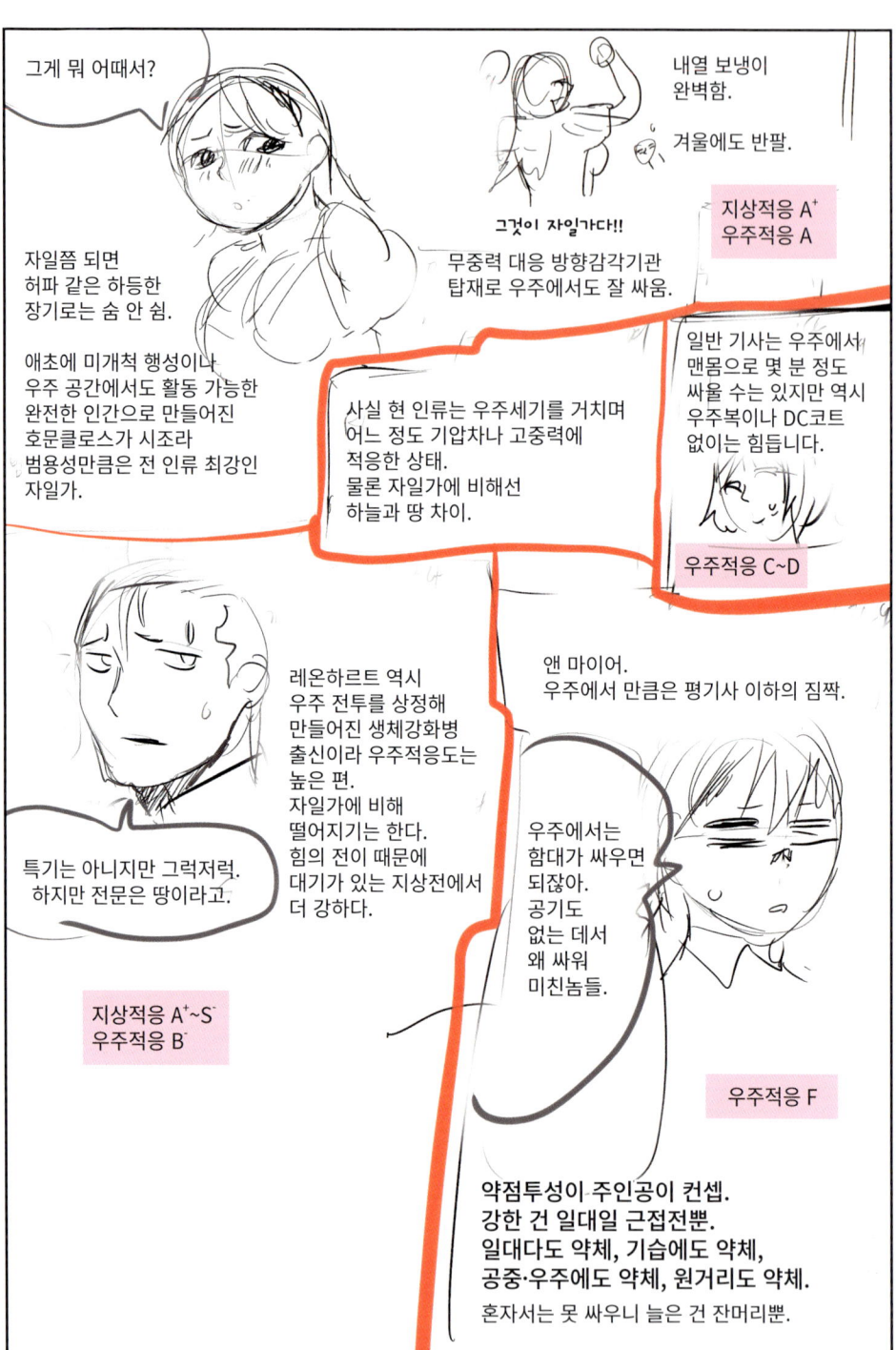

탈락 디자인

사라진 환상의 기획안

어나더 에피소드 기획 때는 콜드히어로 에피소드를
하나씩 연재할 계획이었지만 '네가 있는 마을'이 길어지며 폐기.

앤 VS. 시온도 기획에 있었다

엔딩이 확정되지 않았던 어나더 연재 전에는
이야기가 끝난 후 파괴된 토발을 지키기 위해
드라이의 AL에 합류한 시온과
앤이 싸우는 기획안이…

아주 약간 다른 시달 장군 초기 디자인

사실 꽤 좋아하는 캐릭터.
하지만 애정이 있다고 사망률이 내려가진 않는다…

**눈치채신 분도
있겠지만**

보석의 폭주로
각성하면

콧수염이 올라간다.

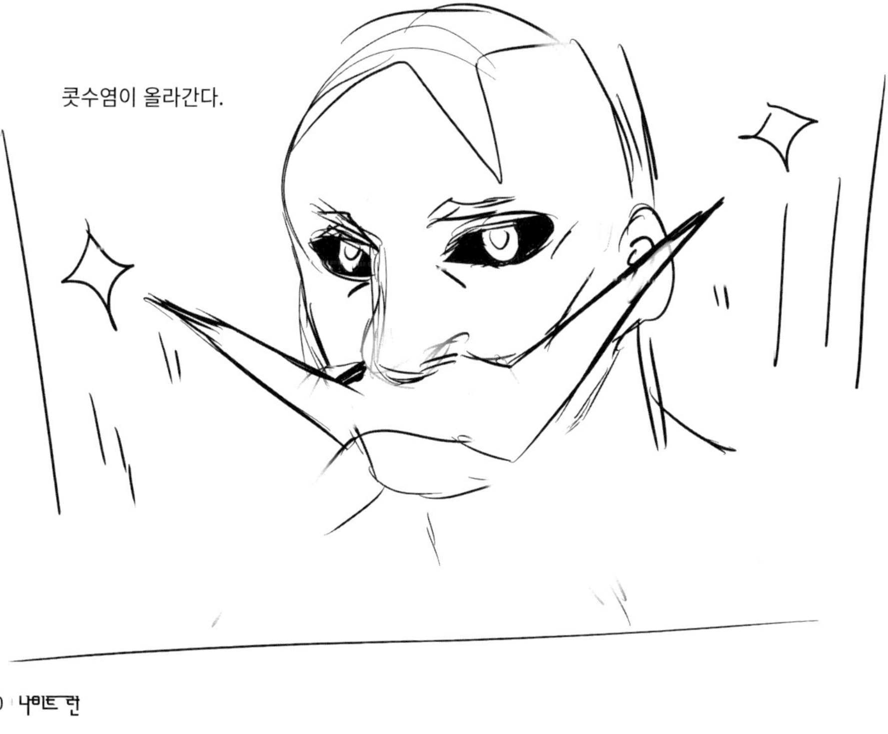

짤린 콘티 Vol.1
파올로가 함선을 빼앗는 씬.

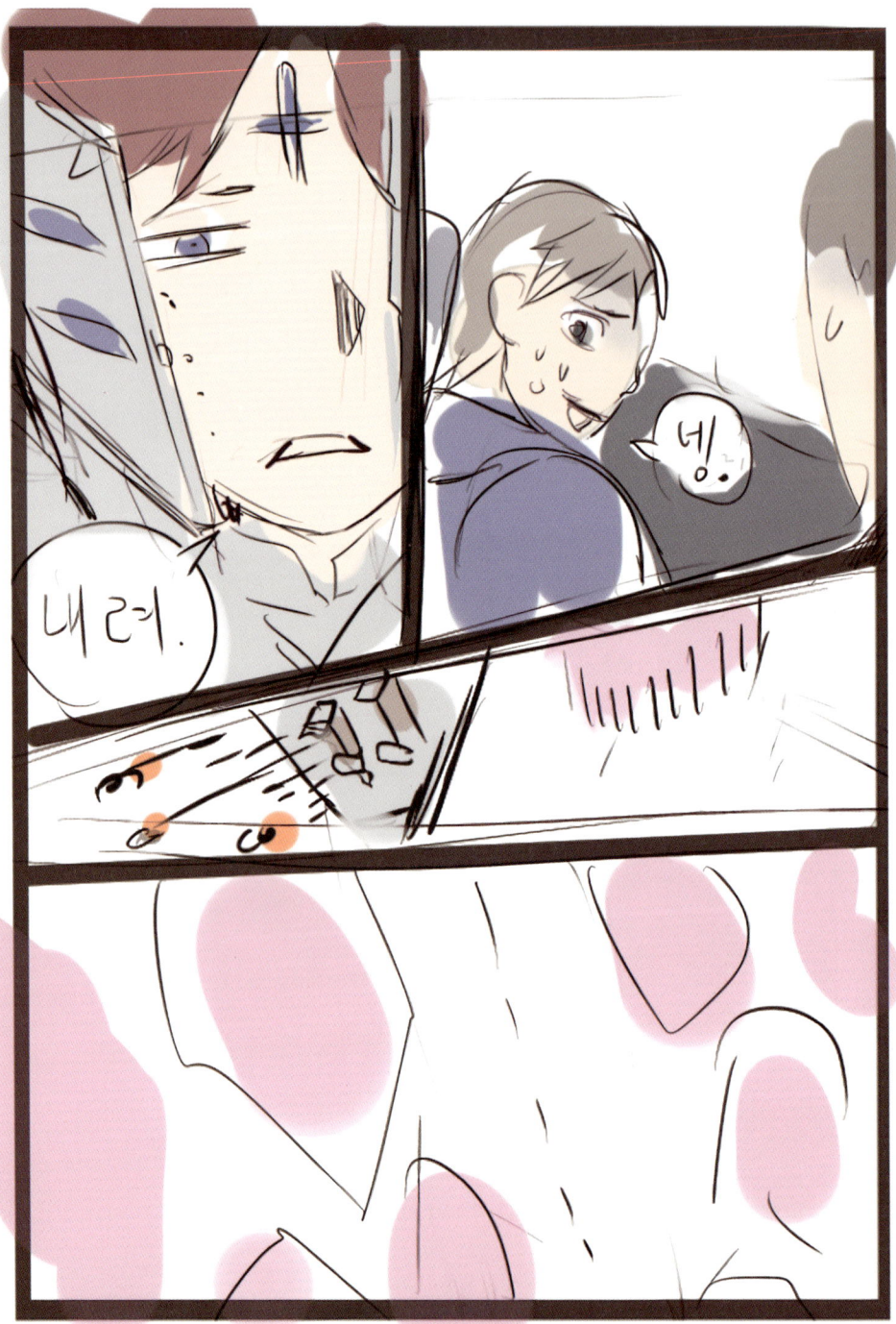

정말 어찌 돼도 좋은 페이지였지만(…)
기사에게는 차가워도 승무원에게는 시크한 따뜻함(…)을 보여주는
도시 남자 파올로를 그리고 싶었다.

이것 외에도 제법 많은 쓸데없는 컷들을 분위기상 잘라냈었다.
언젠가는 소개를…

짤린 콘티 Vol.2

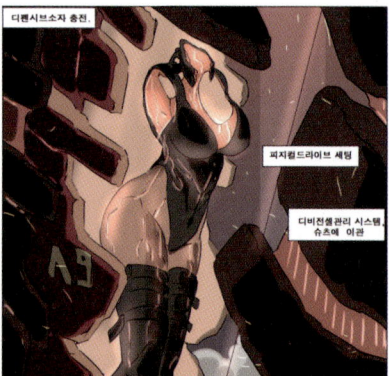

멸균 시설은 사고 모니터링을 위해 창문이 있습니다.

미청년 파올로

작중 표현은 잘 안됐지만
파올로는 최상위 미청년이라는
설정이 존재…(…)

속눈썹이 긴 남자,
아름다운 남자라는 둥
당시엔 뭔 생각으로 써놨는지
알 수 없는 설정이 다수.

나름 신경은 쓰지만
내 화력으로는 딱히
표현되지 않았다(…)

중성적인 느낌은
신경쓰고 있다.

그에 반해 앤이 예쁘다는 설정은 어디에도 존재하지 않는다.

린레평균 / 위 ← 이정도 / 아래

어중간한 외모
(29세)

ㅉㅉ

← 헌재

현재는 나이 탓에 살이 쪄서
약간 하락했다는 뒷설정이
두루뭉술하게 존재.

사실 앤이 살찌고 있다는 건 공식 설정이다.
꾸준히

다만 몸매가 좋다는 설정은 과거부터 존재(……)
정말 어찌 돼도 좋지만…

당시 나는 뭔가 애매한 여주인공을 만들고 싶었던 걸까?

대충 인종 느낌은 게르만 + 몽골리안

초기에는 뭔가
문양이 많았지만
결국 그리는 중
귀찮아서 다
사라짐……

원래는 따로따로가 아닌
3도류로 싸우는 기획이었는데…
액션 구성 때 칼이 하도 엉켜대서
시간도 없고 패스……

여하튼
그리기 귀찮은 건
다 사라지고
남은 건 엉덩이뿐…

나이트런이
그렇지 뭐…

융

사실 꽤 강한 히든 캐릭터였지만……
(설정도 거의 초기부터 있었는데…)
이래저래 안습한 느낌으로……

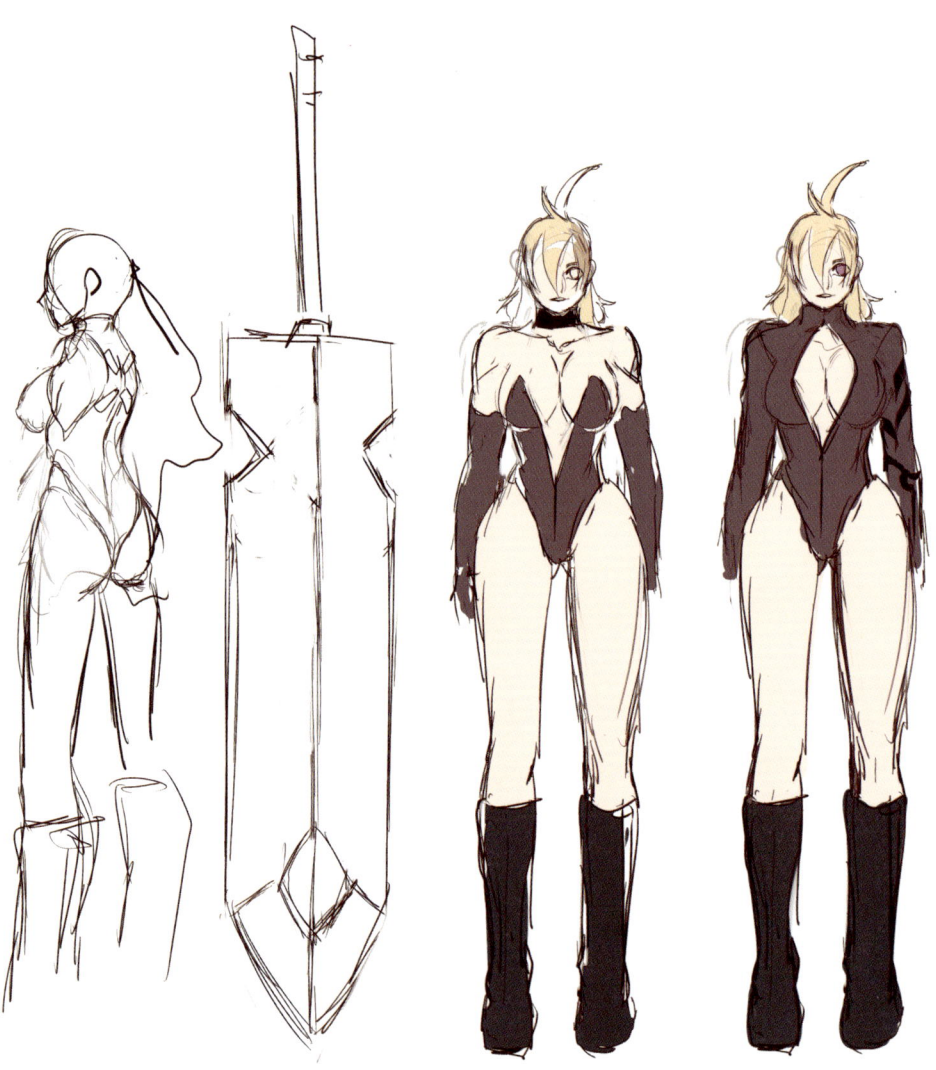

하드 한 구석에 있던
권태 상남자 릭

사실 러브 시츄에이션이 꽤 있었는데
분량상 다 취소된 두 사람.

같은 회사 제품

원래 있던 설정인데 결국
소개할 페이지가 없어서
이곳에…

역시 디비전셀 폭주 시 엉덩이가 까졌나?

뭐 스타킹 재질은 임시로 땜빵한 재료로 붙인 거니까.

그건 그렇고 반쯤 장난으로 건넨 건데 진짜로 입고 다녔네.

PPP 홈페이지에 영상 올리자.

아버님…
연구비 깎이는 소리가 들립니다만……

기사단 때려 부수려던 애들 VS. 초창기부터 기사단 소속

서로 말수가 적어서
그냥 서로 어색함

뭔가 맘에 안 듦.
막 욕함.

천한 게

양아치가

직접 싸웠던 상대는 서로 인정하지만
안 그랬던 애들은 사이가 안 좋다.

듀란 박사

옛것, 클래식한 걸 좋아한다.
망가진 것도 좋아한다.

요즘 취미는 내연기관 차량으로 드라이빙.

(이 시대의 차는
연료전지차)

콰

아파.

(Airbag)

운전을 잘하지는 못한다.

(망가진 차도 소중히)

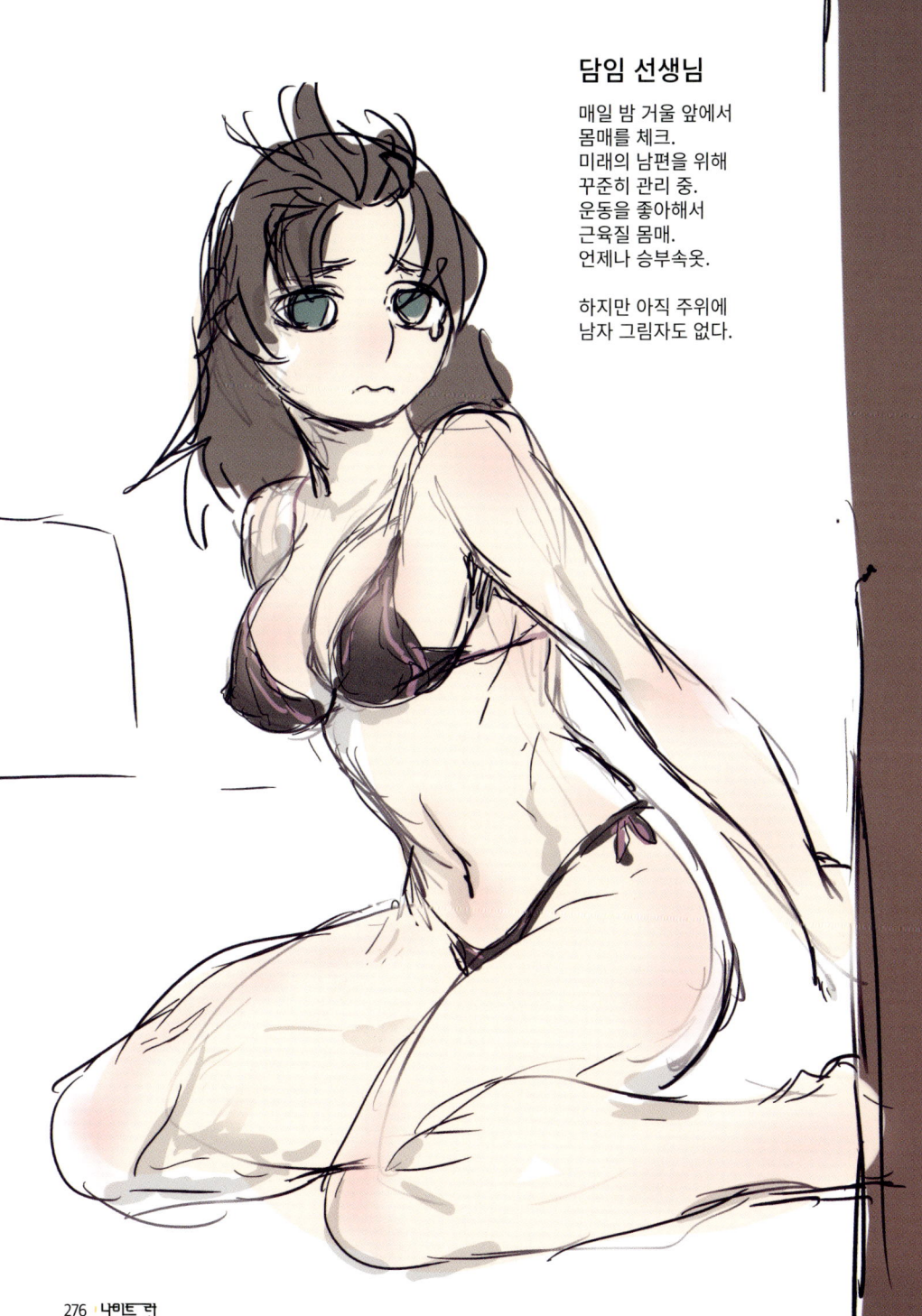

담임 선생님

매일 밤 거울 앞에서
몸매를 체크.
미래의 남편을 위해
꾸준히 관리 중.
운동을 좋아해서
근육질 몸매.
언제나 승부속옷.

하지만 아직 주위에
남자 그림자도 없다.

레오의 목표

레오의 요즘 과제는 근육 트레이닝.
식사량도 늘리고 있다.

목표는 드라이 정도의 몸.
그러나 좀처럼 체중이 늘지 않는다.

남자도 벗긴다.

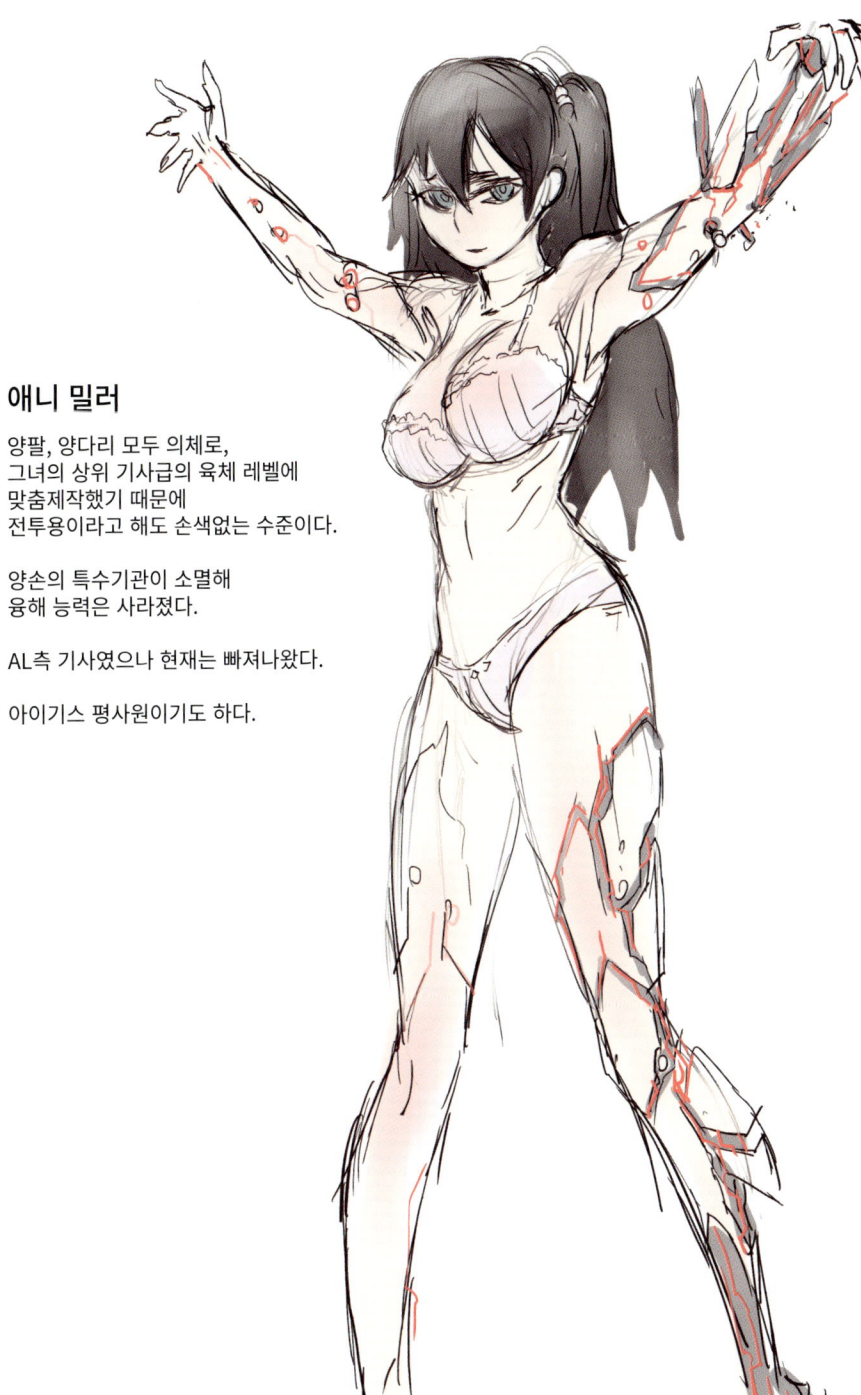

애니 밀러

양팔, 양다리 모두 의체로,
그녀의 상위 기사급의 육체 레벨에
맞춤제작했기 때문에
전투용이라고 해도 손색없는 수준이다.

양손의 특수기관이 소멸해
융해 능력은 사라졌다.

AL측 기사였으나 현재는 빠져나왔다.

아이기스 평사원이기도 하다.

등장 당시 2차 성징 중이었고
등장 안 할 동안 가슴이…
하지만 타 여캐보다는 작은 편.

앤의 체형 변화를 둘러싼 뒷이야기

앤은 아린소멸전쟁의 영향으로 극심한 우울증과 스트레스 때문에 폭식을 시작했고(음식으로 푸는 타입)

20대 때는 먹어도 살 안 찌는 체질이라고 생각했으나 모두가 그렇듯 서른을 넘기면서 얄짤 없이 물만 마셔도 찌는 몸으로 변화. 전형적인 아줌마 몸으로 가는 중.

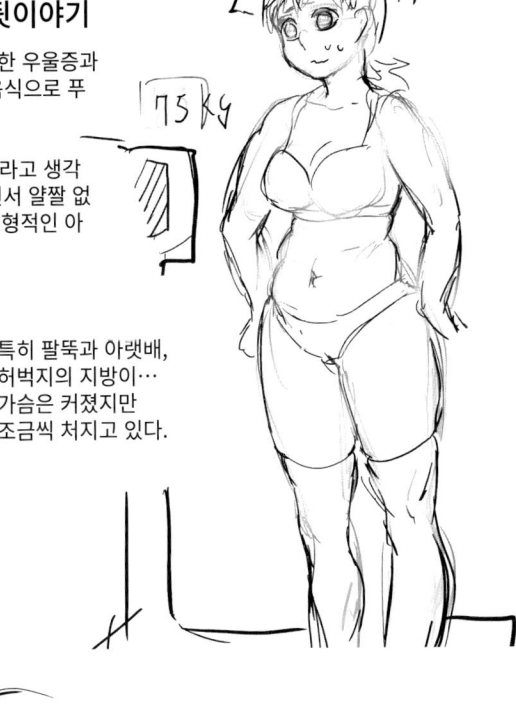

특히 팔뚝과 아랫배, 허벅지의 지방이…
가슴은 커졌지만 조금씩 처지고 있다.

대외활동이 많은 네고시에이터 특성상 외모도 중요한지라 다시 운동을 시작했지만 효과는 더디고…

경이로운 압박스타킹으로
하반신을 괴롭히고 있다.

트리플코어 프로젝트로 탄생한 A-10의 추가 파츠
블랙 & 화이트

대기사전을 위해 만들어진 근접 전투 유닛.
근접전을 위해 내구도나 노심 화력보다
반사신경이나 인공근육 등을 강화, 기동성이 높다.

A-10 블랙

쿨함, 보이시, 창술사.

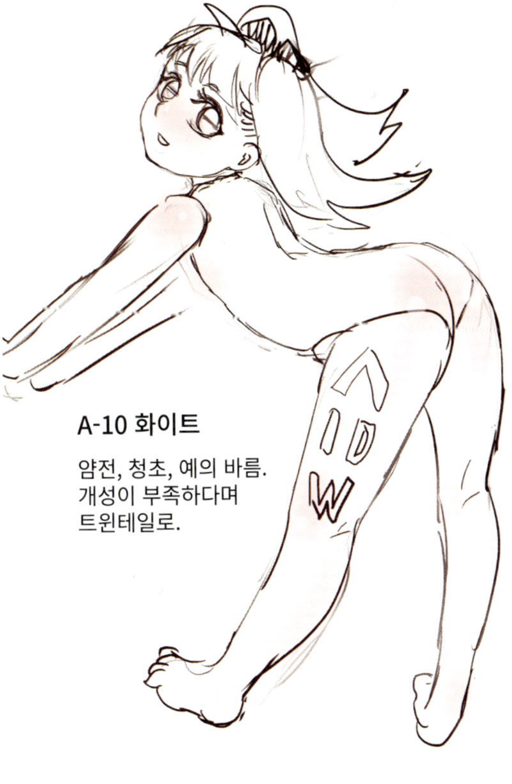

A-10 화이트

얌전, 청초, 예의 바름.
개성이 부족하다며
트윈테일로.

듀란 박사

다음 에피소드인 '문' 편은 남캐 위주라
나이트폴 애프터에서는 여캐 푸시…

샤미르 공주의 초기 디자인

초기에는 샤미르 공주가 앤보다 컸다.

완전 초기에는
더 슬랜더한
스타일이었다.

위
디자인

그리다 보니
키가 줄고
가슴이 커졌다.

어째설까…

고식교회의 전투수녀

부츠

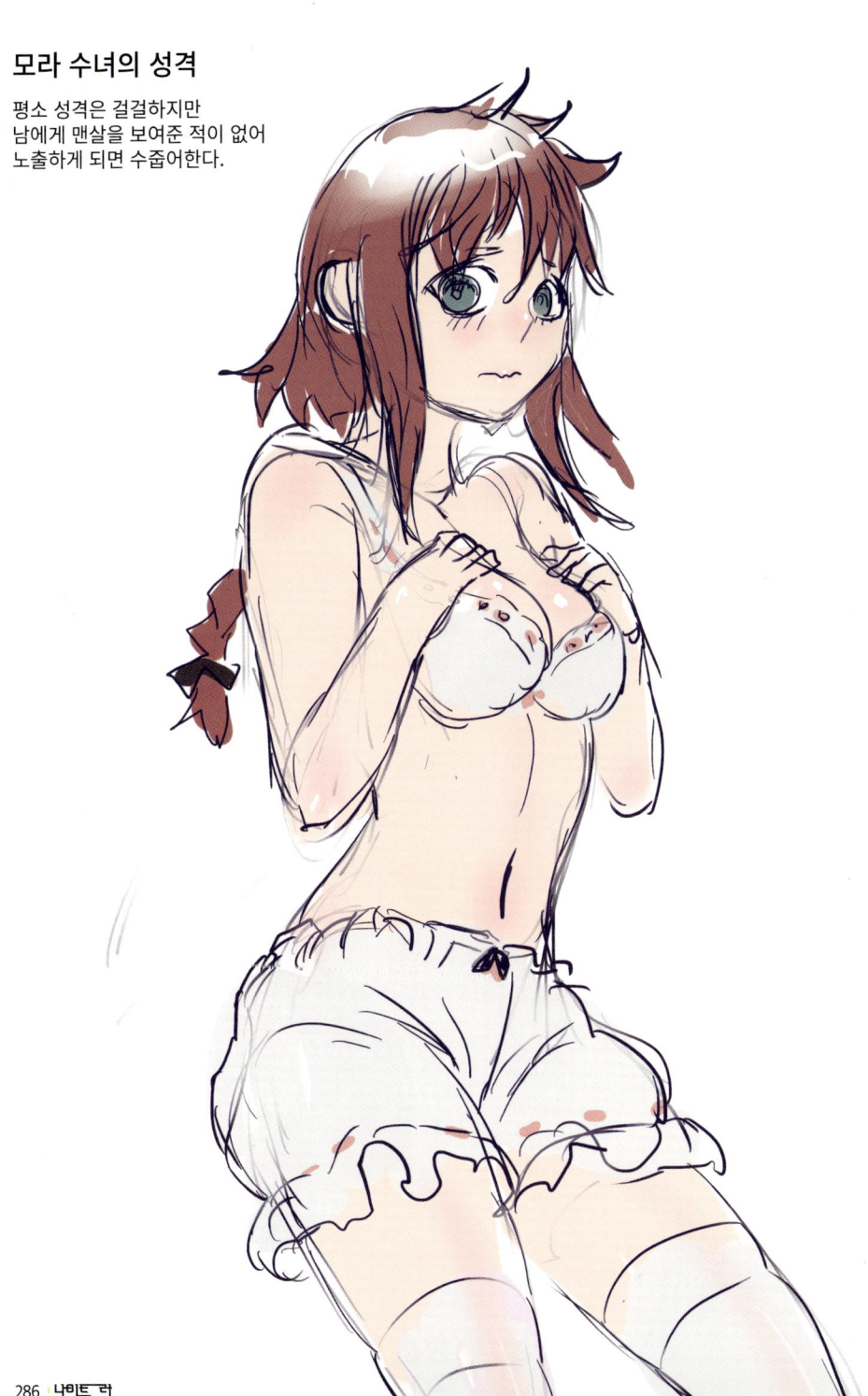

모라 수녀의 성격

평소 성격은 걸걸하지만
남에게 맨살을 보여준 적이 없어
노출하게 되면 수줍어한다.

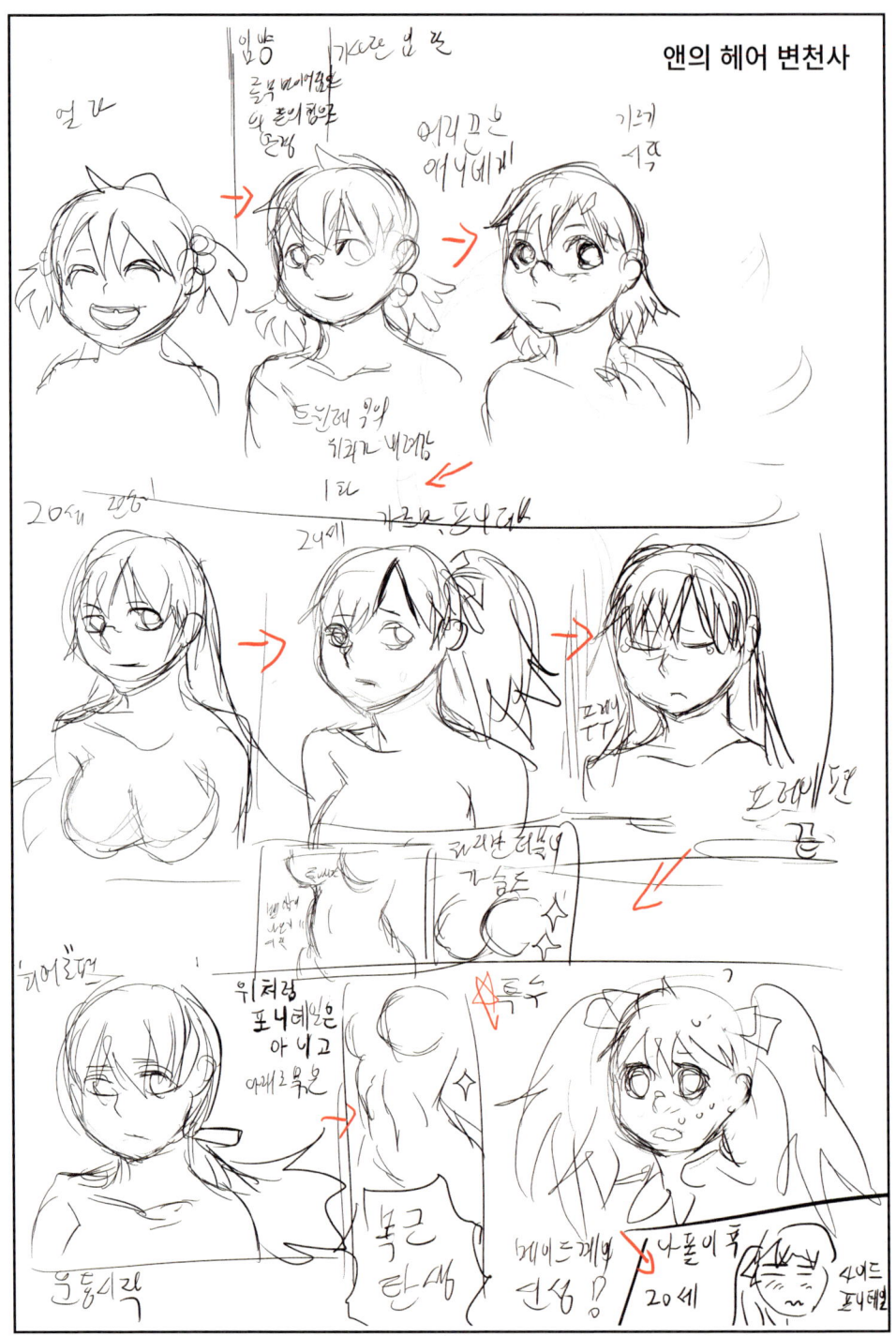

A-7D 초기 디자인

처음에는 '크리스'라는 이름이었다.
영국 아이라는 느낌이었지만
피부색도 진해지고 동양 아이로.

책가방도
가지고 있었다.

취미는 노래, 작곡, 작사,
그리고 멍 때리기.
잠도 잘 잔다.
정보전 전문이라
처리할 정보가 많기 때문.

동생들보다 작은 게 불만,

A-10

A-9

A-7

안녕하세요
언니-

모라 수녀

처음 설정은 수녀가 아닌 교수였다.
이때는 가슴도 컸다.
그대로인 건 고글과 머리 색.

이런 연출을 바랐지만
가슴이 작아져서 폐기.

부츠는
지퍼식.

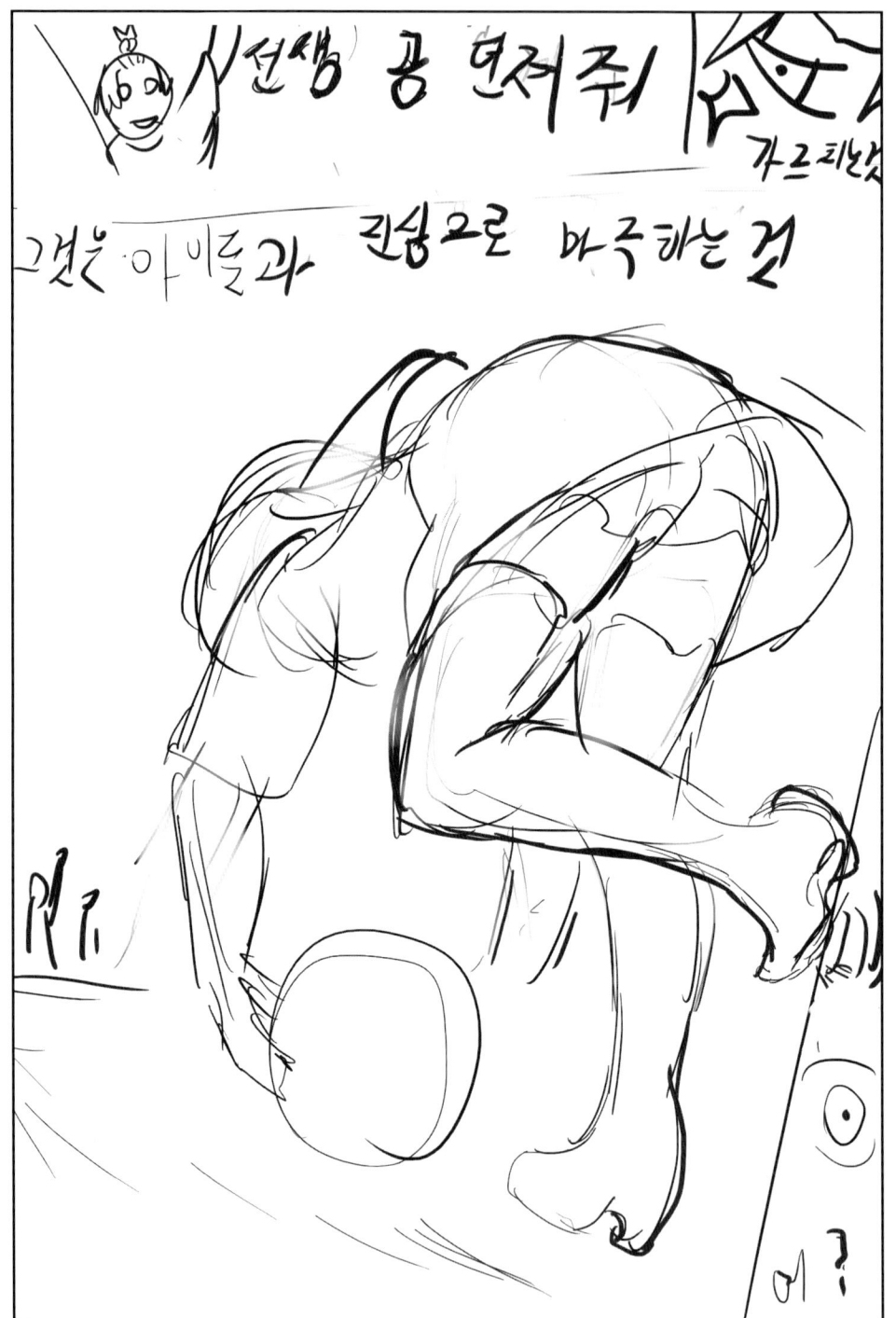

앤과 아리사의
잠버릇

잘 때는 끈만
풀고 잔다.

뱃살의 촉감이
맘에 듦.

주물주물

아침

토실토실─♪

아린제 인형 '몰'

① 같은 메이커에서 같은
스펙으로 만들어져도
수년에서 수십 년의
가동 시기를 거치며
서로 다른 개성과 인격,
잠재 능력이 깨어난다.
메이커에겐 곤란한 부분.

② 함 제어관리 전문 군용 인형.
군용은 민간용보다 고성능으로
만들어진다. 단 어디까지나 함
제어가 전문이기 때문에 자체
전투력은 그다지…

③ 십 수년 함선을 조종한 베테랑.
의무 복무기간을 마치고 인권
획득 후 자유가 되었지만
아린군에 남았다.

④ 아린군 해체와 함께
PPP로 이적, 앤에게 충성 중.

메이커는 '델타'사. 군용뿐만 아니라 '제어'와 '오퍼레이터' 인형, 함 제어 기기도
만든다. 함 제어 시스템과 최적화된 상성의 인형 패키지가 주력 상품으로, 타사
개별 구매 제품보다 제어 효율이 높다는 것이 강점이다. 과거 아린군도 함 운용
은 델타사 제품으로 일원화한 바 있다.
　　델타사는 함의 제어와 전투 경험을 살리기 위해 신제품의 지속적인 출시보다 경
험 많은 기존의 인형을 지속적인 업그레이드할 수 있도록 확장성이 높은 인형을 판매해 시장 반응이
좋았다. '몰'도 연식은 오래됐지만 지속적인 업그레이드로 성능은 최신 기기에 결코 뒤처지지 않는다.

자타인 부모 1

20대 때 기사단의 정예 용병이었다.
골수 기사단파.
남편(431년 샤미르 공주에게 살해 당했다)
은 과거의 부하.

여자 사이보그

● 눈(보라), 황인

전찰, 분석 모드

나이트런 세계의 사이보그란

뇌를 제외한 신체의 80~90%를 기계로 바꾼 존재로 전투 용병, 군인들이 거의 대부분이다(일반인은 대부분 기계화보다 바이오 기술을 통한 생체 재생을 택한다).

생체 재생은 재활에 시간이 오래 걸리는 데다(년 단위) 이전의 완전한 몸 상태로 완전히 돌아가는 건 무리여서 유사시 즉시 전력이 되어야 하는 전투병은 신체 능력이 강화된 기계화를 택하는 경우가 많다. 또 일반인과 다른 독특한 유전자와 조직 구성, 특수 기관 등을 지닌 전투혈족의 경우 생체 배양이나 접합 등의 노하우 관련 데이터가 극히 적어 생체 재생을 시도하기가 어렵다.

뇌까지 완전히 인공물인 '인형'과는 확실히 구분된다.

레이 챈

10대 때 자이린 행성 군부 독재 세력의
전쟁으로 가족을 비롯해 자신의 사지까지
잃었다.
전쟁 상인인 루인사 스카우터에게 거둬들여져
루인의 기술로 사이보그화 되었고, 군부에
복수 후 루인에 충성 중.

인형부대

원거리+각종 센서 복합의
제3의 눈

수줍음 많은
미청년

뭐든지
시켜주세요
마스터.

물 드세요

오늘 너무 힘들었어
쓰담쓰담해줘.

쟨 또 저러고
있냐?

예
마스터.

소유주는 사이보그
부대의 챈.
마음의 안식처다.

도베르만사
루인 계열의 전투인형
타입 103D

백병전 능력은 보통 수준이지만 이마의
센서와 무선 제어 시스템 덕에 각종 화기
와 차량의 원격 제어가 가능한 것이 특징.
10기 이상의 특수전 패키지로 판매.
이마의 장치는 103 시리즈 중 D타입에만
달려있는 특수 옵션으로 군부대보다는 각
종 차량이 많은 시가전 중심의 경찰 조직
에서 인기를 끌었다.
무엇보다 가성비 때문에 고객 만족도가
높은 기종.

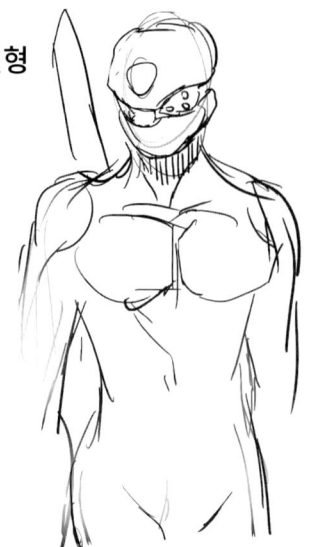

제3의 눈으로,
각종 탐지와 기체
무선 제어가 가능한
복합 디바이스입니다.

103 타입은 다정다감한 것이 특징.
이유는 경찰용으로 많이 쓰이기 때문.

저쪽으로
10분만 가면
돼요.

고마우이.

헤헤
다녀올게요

남자 사이보그 '2'

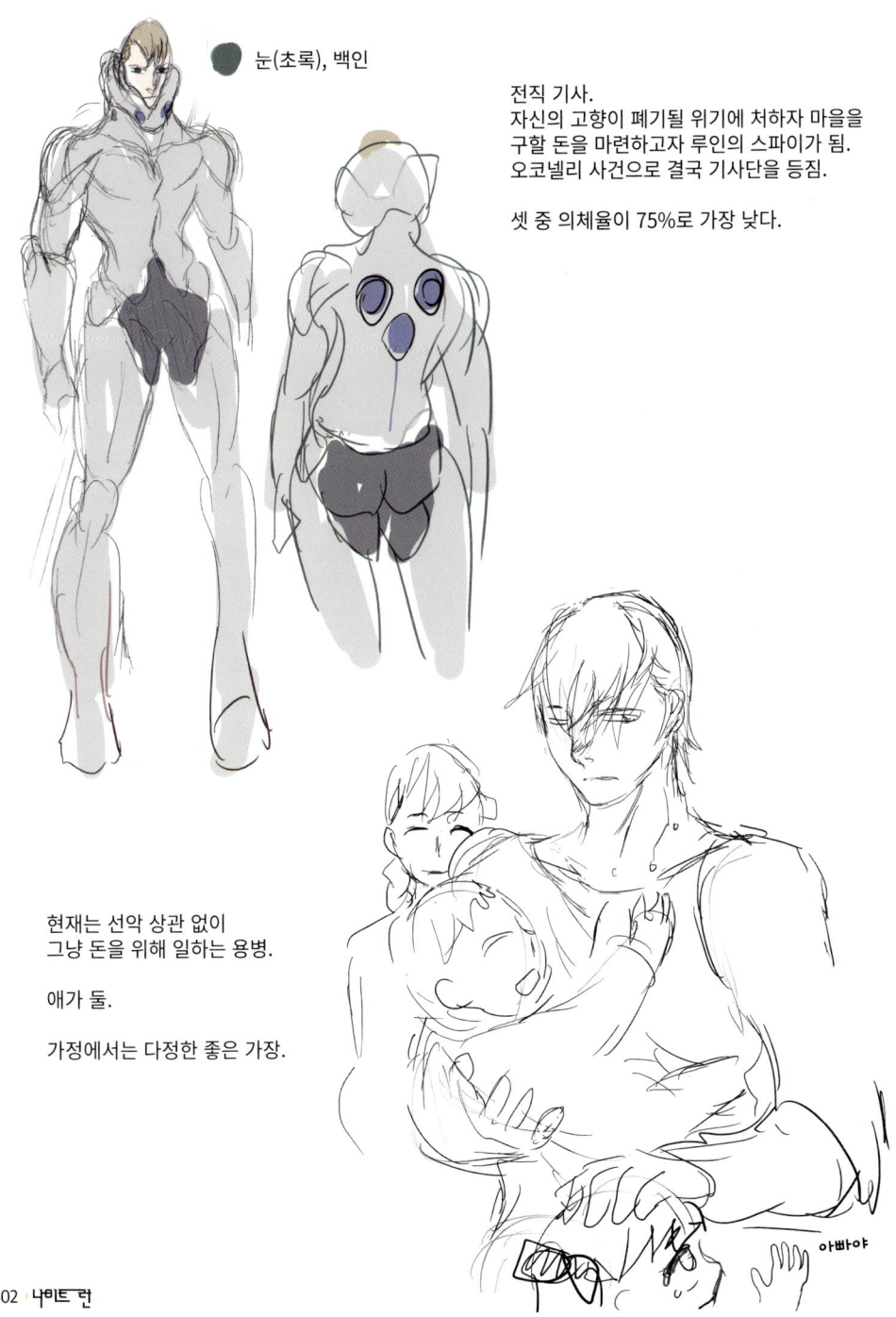

눈(초록), 백인

전직 기사.
자신의 고향이 폐기될 위기에 처하자 마을을
구할 돈을 마련하고자 루인의 스파이가 됨.
오코넬리 사건으로 결국 기사단을 등짐.

셋 중 의체율이 75%로 가장 낮다.

현재는 선악 상관 없이
그냥 돈을 위해 일하는 용병.

애가 둘.

가정에서는 다정한 좋은 가장.

아빠야

아마도 재기불능…
향후 생사는 알 수 없으나 부인과 아이들을 위해 사망보험은 많이 들었고
루인사도 직원 복지가 좋기에 산재처리는 잘 해줄 것이다.
아마도…

남자 사이보그 '3'

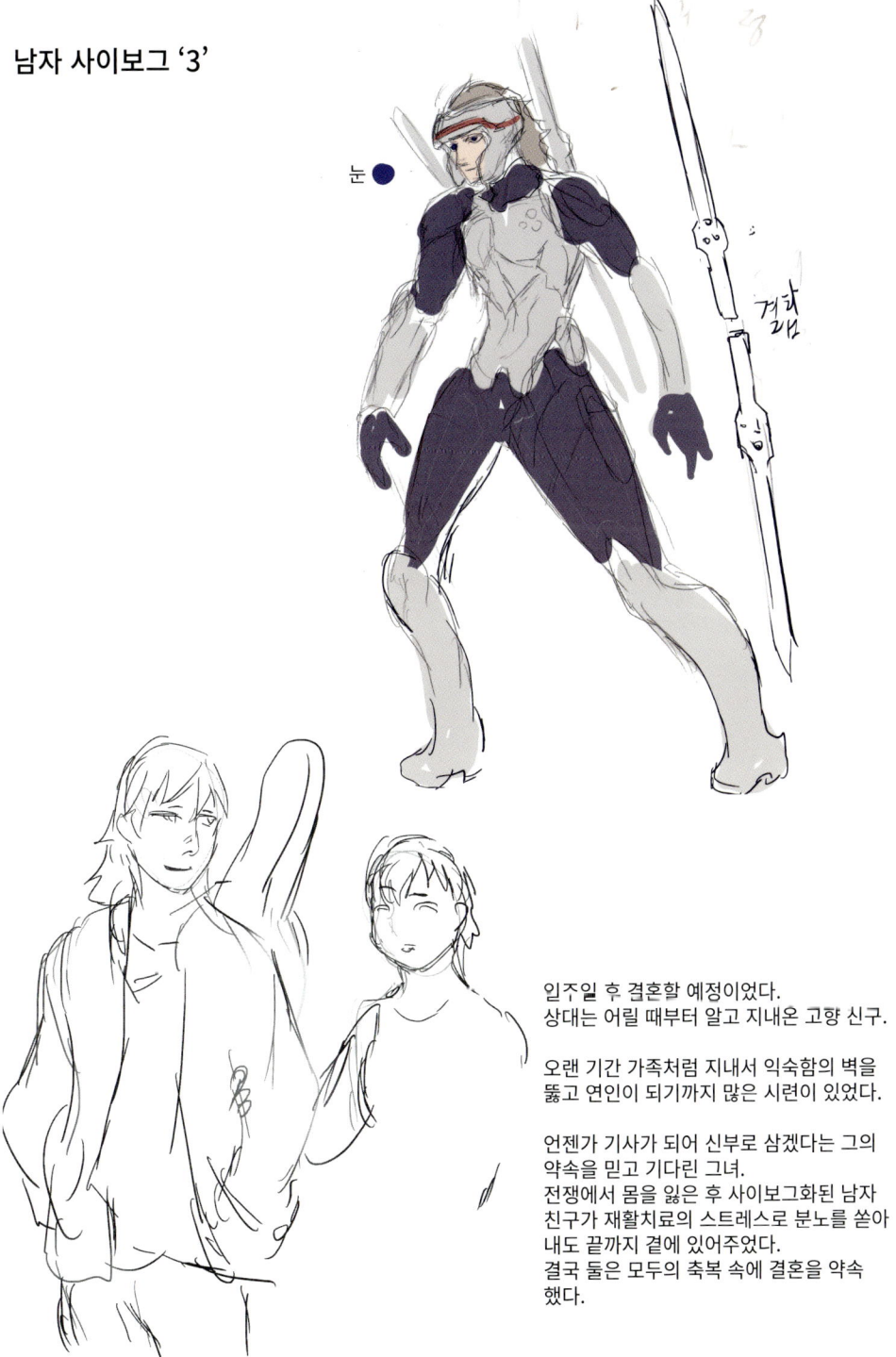

눈 ●

결함

일주일 후 결혼할 예정이었다.
상대는 어릴 때부터 알고 지내온 고향 신구.

오랜 기간 가족처럼 지내서 익숙함의 벽을
뚫고 연인이 되기까지 많은 시련이 있었다.

언젠가 기사가 되어 신부로 삼겠다는 그의
약속을 믿고 기다린 그녀.
전쟁에서 몸을 잃은 후 사이보그화된 남자
친구가 재활치료의 스트레스로 분노를 쏟아
내도 끝까지 곁에 있어주었다.
결국 둘은 모두의 축복 속에 결혼을 약속
했다.

사이보그라 목숨은 건졌지만 괴수가 나와서 과연…

아이기스의 정보부에 납치당하든, AL에 체포되든, 혹은 살아서 도망치든
재기 불능이겠지만 루인사가 산재처리는 물론 변호사도 잘 선임해 줄 것이다.

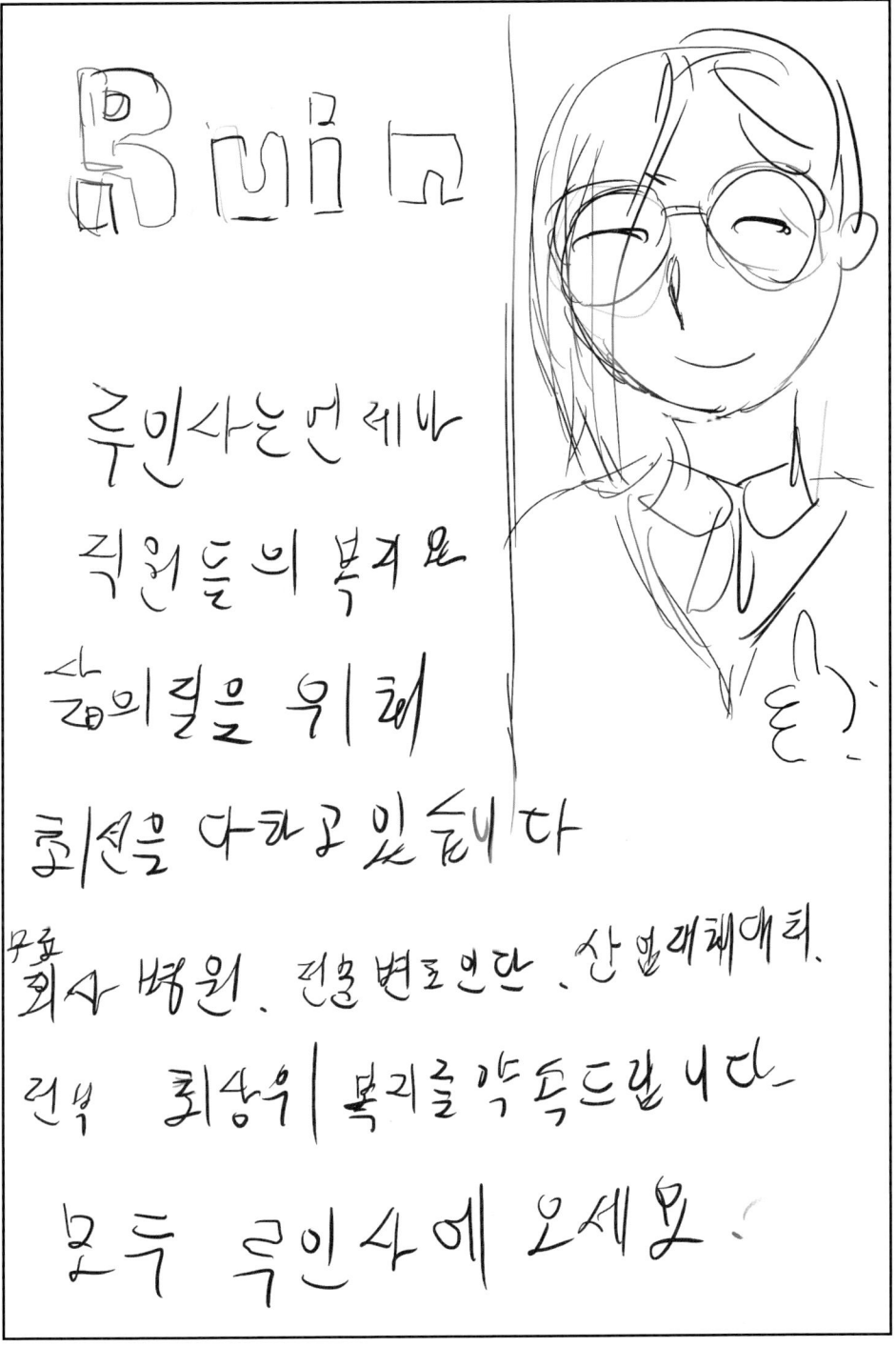

R 빌딩

루인사는 언제나
직원들의 복지와
삶의 질을 위해
최선을 다하고 있습니다

무료 회사 병원 . 전용 변호인단 . 산 호래체대회 .
전부 최상의 복지을 약속드립니다 .

모두 루인사에 오세요 :

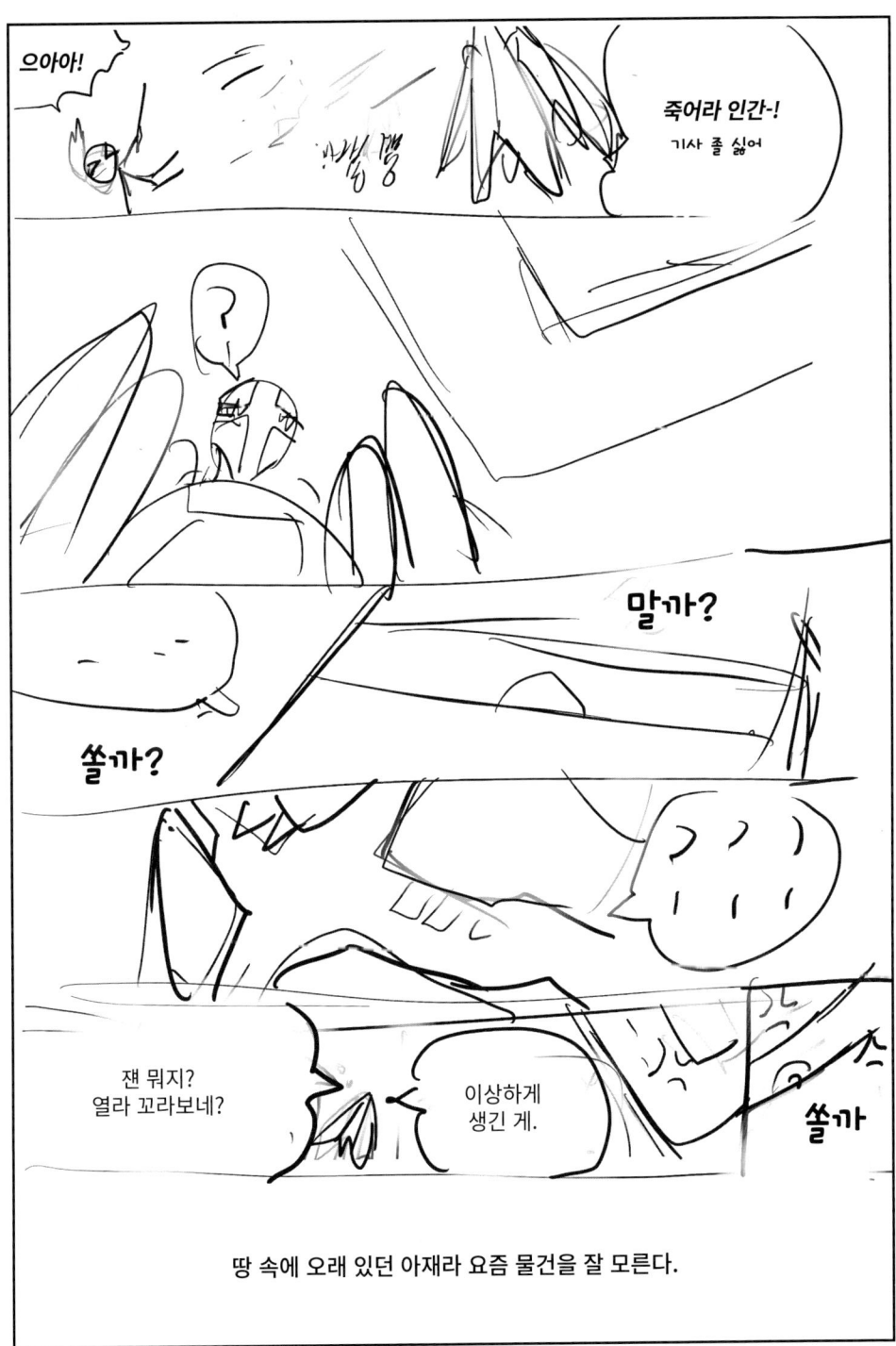

질

꽤 마음에 드는 캐릭터.
이름은 바이오해저드의
주인공에서 따왔음.

기능 정지한 괴수 둥지
조사 임무 중.

뒤의 두 명은 도움이
안 된다.

조사는 혼자 하는 중.

일 좀 했으면 좋겠다고
생각 중이다.

이랴 이랴

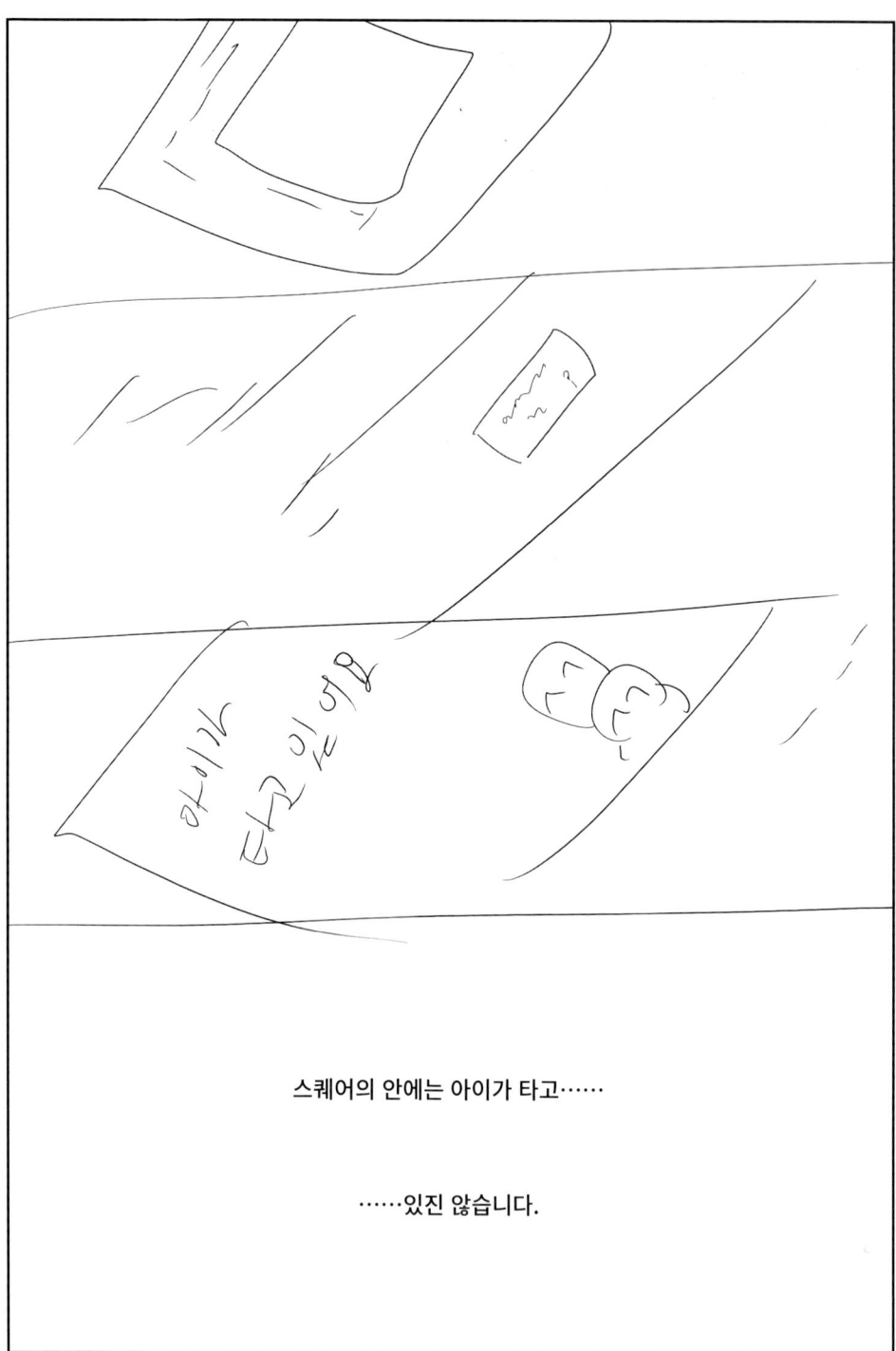

스퀘어의 안에는 아이가 타고……

……있진 않습니다.

딱 붙는 옷을 입고 다니던
과거와 달리 팔랑거리는
옷을 입고 다니는 건
살을 감추기 위해서다.

나름 혼신의 노력을
하고 있다.

팔뚝도
팔랑

상체 코트도
팔랑

치마도
팔랑

팬티
스타킹

허리끈도
위에 있어
아래 뱃살이
튀지 않게

옷 속

7화에서처럼 압박 스타킹을 벗으면
허벅지살이 낀다.
디비전셀 관리 수트라 껴도 입는다.

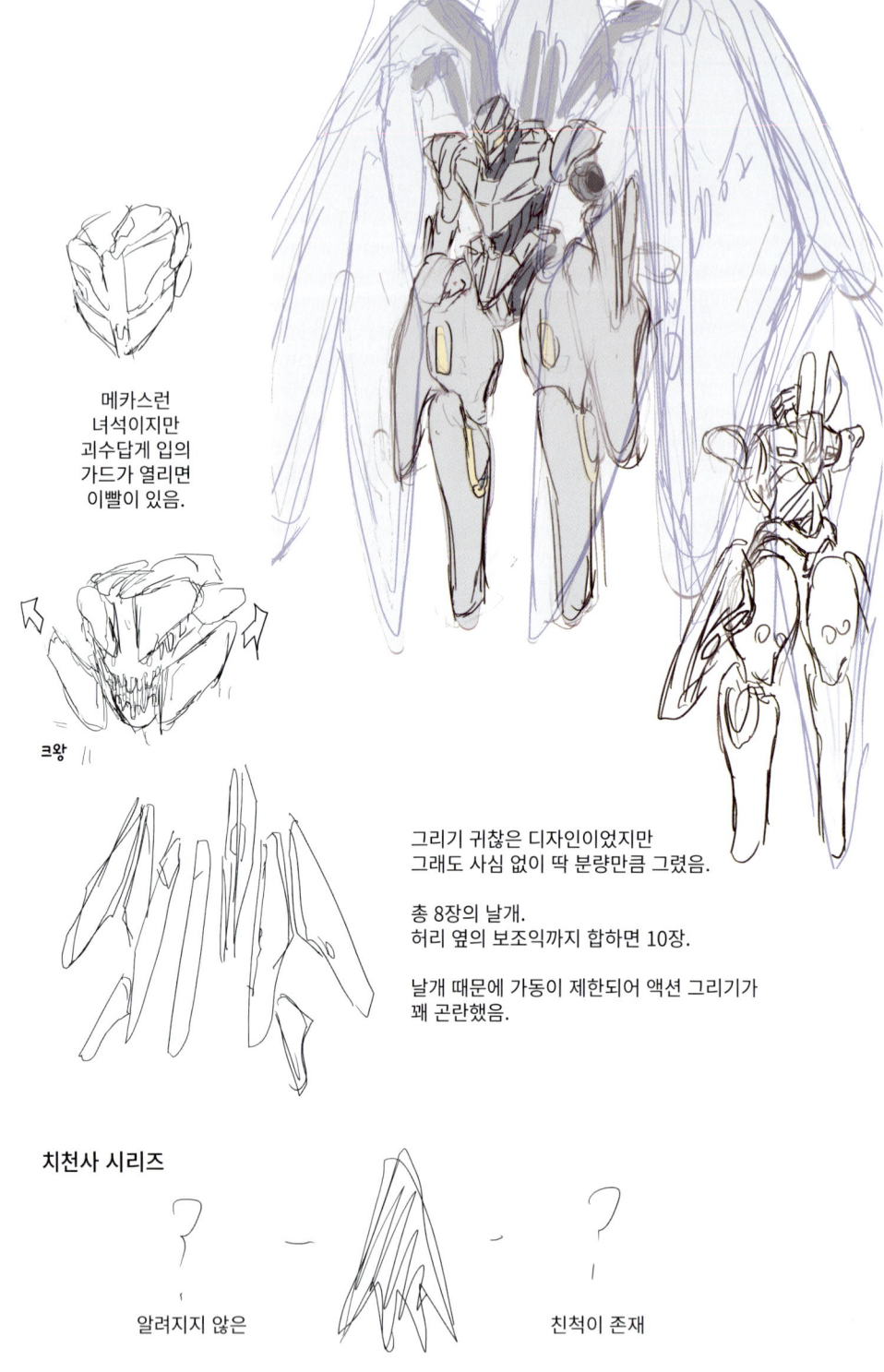

메카스런
녀석이지만
괴수답게 입의
가드가 열리면
이빨이 있음.

크왕

그리기 귀찮은 디자인이었지만
그래도 사심 없이 딱 분량만큼 그렸음.

총 8장의 날개.
허리 옆의 보조익까지 합하면 10장.

날개 때문에 가동이 제한되어 액션 그리기가
꽤 곤란했음.

치천사 시리즈

? - ? - ?

알려지지 않은   친척이 존재

필살기

드릴어택!

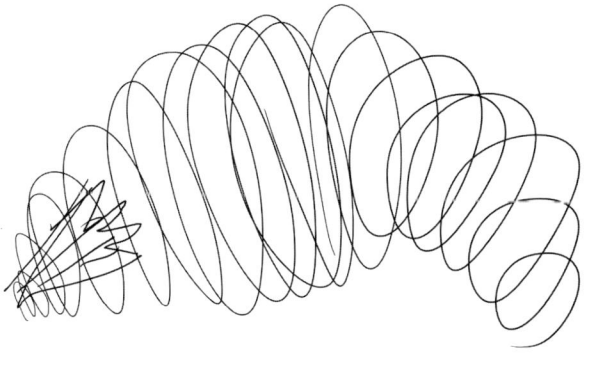

회전력을 이용한 초필살기

멋 없어서 삭제(다행).

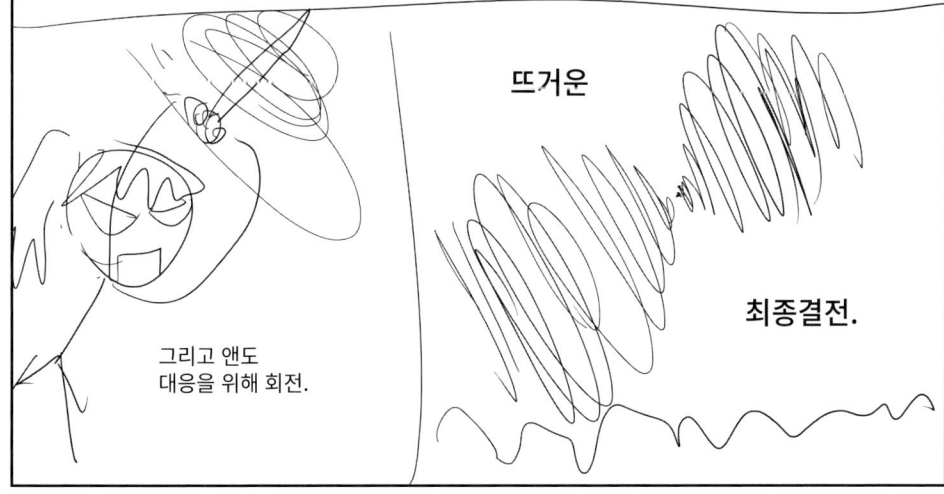

뜨거운

그리고 앤도
대응을 위해 회전.

최종결전.

괴수는 셋으로 나눌 수 있음.

세고 유명

크로스아이, 래빗, 루시퍼 등등

안 세고 안 유명

랜드 슬레이어 등등

센데 안 유명(불쌍ㅋ)

세라핌, 히페리온

김장괴수

활약 전에 퇴치당하거나
땅에 묻히거나(……)
같이 나온 애한테 유명세가 밀리거나(……)

어나더 엔딩

그동안 나이트런을 사랑해 주셔서 감사합니다.

모라에 대해 알아보자

어린 시절부터 수도원에서 살았고
고식교회의 정식 전투수녀가 된 후
각 행성의 분쟁 지역을 다녔다.

알콜중독+마약+헤비스모커+문란+욕쟁이라는
나이트런에서는 잘 안 나오는 유형의 여성(회상뿐이지만).
그래서 그런지 애착이 간다.
죽은 것도 아니고 이미 죽어있었지만.

전 사람의
선의를 믿어요.

인형 모라 앞에서는 본 모습을 드러내지만
사람들 앞에서는 인형 모라와 다름없을 정도로
밝고 씩씩한 느낌.

내 앞에서도 좀
그래봐라.

병신들 좋아하는
꼬라지하고는···
이짓도 지치네.

마스터
벌받을 거야.

누군가를 돕는 성스러운 이상 속 자기 자신에 취해있어,
그런 자신을 연기하고 그런 자신과 관계를 맺고 싶어 하는
귀찮은 성적 페티시를 가지고 있다.

인형 모라는 자기 자신이 아닌 자신의 이상적인 모습을
성격적으로 구현한 것이다.

페트릭(49)

모라와 불륜 관계인 AL 고관.
유부남에, 수녀 페티시를 가진 인물이다.
자타인 복지나 학교 건립 등에 협력하고 있다.

작고 어린 여자를 좋아하는 걸 알고
모라는 22살이라고 나이를 속이고 있다.
실제로는 37세 동안이다.

자타인에는 관심 없지만
의외로 모라에게는 진심.
이런 시골 행성에 발령 후
고향에 남은 부인과는 별거 상태라
모라에게 열심이다.
자신이 모라의 유일한 애인이라
생각하지만…

자타족 아이들을 구할 수 있다면…
설령 신을 섬기는 제 몸이
더럽혀진다해도… 흑…

수…
수녀 짱.

철저한 사전조사로
캐릭터를 연구해 공략.

사실 모라는 7다리를
걸치고 있다.

AL 고관

AL 정보부원

왕국군 장교

연합의회
보좌관

자타족 의장

자타족
보안관

왕국
전 서기관

자신의 성적 편력과 잠자리 무용담 같은 천박한 이야기를 질리지도 않는지
매일매일 떠들어대니 그쪽으로는 문외한인 인형 모라는 죽을 맛.

거기를 이러쿵 저러쿵해서 쿵쿵쿵하니까
그 녀석 얼굴이…

그만하라고
이 변태 같은 것아

A 시리즈에 대해 알아보자

A-7 아리사

정보전기로 만들어져 기술 편향이 심하고 구조도 특이해 다른 인형과 호환성이 낮다.
업그레이드도 어려워서 초기 버전에 비해 성능 향상이 크지 않다.
연결 규격도 크게 달라 전용 장비 이외엔 달기 힘들어 솔직히 업그레이드 계획에서 항상 찬밥 신세.
전장의 정보 처리 성능도 이미 지난 업그레이드 때 A-10에 따라잡혔다.
여리모로 안습 기체. 하지만 귀여움으로 커버한다.

동생따라
강남간다고
하죠.

A-9

A시리즈의 완성형 A-10에 가장 근접한 기체로 노심 이외엔 A-10과 비슷한 사양이다.
A-10용 외부 노심도 달 수 있어 준 노심기로 사용 가능.
호환성이 높아 A-10 업그레이드 시 항상 꼽사리끼어 성능 향상을 이루었고, 실전 투입도 많아 보수 및 개조를 통해 롤아웃 당시보다 크게 성능이 좋아졌다.
A-10의 주요 기술인 압축모듈도 이식되어 있다.
향후 노심 양산 계획에 맞춰 이식 계획도 있다(A-7은 없다).

에헴

A-10B

최종 완성 버전으로 양산을 염두에 둔 다목적 기체라 생산성, 장비 및 무기 호환성, OS 호환성 등이 좋아 정보전, 은밀 침투 등 다양한 작전 능력을 갖춘 만능기.
A-10에서 A-10B로의 변화는 성능 향상보다 장비와 파츠 정비성, 전장 적응 능력 향상에 초점을 맞췄다.
향후 모든 지속적 업그레이드 계획은 A-10에 맞춰져 있다.
여러 기체와(A-7 등) 동시운용할 계획이었으나 성능 향상 덕에 다 필요없어졌다. A-7 안습(2)

인간 사회에서는 나이가 짱이지만
인형 사회에서는 연식 오래되면 무시당함.

샤미르의 복장

옆에서는 보이지 않는
샤미르의 팬티.

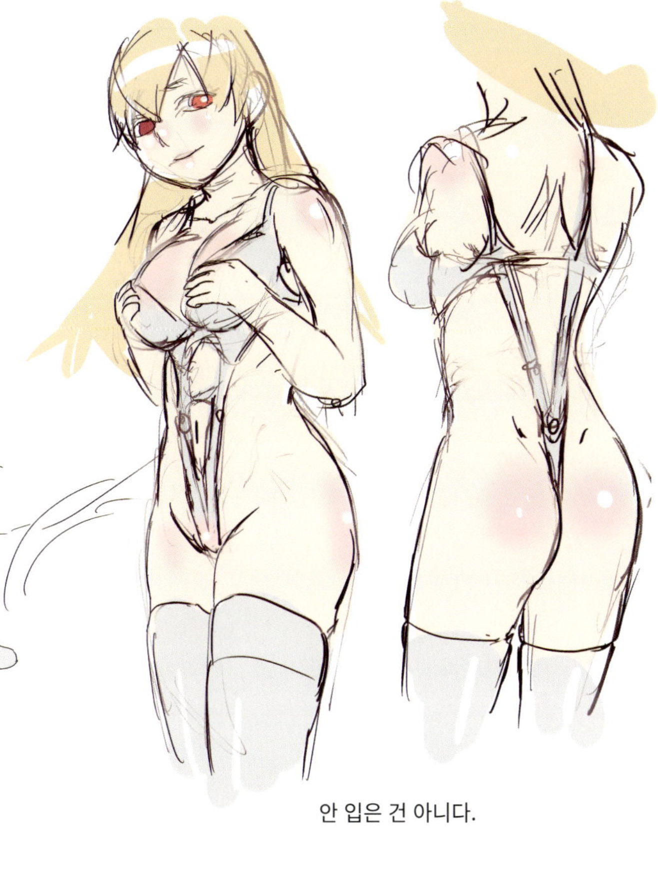

안 입은 건 아니다.

왕족

귀족

제국의 핏줄

자일과는 엄연히 다른 혈통.
사실 그라비티 디바이스는 여기가 원조.

자일과 기사단 양쪽 모두와 사이가 좋지 않다.
특히 자일과는 후계 경쟁에서 밀려났을 때부터
관계가 나빠졌는데, 자일이 여러 분파의 능력과
유전자를 모아 만들어진 인조인간인 만큼 왕국은
자기 능력을 자일에 빼앗겼다고 보기 때문.

줄리아

앤의 제자지만 이어받은 건 특수기뿐.

저명한 가문의 장녀지만
가문에서는 낙오자 취급.
유능한 동생에게 열등감을 가지고 있다.

기사는 아니다.

꾸미기 좋아하고 놀기 좋아하고 남자 좋아하고
농땡이를 좋아한다.

뭐든 건성건성 대충 하는 성격.
주위의 평판도 별로.

다만 뭐 하나 특출나게 잘하는 건 없는 대신
전함 조종, 정보 분석, 첩보 활동, 검술 등
다양한 역할을 수행할 수 있는
멀티 플레이어이긴 하다.

갈 데 없는 자신을 PPP에서 일할 수 있게 해준
앤에 대한 감사함으로 그녀를 잘 따르지만
그래도 일이 생기면 쨀 가능성은 높다.

일을 열심히 하지는 않는다.
배 안에선 언제나
손톱 발톱 관리.

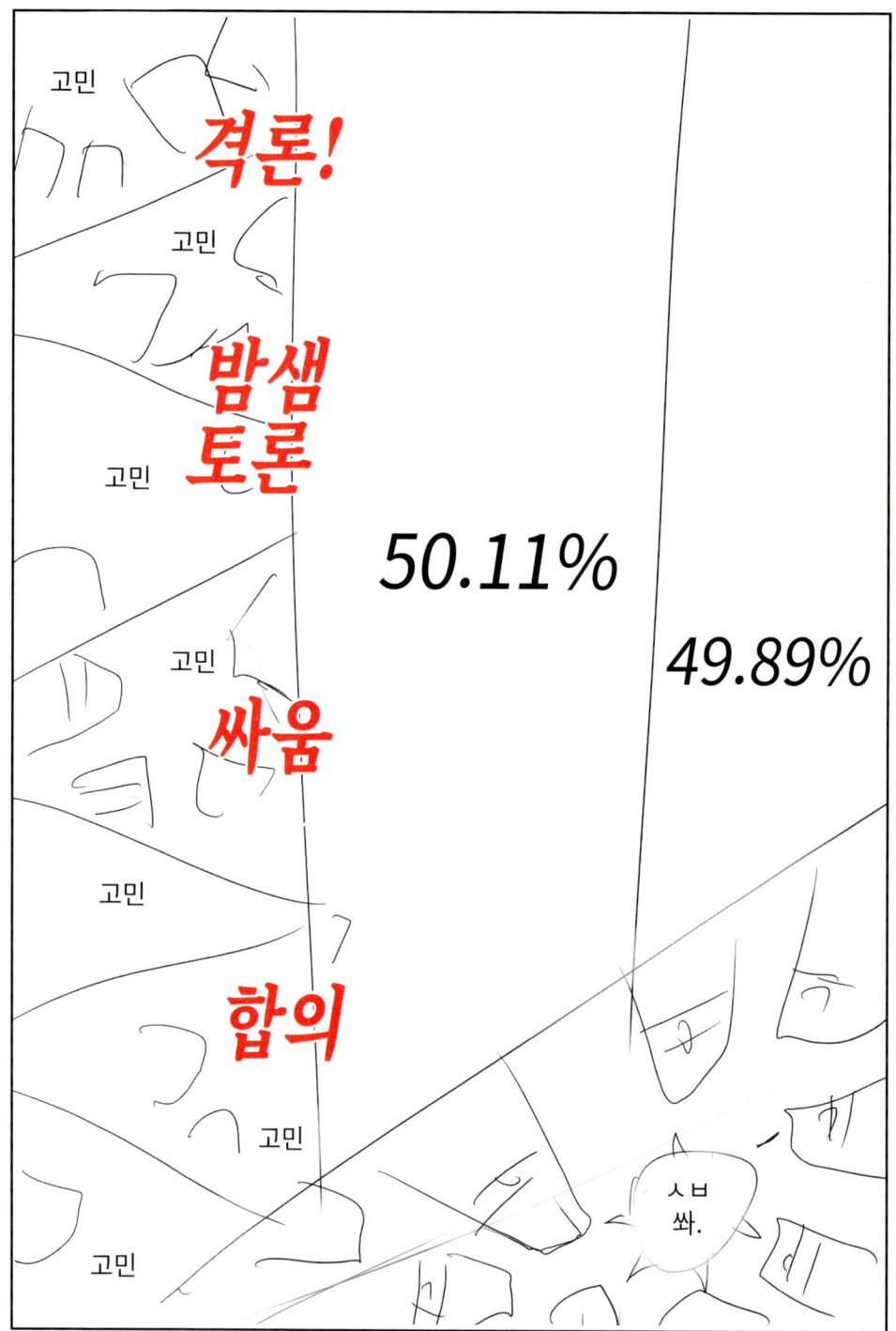

옛날부터 치사하게 싸우기로 유명한 앤 마이어.
'더티 앤'이라는 이명의 여자 기사.

안 쓴 콘티 뒤지다 나온 앤과 모라의 엉덩이 투샷.
어떤 경위로 이 컷이 나왔는지는 까먹었다.

…나이트런이 그렇지 뭐.

줄리아 초기 스케치

틴에이저.
동유럽계 느낌.

채터박스

뜬금 없지만
가슴 부위는
탈착 가능

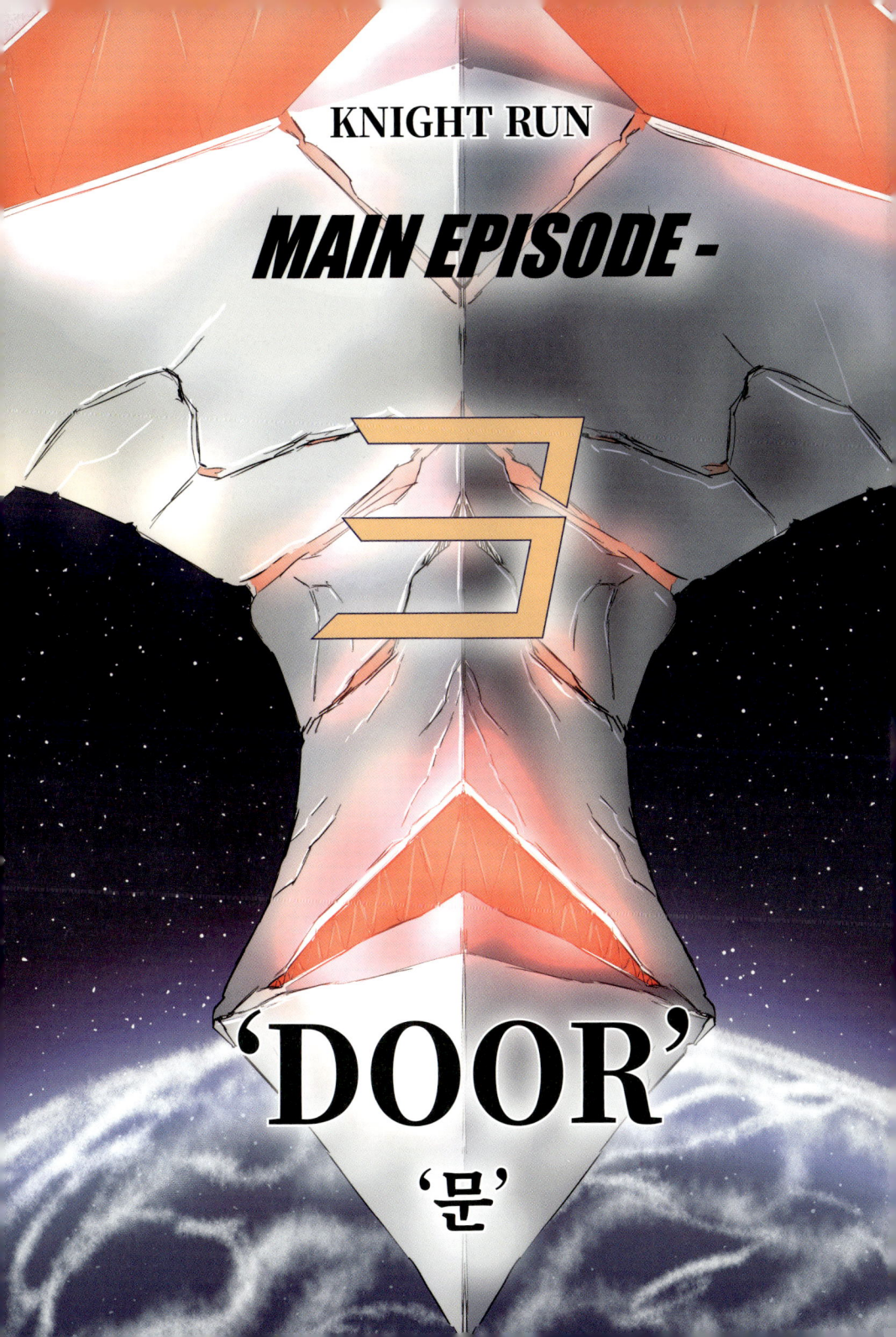